Écouter et Parler

HOLT, RINEHART AND WINSTON—NEW YORK

Dominique G. Côté

Sylvia Narins Levy

Patricia O'Connor

LE FRANÇAIS:

Écouter et Parler

Illustrations by **Walter Einsel**

On the cover: Front — Honfleur (Louis Renault from Photo Researchers)
Back — Paris, La place du Tertre (Photo Silberstein from
Rapho-Guillumette)

About the authors

Dominique G. Côté teaches French at Branford High School in Branford, Connecticut, and is a member of the Connecticut State Advisory Board for Foreign Languages. In 1960 he served as a Demonstration Teacher at the NDEA Summer Language Institute at Virginia State College.

Sylvia Narins Levy is Chairman of the Department of Foreign Languages at Washington Irving High School in New York City. She is a Lecturer in the Graduate School of Education at the City College of New York, where she gives a course in "Methods of Teaching Foreign Languages in the Secondary Schools," a course which she has also given at Hunter College. Mrs. Levy is a member of the Committee of the New York City Board of Education on the Teaching of Foreign Languages in the Elementary Schools. She has served as President and Regional Representative of the Metropolitan Chapter of the American Association of Teachers of French. With Frédéric Ernst, she is the co-author of *Le français*, a textbook widely used on the senior high school level.

Patricia O'Connor is Associate Professor of Linguistics and Education at Brown University where she is in charge of the language laboratory. She is the author of *Modern Foreign Languages in High School* (*U.S. Office of Education Bulletin No. OE-27000*) and is also co-author of *Español: Entender y Hablar, Español: Hablar y Leer* and *Deutsch: Verstehen und Sprechen* in this series.

Contents

Écouter et Parler

1 Greetings

1   Good morning. (*used in speaking to a man*)
2   Good evening. (*used in speaking to a married woman*)
3   How are you? (*used in speaking to an unmarried woman*)

4   "Hello, André.   How are things going?"
5   "Not bad.   How are things with you?"
6   "Fine, thanks."

7   "How are you, Robert?"
8   "Very well, thank you."
9   "Are your parents well?"
10 "Yes, they're fine."

11 "How are Paul and Louise?"
12 "Paul's fine.
13   But Louise is sick."
14 "I'm sorry to hear it."
15 "Oh, it's nothing serious."
16 "No?   Well that's good.
17   Give my regards to your family."

18 "Excuse me, I have to leave."
19 "So do I.   See you soon."
20 "Goodbye."

1   Salutations

1   Bonjour, Monsieur.

2   Bonsoir, Madame.

3   Comment allez-vous, Mademoiselle?

4   —Bonjour, André, ça va?

5   —Pas mal, et toi?

6   —Ça va bien, merci.

7   —Comment vas-tu, Robert?

8   —Je vais très bien, merci.

9   —Est-ce que tes parents vont bien?

10   —Oui, ils vont très bien.

11   —Paul et Louise, comment vont-ils?

12   —Paul va fort bien.

13   Mais Louise est malade.

14   —J'en suis désolée.

15   —Oh, ce n'est pas grave.

16   —Non?   Tant mieux.

17   Tu diras bien des choses chez toi.

18   —Excusez-moi, il faut que je parte.

19   —Moi aussi.   À bientôt.

20   —Au revoir, Mademoiselle.

QUESTION-ANSWER PRACTICE

1
LOUISE   Bonjour, Jean.   Ça va?
JEAN   Bonjour, Louise.

2
LOUISE   Comment vas-tu?
JEAN   Très bien, merci.   Et toi?

3
M. MONET   Comment allez-vous, Monsieur?
M. MARTEL   Pas mal.   Et vous?

4
MARCEL   Tes parents vont bien?
MARTHE   Oui, ils vont très bien.

5
JEAN   Paul et Louise, comment vont-ils?
LÉO   Paul va fort bien, mais Louise est malade.

6
JEAN   Est-ce que c'est grave?
LÉO   Non.   Ce n'est pas grave.

7
JEAN-CLAUDE   Comment allez-vous, Madame?
MME AUGER   Je vais très bien, merci.

8
HERVÉ   Bonjour, Monsieur.   Comment allez-vous?
M. LANTIN   Bien, merci.   Et toi, comment vas-tu?

9
ÉMILE   Bonsoir, André.   Ça va?
ANDRÉ   Ça va bien, merci.

10
ANNE   Comment va Louise?
MARIE   Louise est malade.

PATTERN PRACTICE

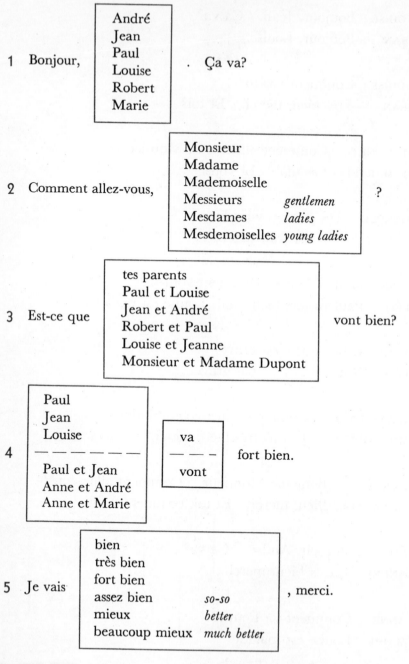

1 Bonjour, | André / Jean / Paul / Louise / Robert / Marie | . Ça va?

2 Comment allez-vous, | Monsieur / Madame / Mademoiselle / Messieurs *gentlemen* / Mesdames *ladies* / Mesdemoiselles *young ladies* | ?

3 Est-ce que | tes parents / Paul et Louise / Jean et André / Robert et Paul / Louise et Jeanne / Monsieur et Madame Dupont | vont bien?

4 | Paul / Jean / Louise / — — — — / Paul et Jean / Anne et André / Anne et Marie | va / — — — / vont | fort bien.

5 Je vais | bien / très bien / fort bien / assez bien *so-so* / mieux *better* / beaucoup mieux *much better* | , merci.

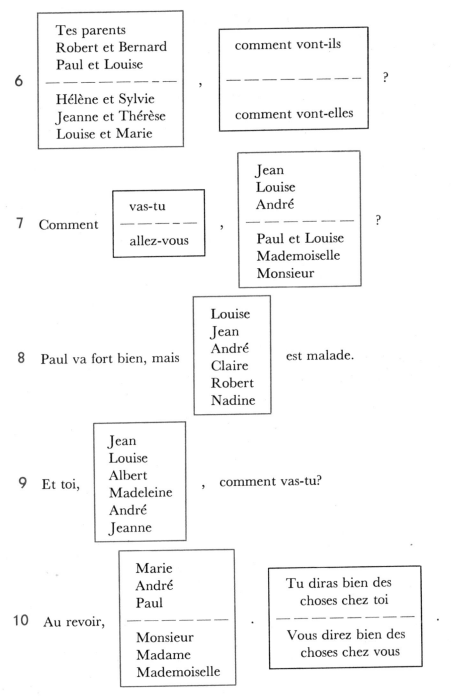

6 | Tes parents / Robert et Bernard / Paul et Louise / ———————— / Hélène et Sylvie / Jeanne et Thérèse / Louise et Marie | , | comment vont-ils / ———————— / comment vont-elles | ?

7 Comment | vas-tu / ———— / allez-vous | , | Jean / Louise / André / ————————— / Paul et Louise / Mademoiselle / Monsieur | ?

8 Paul va fort bien, mais | Louise / Jean / André / Claire / Robert / Nadine | est malade.

9 Et toi, | Jean / Louise / Albert / Madeleine / André / Jeanne | , comment vas-tu?

10 Au revoir, | Marie / André / Paul / ———————— / Monsieur / Madame / Mademoiselle | . | Tu diras bien des choses chez toi / ———————— / Vous direz bien des choses chez vous | .

CONVERSATIONS

1 Paul is especially polite when he meets his algebra teacher on the street.

PAUL	Bonjour, Monsieur.
M. BARDY	Bonjour, Paul.
PAUL	Comment allez-vous, Monsieur?
M. BARDY	Très bien, merci. Et vous?
PAUL	Bien, merci.
M. BARDY	Au revoir, Paul.
PAUL	À bientôt, Monsieur.

2 Pauline, as she enters the library, meets Thérèse, who has been out of school with a cold.

PAULINE	Bonjour, Thérèse.
THÉRÈSE	Bonjour, Pauline.
PAULINE	Ça va mieux?
THÉRÈSE	Oui, je vais assez bien, merci.
PAULINE	Et Louise?
THÉRÈSE	Louise va fort bien, mais Jeanne est malade.
PAULINE	J'en suis désolée.
THÉRÈSE	Ce n'est pas grave.
PAULINE	Tant mieux.
THÉRÈSE	Au revoir, Pauline.
PAULINE	À bientôt, Thérèse.

3 Robert, delivering the evening paper, finds Mr. Blanc already home from work.

ROBERT	Bonsoir, Monsieur.
M. BLANC	Bonsoir, Robert. Ça va?
ROBERT	Mais oui. Et vous, Monsieur?
M. BLANC	Ça va fort bien. Et tes parents?
ROBERT	Ils vont très bien, Monsieur.
M. BLANC	Au revoir, Robert. Tu diras bien des choses chez toi.

4 At the music store, Roger's piano teacher finds him listening to a noisy song hit with his friends.

MLLE THIBAULT	Bonjour, Roger. . . . Bonjour, Roger!
ROGER	Oh! Mademoiselle Thibault. Bonjour, Mademoiselle.

MLLE THIBAULT	Comment vas-tu, Roger?
ROGER	Pas mal, merci. Et vous, Mademoiselle?
MLLE THIBAULT	Fort bien, merci. Et tes parents vont bien?
ROGER	Oui, Mademoiselle.
MLLE THIBAULT	Et Hélène et Sylvie, comment vont-elles?
ROGER	Bien, merci. Excusez-moi, Mademoiselle, il faut que je parte.
MLLE THIBAULT	Au revoir, Roger. Tu diras bien des choses chez toi.
ROGER	Au revoir, Mademoiselle.
MLLE THIBAULT	À bientôt, Roger.

5 Mrs. Lenormand, who is curious about her neighbors, approaches their maid at the market.

MME LENORMAND	Bonjour, Titine.
TITINE	Bonjour, Madame.
MME LENORMAND	Est-ce que Monsieur Delorme va mieux?
TITINE	Oh, non, Madame; il est très malade.
MME LENORMAND	Et Madame Delorme, comment va-t-elle?
TITINE	Elle est bien malade aussi.
MME LENORMAND	Et Paul et Louise, comment vont-ils?
TITINE	Paul ne va pas bien, Madame, et Louise va bien mal—c'est très grave.
MME LENORMAND	J'en suis désolée. Et vous, Titine, comment allez-vous?
TITINE	Moi, je vais fort bien. . . . Excusez-moi, il faut que je parte. Au revoir, Madame.

6 Louise is interested in Robert. She speaks to his twin brother at the bus station.

LOUISE	Bonjour, Henri. Ça va?
HENRI	Bonjour, Louise. Ça va bien, merci.
LOUISE	Tes parents vont bien?
HENRI	Oui, ils vont très bien, mais Robert est malade.
LOUISE	J'en suis désolée.
HENRI	Oh, ce n'est pas grave.
LOUISE	Tant mieux.
HENRI	Au revoir, Louise. Il faut que je parte. À bientôt.
LOUISE	Au revoir, Henri. Bien des choses chez toi.

7 At the door of the drugstore, Mr. Delorme meets Mr. Gagnet hurrying out with a package.

M. DELORME	Bonjour, Monsieur. Est-ce que Madame Gagnet va mieux?
M. GAGNET	Oh oui, Monsieur, elle va beaucoup mieux, merci. Ce n'est pas grave.
M. DELORME	Tant mieux.
M. GAGNET	Excusez-moi, il faut que je parte.
M. DELORME	Bien des choses chez vous. À bientôt.
M. GAGNET	Au revoir, Monsieur.

8 On his way to school, Bernard meets a young lawyer, Jacques Duclos, who is in love with Bernard's grown-up sister, Henriette.

M. DUCLOS	Bonjour, Bernard.
BERNARD	Bonjour, Monsieur.
M. DUCLOS	Ça va?
BERNARD	Ça va très bien, merci.
M. DUCLOS	Est-ce que tes parents vont bien?
BERNARD	Oui, ils vont très bien.
M. DUCLOS	Comment vont Henriette, . . . et Jean?
BERNARD	Très bien, merci. Excusez-moi, Monsieur. Il faut que je parte.
M. DUCLOS	Au revoir, Bernard. Tu diras bien des choses chez toi.

9 Mrs. Michaud and her daughter, Nadine, are leaving a department store when they see Mrs. Ferland.

MME FERLAND	Bonjour, Madame.
MME MICHAUD	Bonjour, Madame.
MME FERLAND	Comment allez-vous?
MME MICHAUD	Très bien, merci. Et vous?
MME FERLAND	Fort bien, merci. Et toi, Nadine?
MME MICHAUD	Elle ne va pas très bien, Madame.
MME FERLAND	J'en suis désolée.
NADINE	Oh, ce n'est pas grave. Je vais mieux.
MME FERLAND	Très bien. . . . Excusez-moi. Il faut que je parte.
MME MICHAUD	Au revoir, Madame.
MME FERLAND	Au revoir, Madame. À bientôt, Nadine.
NADINE	Au revoir, Madame.

2 Names

1 "My name is Henri Martin.

2   What's yours?"

3 "I'm Jean-Claude Thomas.

4   And here's my friend Paul."

5 "Hello, Paul.   How are you?"

6 "Louise, I'd like you to meet my friend Anne."

7 "Glad to know you."

8 "My name is Henriette.

9   Is your name Jeanne?"

10 "No, that's my sister.   My name is Marie."

11 "And that girl, what's her name?"

12 "That girl over there?   Her name's Marthe."

13 "That boy's name is Marcel, isn't it?"

14 "No, his name is Guy."

15 "Don't you know that man?"

16 "Yes, I know him."

17 "And who is that lady near the door?"

18 "That's Mrs. de Lavallière."

19 "Do you know her?"

20 "Yes, I know her very well."

2 Noms de personnes

1 —Moi, je m'appelle Henri Martin.

2   Et toi, comment t'appelles-tu?

3 —Moi, je suis Jean-Claude Thomas.

4   Et voici mon ami Paul.

5 —Bonjour, Paul. Ça va?

6 —Louise, je te présente mon amie Anne.

7 —Bonjour, Mademoiselle.

8 —Je m'appelle Henriette.

9   Et toi? Tu t'appelles Jeanne?

10 —Non. C'est ma sœur. Moi, je m'appelle Marie.

11 —Et elle, comment s'appelle-t-elle?

12 —Cette jeune fille-là? Elle s'appelle Marthe.

13 —Ce garçon s'appelle Marcel, n'est-ce pas?

14 —Non, il s'appelle Guy.

15 —Ne connais-tu pas ce monsieur?

16 —Si, je le connais.

17 —Et qui est cette dame près de la porte?

18 —C'est Madame de Lavallière.

19 —Est-ce que tu la connais?

20 —Oui, je la connais très bien.

QUESTION-ANSWER PRACTICE

1
PHILIPPE Je suis Philippe Dupont. Et toi? Comment t'appelles-tu?

HENRI Je m'appelle Henri Martin.

2
M. DUPONT Et cette jeune fille, comment s'appelle-t-elle?

HENRI Elle s'appelle Marthe Duval.

3
CLAUDE Ce garçon-là, comment s'appelle-t-il?

PIERRE Il s'appelle Guy.

4
CLAUDE Et elle, comment s'appelle-t-elle?

PIERRE Cette jeune fille-là? Elle s'appelle Marthe.

5
MARC Toi, tu t'appelles Berthe, n'est-ce pas?

MARIE Non. C'est ma sœur. Moi, je m'appelle Marie.

6
ROGER Bonjour, Paul. Ça va?

PAUL Ça va bien, merci. Je te présente mon ami Jean-Claude.

7
M. HERVET Connais-tu Monsieur Lebrun?

PIERRE HERVET Oui, je le connais.

8
ANNE Voici mon amie Marthe. Tu la connais?

LOUISE Oui, je la connais très bien.

9
HERVÉ Qui est ce monsieur près de la porte?

ADÈLE C'est Monsieur de Lavallière.

10
PAULINE Ne connais-tu pas cette dame?

FRANÇOIS Si, je la connais très bien. C'est Madame Dupont.

PATTERN PRACTICE

1   Moi, je m'appelle

> Jean-Claude
> Louise
> Agnès
> Henri Martin
> Jean Gagny
> Lucie Hamel

.

2

> Toi, tu t'appelles
> ――――――――――――
> Vous, vous vous appelez

> Jeanne
> André
> Marthe
> ――――――――――――
> Monsieur Brunelle
> Madame Marty
> Mademoiselle Luneau

?

3   Louise, je te présente

> mon ami
> ―――――――
> mon amie

> Louis
> Marcel
> Henri
> ―――――――
> Marthe
> Jeanne
> Lucie

.

4   Je suis

> Monsieur Dupont
> Philippe Martin
> Monsieur Duclos
> Madame de Lavallière
> Mademoiselle Duclos
> Isabelle Martin

.

5

> Ce garçon
> ―――――――――
> Cette jeune fille

s'appelle

> Guy
> Marcel
> Paul
> ―――――
> Louise
> Jeanne
> Marthe

, n'est-ce pas?

6 Voici
   | Charles
Monsieur Gagny
mon ami Paul
— — — — — — —
Marthe
Madame Martin
mon amie Jeanne |
   . Est-ce que tu
   | le
— — —
la |
   connais?

7 Je connais très bien
   | ce garçon
ce monsieur-là
ce professeur   *teacher*
cette charmante jeune fille   *charming girl*
cette dame-là
votre ami Monsieur Martin   *your friend* |
   .

8 Qui est cette dame
   | près de la porte
près de la fenêtre   *window*
près de l'entrée   *entrance*
près de ma sœur
près de cette jeune fille
près de tes parents |
   ?

9 Ne connais-tu pas
   | Paul
Monsieur Dupont
ce garçon
Marie
mes parents   *my parents*
Hélène Duclos |
   ?

10 | Jean-Claude
Paul
Louise
— — — — — — — —
Monsieur Duclos
Madame Rival
Mademoiselle Plantin |
    , ne
    | connais-tu
— — — — — —
connaissez-vous |
    pas ma sœur?

CONVERSATIONS

1 Gaston and Guillaume meet for the first time at the French Club.

GASTON Bonjour. Je m'appelle Gaston Lebel. Et toi?

GUILLAUME Moi, je m'appelle Guillaume Brunot.

GASTON Tu connais mon ami Pierre, n'est-ce pas?

GUILLAUME Est-ce ce garçon près de la porte?

GASTON Oui.

GUILLAUME Oui, je le connais très bien.

2 Louis, Paul and André are trying to identify a couple at the dance.

LOUIS Est-ce que tu connais ce garçon et cette jeune fille près de la porte?

ANDRÉ Ce garçon? C'est Jacques Vanier.

LOUIS Et elle, comment s'appelle-t-elle?

ANDRÉ Je ne la connais pas.

PAUL Cette jeune fille-là? Elle s'appelle Simone Durand.

3 Marie-Jeanne, age four, is sucking a lollypop beside the baby carriage as her mother shops. Miss Boulot comes over to peek into the carriage.

MLLE BOULOT C'est un garçon, n'est-ce pas? . . . Comment s'appelle-t-il?

MARIE-JEANNE Il s'appelle Jeannot . . . Moi, je m'appelle Marie-Jeanne. Et vous, comment vous appelez-vous?

MLLE BOULOT Christine . . . Bonjour, Marie-Jeanne.

MARIE-JEANNE Bonjour, Christine.

MLLE BOULOT Au revoir, Jeannot. Au revoir, Marie-Jeanne.

MARIE-JEANNE Au revoir, Christine.

* * *

(*As Miss Boulot is leaving, Mrs. Aimé hurries over to the children.*)

MARIE-JEANNE Maman, tu connais cette dame?

MME AIMÉ La dame près de la porte?

MARIE-JEANNE Oui.

MME AIMÉ Oui, je la connais. C'est Mademoiselle Boulot.

MARIE-JEANNE Mais non, maman, elle s'appelle Christine.

4 Mr. Brunelle, who is running for Mayor, meets Mrs. Valère and her sister.

M. BRUNELLE Bonjour, Mesdames.

MME VALÈRE Bonjour, Monsieur.

M. BRUNELLE	Comment allez-vous, Mesdames?
MME VALÈRE	Très bien, merci, Monsieur.
M. BRUNELLE	Je ne connais pas cette charmante jeune fille.
MME VALÈRE	Je vais vous présenter. Agnès, je te présente Monsieur Brunelle.
M. BRUNELLE	Enchanté, Mademoiselle. [1]
AGNÈS	Enchantée, Monsieur.
M. BRUNELLE	Bien des choses à Monsieur Valère. Au revoir, Mesdames.
MME VALÈRE	Au revoir, Monsieur.

[1] **Enchanté** Delighted to meet you

5 The new voice teacher asks Marie-Anne to help her identify some of the members of the school choir.

MLLE AUCLAIR	Cette jeune fille s'appelle Sylvie, n'est-ce pas?
MARIE-ANNE	Non, Mademoiselle, elle s'appelle Monique.
MLLE AUCLAIR	Et cette jeune fille près de la porte, comment s'appelle-t-elle?
MARIE-ANNE	C'est mon amie Élise Girard.
MLLE AUCLAIR	Et ce garçon près de la fenêtre?
MARIE-ANNE	C'est Marcel Leroy.
MLLE AUCLAIR	Cette jeune fille qui est près de Marcel, vous ne la connaissez pas?
MARIE-ANNE	Mais si, Mademoiselle, c'est ma sœur Hélène.

6 At the concert, Mrs. Martin presents her friend to leaders of local society.

MME MARTIN	Connais-tu cette dame?
MLLE LENOIR	Non, je ne la connais pas.
MME MARTIN	Mais si, tu la connais.
MLLE LENOIR	Mais non. Comment s'appelle-t-elle?
MME MARTIN	Elle s'appelle Yvonne Bray. Je vais te présenter. . . . Bonjour, Madame. Comment allez-vous?
MME BRAY	Très bien, merci, Madame.
MME MARTIN	Madame, je vous présente Mademoiselle Lenoir.
MME BRAY	Bonjour, Mademoiselle..
MLLE LENOIR	Bonjour, Madame.
MME BRAY	Excusez-moi, Mesdames. Il faut que je parte. Au revoir, Mesdames.
MME MARTIN	Au revoir, Madame.

7   It is one of the first meetings of the class at the university, and Mr. Lamont has always had difficulty associating names and faces.

M. LAMONT	Bonjour, Mademoiselle. Comment vous appelez-vous?
CLAIRE	Je m'appelle Claire Dubois, Monsieur.
M. LAMONT	Et vous, Mademoiselle. Vous vous appelez Lucie Lefort?
JEANNE	Non, Monsieur. Je suis Jeanne Leblond.
M. LAMONT	Et vous, Mademoiselle. Vous appelez-vous Estelle Bolduc?
ESTELLE	Oui, Monsieur.
M. LAMONT	Bonjour, Monsieur. Vous appelez-vous Louis Grandin?
LOUIS	Non, Monsieur. Je ne m'appelle pas Grandin. Je m'appelle Louis Montand.

8   The speeches are over at the Chamber of Commerce banquet, and Mr. Clément greets his friend Mr. Michaud.

M. CLÉMENT	Bonsoir, Victor.
M. MICHAUD	Bonsoir, Jules. Ça va?
M. CLÉMENT	Ça va bien, merci. Et toi? Comment vas-tu?
M. MICHAUD	Fort bien, merci. Tes parents vont bien?
M. CLÉMENT	Oui, ils vont très bien. Et Nadine, va-t-elle mieux?
M. MICHAUD	Oui, elle va beaucoup mieux. [1]
M. CLÉMENT	Connais-tu ce monsieur qui est près de l'entrée?
M. MICHAUD	Oui, c'est mon ami Lucien Jourdan. . . . Lucien, je te présente Jules Clément.
M. JOURDAN	Bonjour, Monsieur.
M. CLÉMENT	Vous connaissez mon ami Armand Brunot, n'est-ce pas?
M. JOURDAN	Mais oui. Je le connais très bien.
M. MICHAUD	Excusez-moi, Messieurs. Ma sœur Nadine est malade. Il faut que je parte.
M. JOURDAN	Ce n'est pas grave?
M. MICHAUD	Non. Ce n'est pas grave. À bientôt.
M. CLÉMENT	Au revoir. Bien des choses chez toi.

[1] beaucoup mieux   much better

3   Friends

1   "Do you know Michel?"
2   "Michel?   You mean Michel Gagny?
3   Sure, we're great friends.
4   He's very nice, isn't he?"

5   "What do you think of Hélène Duclos?"
6   "Well, she's not bad-looking.
7   She's a very bright girl.
8   But not very well-liked.   It's too bad."

9   "Here comes Thérèse."
10   "Who is she?   I don't know her."
11   "She's a friend of my sister."
12   "Will you introduce me?"
13   "Of course!   Come on!"

14   "Look!   There are our friends Anne and Jean-Pierre."
15   "Anne's very pretty.
16   And he's a good-looking boy.
17   They're nice, both of them."
18   "I hear they're engaged."
19   "Oh no.   Certainly not.
20   They're good friends, that's all."

3   Les amis

1 —Tu connais Michel?
2 —Michel?   Tu veux dire Michel Gagny?
3   Mais oui, nous sommes de bons copains.
4   Il est très gentil, n'est-ce pas?

5 —Comment trouves-tu Hélène Duclos?
6 —Eh bien, elle n'est pas mal.
7   C'est une jeune fille très intelligente.
8   Mais pas très sympathique.   C'est dommage.

9 —Voilà Thérèse qui arrive.
10 —Qui est-ce?   Je ne la connais pas.
11 —C'est une amie de ma sœur.
12 —Tu vas me présenter?
13 —Mais bien sûr!   Viens!

14 —Tiens!   Voilà nos amis Anne et Jean-Pierre.
15 —Anne est très jolie.
16   Et lui, c'est un beau garçon.
17   Ils sont sympathiques, tous les deux.
18 —On dit qu'ils sont fiancés.
19 —Mais non.   Certainement pas.
20   Ce sont de bons amis, voilà tout.

QUESTION-ANSWER PRACTICE

1
RENÉ Qui est cette jeune fille?
GUY C'est une amie de ma sœur.

2
LUCIEN Philippe est très intelligent, n'est-ce pas?
MARCEL Oui, mais pas très sympathique.

3
GEORGES Tu ne connais pas Michel?
RENÉ Mais si, je le connais. Il est très gentil.

4
GEORGES Tu vas me présenter?
RENÉ Mais bien sûr. Viens!

5
MARIE Comment trouves-tu Anne Duval?
ROSE Eh bien, elle n'est pas mal.

6
SYLVIE Connais-tu Thérèse?
ANNE-MARIE Je ne la connais pas. Qui est-ce?

7
ÉTIENNE Est-ce que Marie-Claude est intelligente?
RAYMOND Oui, c'est une jeune fille très intelligente.

8
THOMAS Qui est-ce? Je ne le connais pas.
JÉRÔME C'est un ami de Michel.

9
BERNARD Est-ce que tu connais ce garçon?
CHARLES Mais oui. Nous sommes de bons copains.

10
CÉCILE Jacques est très gentil, n'est-ce pas?
CLAIRE Oui, et c'est un beau garçon.

PATTERN PRACTICE

1   Tu connais

| Michel |
| Louise |
| mon ami |
| ma sœur |
| ce monsieur |
| cette jeune fille-là |

?

2   Il est très

| gentil |
| beau |
| intelligent |
| jeune |
| sympathique |
| malade |

, n'est-ce pas?

3   Hélène Duclos?   Eh bien, elle est très

gentille	
belle	*beautiful*
intelligente	
jeune	
sympathique	
jolie	

4

| Hélène |
| Pierre |
| Anne |
| Ma sœur |
| Ce garçon |
| Cette dame |

est très sympathique.

5   Tu veux dire

Henri Martin	
Guy Dupont	
ses cousins	*her cousins*
Marthe Duclos	
Lucie Martin	
André Bonin	

?

6   Voilà
| Thérèse |
| Jean-Pierre |
| Anne |
| Madame Thomas |
| Monsieur Martin |
| Mademoiselle Gagny |

qui arrive. Tu vas me présenter?

7   C'est une amie
de ma sœur	
de mon frère	*brother*
de mes parents	*my parents*
de votre fiancée	*your fiancée*
de Mademoiselle Martin	
de cette jeune fille	

.

8   On dit qu'ils sont
fiancés	
malades	
gentils	
sympathiques	
amusants	*amusing*
sportifs	*good at sports*

.

9
| Anne et Marie |
| Ma sœur et mon amie |
| Thérèse et Hélène |
| — — — — — — — — |
| Michel et Jean |
| Jean-Claude et Louise |
| Tes parents |

sont

| intelligentes |
| — — — — — |
| intelligents |

, n'est-ce pas?

10
| Je suis |
| — — — — — |
| Nous sommes |

| un ami de Pierre |
| une amie de Marie |
| un ami de tes parents |
| — — — — — — — |
| de bons copains |
| de bons amis |
| de bonnes amies |

.

CONVERSATIONS

1 Charles and Pierre are having a soda when the school's star quarterback enters.

CHARLES Voilà Alexandre qui arrive.
PIERRE Ce garçon-là? Je ne le connais pas.
CHARLES C'est un ami de mon frère. Il est très sympathique.
Nous sommes de bons copains.
PIERRE Tu vas me présenter?
CHARLES Mais bien sûr! Viens!

2 Simone has just arrived at the engagement party at Marie's house.

MARIE Viens, Simone. Je vais te présenter à la fiancée de mon
frère Jean-Marc.
SIMONE C'est cette jeune fille-là? Elle est très jolie.
MARIE Oui et elle est aussi très gentille et très intelligente. . . .
Christiane, je te présente mon amie Simone Lacroix.
SIMONE Bonjour, Mademoiselle.

3 Albert looks over the crowd at the snack bar while he and Yves have sand-wiches.

ALBERT Cette jeune fille-là n'est pas mal!
YVES Et elle est aussi très sympathique.
ALBERT Ah, tu la connais?
YVES Certainement! C'est la sœur de Charles Duclos. Nous
sommes de bons amis.
ALBERT Ah! Oui? Veux-tu me présenter?
YVES Mais bien sûr. Viens!

4 Sylvie and Renée comment on a young couple they have just passed on the street.

SYLVIE Comment trouves-tu Anne-Marie?
RENÉE Oh, elle n'est pas mal, mais pas très sympathique.
SYLVIE Jean-Pierre est un beau garçon, n'est-ce pas?
RENÉE Oui. Et il est très intelligent.
SYLVIE On dit qu'ils sont fiancés.
RENÉE Mais non. Certainement pas. Ce sont de bons amis,
voilà tout.

5   Hervé drives up while Eric is talking with his new neighbor, Armand Rigaud.

ERIC   Bonjour, Hervé.   Ça va?
HERVÉ   Très bien.   Et toi?
ERIC   Pas mal.   Tu ne connais pas mon ami?
HERVÉ   Non, je ne le connais pas.
ERIC   Hervé Castanier, mon ami Armand Rigaud.
HERVÉ   Bonjour, Armand.
ARMAND   Bonjour, Hervé.
HERVÉ   Je connais une jeune fille qui s'appelle Monique Rigaud.
ARMAND   C'est ma sœur.
HERVÉ   Elle est très sympathique.
ARMAND   Tu trouves?
HERVÉ   Certainement.   Et elle est aussi très jolie.

6   Claire and Ginette are on the phone.

CLAIRE   Connais-tu Georges Moraud?
GINETTE   Non, mais on dit qu'il est très gentil.
CLAIRE   Et Jean-Claude Leroi, le connais-tu?
GINETTE   Tu veux dire l'ami d'Annette?   Oui, je le connais.
            C'est un bon ami de mon frère Charles.
CLAIRE   Moi, je ne connais pas Annette.   Comment la trouves-
            tu?
GINETTE   Oh . . . pas très jolie.
CLAIRE   Tu vas me présenter à Jean-Claude?
GINETTE   Mais bien sûr.   Jean-Claude est très sympathique.

7   Simon and Antoine do not think much of the older college crowd.

SIMON   Voilà Pierre Mireau qui arrive.
ANTOINE   Et Lucie Menot.   Tiens!   Tiens!
SIMON   Tu la connais?
ANTOINE   Mais oui.   C'est une amie de ma sœur.
SIMON   Comment la trouves-tu?
ANTOINE   Elle n'est certainement pas très jolie.
SIMON   Et Pierre n'est certainement pas très intelligent.
ANTOINE   On dit qu'ils sont fiancés.
SIMON   Tant mieux.

8 Mr. Laurent comes home to find a party going on. He greets some of his
   daughter's guests.

M. LAURENT	Bonsoir, Anne. Ça va?
ANNE	Ça va très bien. Tu connais Philippe Morel, n'est-ce pas?
M. LAURENT	Mais oui. Bonsoir, Philippe. Comment vas-tu?
PHILIPPE	Bonsoir, Monsieur. Je vais bien, merci.
M. LAURENT	Est-ce que tes parents vont bien?
PHILIPPE	Oui. Ils vont très bien, merci.
M. LAURENT	Cette jolie jeune fille près de la porte, comment s'appelle-t-elle?
ANNE	Elle s'appelle Andrée Villard. Elle est très gentille.
M. LAURENT	Et voilà Ginette Dubois.
ANNE	Tu veux dire cette jeune fille-là? C'est la sœur de Ginette. Elle s'appelle Nicole. Ginette n'est pas là. Elle est malade.

9 Mrs. Lavallière, who hasn't seen Mrs. Chevalier for some time, meets her at
   the post office.

MME LAVALLIÈRE	Tiens! Bonjour, Henriette. Comment allez-vous?
MME CHEVALIER	Bonjour, Marie. Je vais très bien, merci. Et votre sœur? Comment va-t-elle?
MME LAVALLIÈRE	Elle ne va pas très bien.
MME CHEVALIER	J'en suis désolée.
MME LAVALLIÈRE	Mais ce n'est pas grave.
MME CHEVALIER	Tant mieux, tant mieux. Voilà Hélène Gagny et Jean-Pierre Dumont. Ils sont sympathiques, tous les deux.
MME LAVALLIÈRE	Lui, c'est un beau garçon.
MME CHEVALIER	Et il est très intelligent. Excusez-moi, Marie. Il faut que je parte.
MME LAVALLIÈRE	Moi aussi. Au revoir. À bientôt.
MME CHEVALIER	Au revoir, Marie.

4　The family

1　"Do you have any brothers and sisters?"
2　"Yes, I have two brothers and one sister.
3　My sister is the oldest.
4　One of my brothers is older than I am.
5　The other's younger."

6　"How many brothers and sisters do you have?"
7　"I have just one brother.
8　His name is François.　He's twenty."
9　"Oh yes, I remember now.
10　He's the one in the Navy.
11　My cousin Pierre is in the service, too."

12　"Our little cousin is staying with us."
13　"Is that so?　How old is she?"
14　"She just had her fifth birthday.
15　She's my Aunt Françoise's only child."

16　"Your uncle and aunt are very nice."
17　"My uncle especially is very amusing.
18　We all call him 'Tonton'."
19　"Do they live near you?"
20　"Yes.　Right next door!"

4   La famille

1 —As-tu des frères et des sœurs?

2 —Oui, j'ai deux frères et une sœur.

3   Ma sœur est l'aînée.

4   Un de mes frères est plus âgé que moi.

5   L'autre est plus jeune.

6 —Combien de frères et de sœurs as-tu?

7 —Je n'ai qu'un frère.

8   Il s'appelle François.   Il a vingt ans.

9 —Ah oui, je me rappelle maintenant.

10   C'est lui qui est dans la marine.

11   Mon cousin Pierre fait aussi son service militaire.

12 —Notre petite cousine est chez nous.

13 —Vraiment?   Quel âge a-t-elle?

14 —Elle vient d'avoir cinq ans.

15   C'est la fille unique de ma tante Françoise.

16 —Ton oncle et ta tante sont bien gentils.

17 —Mon oncle surtout est très amusant.

18   Nous l'appelons tous «Tontón».

19 —Est-ce qu'ils habitent près de chez vous?

20 —Oui, tout à côté!

QUESTION-ANSWER PRACTICE

1   LÉO   Combien de frères as-tu?
     GUILLAUME   Je n'ai qu'un frère.

2   PAUL   As-tu des frères et des sœurs?
     PIERRE   Oui, j'ai deux frères et une sœur.

3   PAUL   Quel âge a ta sœur?
     PIERRE   Elle a vingt ans.

4   MARIE   Est-ce que ton frère est plus jeune que toi?
     RACHEL   Non, mon frère est l'aîné.

5   MARIE-ANNE   Où habitent ton oncle et ta tante?
     PAULETTE   Ils habitent près de chez nous.

6   THÉRÈSE   Quel âge a ta petite cousine?
     JANINE   Elle vient d'avoir cinq ans.

7   THÉRÈSE   Est-ce qu'elle a des frères et des sœurs?
     JANINE   Non, c'est la fille unique de ma tante Françoise.

8   PIERRE   Tu connais mon oncle Charles, n'est-ce pas?
     FRANÇOIS   Oui.   Il est très amusant et bien gentil.

9   ÉMILE   Est-ce que ton ami Antoine habite près de chez vous?
     GEORGES   Oui, tout à côté.

10   JEAN   Ton cousin Pierre fait son service militaire, n'est-ce pas?
     ROBERT   Oui.   C'est lui qui est dans la marine.

PATTERN PRACTICE

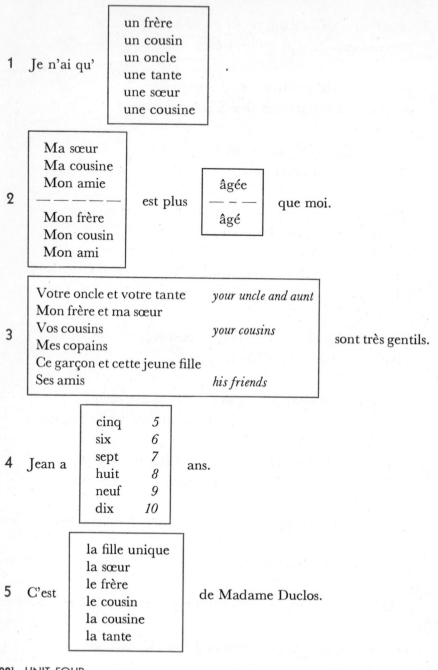

1 Je n'ai qu'
- un frère
- un cousin
- un oncle
- une tante
- une sœur
- une cousine

2
- Ma sœur
- Ma cousine
- Mon amie
- — — — —
- Mon frère
- Mon cousin
- Mon ami

est plus
- âgée
- — – —
- âgé

que moi.

3
- Votre oncle et votre tante — *your uncle and aunt*
- Mon frère et ma sœur
- Vos cousins — *your cousins*
- Mes copains
- Ce garçon et cette jeune fille
- Ses amis — *his friends*

sont très gentils.

4 Jean a
cinq	5
six	6
sept	7
huit	8
neuf	9
dix	10

ans.

5 C'est
- la fille unique
- la sœur
- le frère
- le cousin
- la cousine
- la tante

de Madame Duclos.

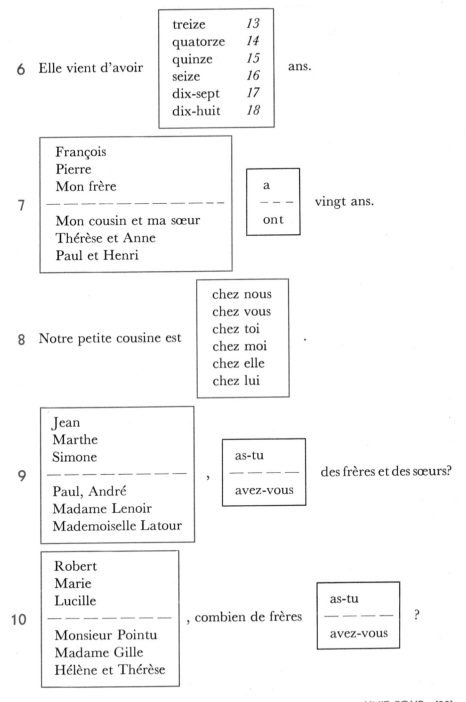

6 Elle vient d'avoir

treize	*13*
quatorze	*14*
quinze	*15*
seize	*16*
dix-sept	*17*
dix-huit	*18*

ans.

7

François
Pierre
Mon frère
— — — — — — — — — — —
Mon cousin et ma sœur
Thérèse et Anne
Paul et Henri

a
— — —
ont

vingt ans.

8 Notre petite cousine est

chez nous
chez vous
chez toi
chez moi
chez elle
chez lui

.

9

Jean
Marthe
Simone
— — — — — — — —
Paul, André
Madame Lenoir
Mademoiselle Latour

,

as-tu
— — — —
avez-vous

des frères et des sœurs?

10

Robert
Marie
Lucille
— — — — — — —
Monsieur Pointu
Madame Gille
Hélène et Thérèse

, combien de frères

as-tu
— — — —
avez-vous

?

Cardinal Numbers

Nombres Cardinaux

1	un	11	onze
2	deux	12	douze
3	trois	13	treize
4	quatre	14	quatorze
5	cinq	15	quinze
6	six	16	seize
7	sept	17	dix-sept
8	huit	18	dix-huit
9	neuf	19	dix-neuf
10	dix	20	vingt

Parenté

parents	les parents
father	le père
mother	la mère
brother	le frère
sister	la sœur
child	l'enfant
son	le fils
daughter	la fille
uncle	l'oncle
aunt	la tante
nephew	le neveu
niece	la nièce
boy cousin	le cousin
girl cousin	la cousine
grandparents	les grands-parents
grandfather	le grand-père
grandmother	la grand-mère
grandson	le petit-fils
granddaughter	la petite-fille
brother-in-law	le beau-frère
sister-in-law	la belle-sœur

CONVERSATIONS

1   Philippe is trying to find out as much as he can about his new neighbor, Jean-Paul.

PHILIPPE	As-tu des frères et des sœurs?
JEAN-PAUL	Je n'ai qu'un frère.
PHILIPPE	Comment s'appelle-t-il?
JEAN-PAUL	Il s'appelle Roger.
PHILIPPE	Quel âge a-t-il?
JEAN-PAUL	Il vient d'avoir vingt ans. Il fait son service militaire.

2   Two girls who have been trying out for the glee club are waiting for transportation home.

SOLANGE	Tu t'appelles bien Simone, n'est-ce pas?
SIMONE	Oui. Et toi, comment t'appelles-tu?
SOLANGE	Moi, je m'appelle Solange Goulet.
SIMONE	As-tu une sœur qui s'appelle Marthe?
SOLANGE	Mais oui. C'est ma sœur aînée.
SIMONE	Je la connais très bien. Elle est très sympathique. Tiens! Voilà ma mère qui arrive. Eh bien! Il faut que je parte. Au revoir et à bientôt.
SOLANGE	Au revoir, Simone.

3   Mrs. Mathieu meets Mrs. Lapointe after the first fall meeting of the PTA.

MME MATHIEU	Comment allez-vous, Madame?
MME LAPOINTE	Très bien, merci, et vous?
MME MATHIEU	Bien, merci. Toute la famille va bien aussi?
MME LAPOINTE	Ma fille est malade.
MME MATHIEU	Est-ce que c'est grave?
MME LAPOINTE	Oh non, ce n'est pas grave.
MME MATHIEU	Tant mieux. Quel âge a-t-elle?
MME LAPOINTE	Elle vient d'avoir cinq ans. Et vous, vous allez bien?
MME MATHIEU	Ça va, merci.
MME LAPOINTE	Bon. Il faut que je parte maintenant. À bientôt, Madame Mathieu.
MME MATHIEU	Au revoir, Madame Lapointe.

4 Julien has just given his address to his new friend Laurent.

LAURENT J'ai des cousins qui habitent près de chez toi.

JULIEN Vraiment?

LAURENT Oui, ils s'appellent Lacroix.

JULIEN Mais bien sûr! Ils habitent tout à côté de chez nous. Nous sommes de bons amis.

LAURENT Et tu connais ma cousine Joséphine?

JULIEN Oui, mais elle est plus âgée que moi.

LAURENT Comment la trouves-tu?

JULIEN Je la trouve amusante et bien gentille.

LAURENT Moi aussi. Je trouve qu'elle est très sympathique. Nous l'appelons tous «Jojo».

5 Arlette has invited Anne-Marie to go with her to her uncle's house.

ANNE-MARIE Comment s'appelle ton oncle?

ARLETTE Il s'appelle Antoine.

ANNE-MARIE Je ne le connais pas.

ARLETTE Mais si. Nous l'appelons tous «Tonton». Il est très amusant.

ANNE-MARIE Ah oui. Je me rappelle maintenant. Sa fille s'appelle Lucie, n'est-ce pas?

ARLETTE Non, elle s'appelle Colette. Elle est plus jeune que moi.

ANNE-MARIE Quel âge a-t-elle?

ARLETTE Elle vient d'avoir quinze ans.

6 Xavier and Louis meet after class.

XAVIER Ça va, Louis?

LOUIS Très bien, merci. Et toi, Xavier?

XAVIER Pas mal, merci. Comment va Émile?

LOUIS Il va beaucoup mieux, merci. [1] Ce n'est pas grave.

XAVIER Tant mieux. C'est l'aîné de tes frères, n'est-ce pas?

LOUIS Mais non. Émile n'a que dix-sept ans; c'est Charles qui est le plus âgé. Tu te rappelles? C'est lui qui est dans la marine.

XAVIER Ah oui. C'est lui qui est si amusant. Quel âge a-t-il?

LOUIS Il vient d'avoir vingt ans.

XAVIER	Tiens! Il est plus âgé que mon frère Philippe.
LOUIS	Philippe fait aussi son service militaire, n'est-ce pas?
XAVIER	Lui aussi est dans la marine. Il va arriver chez nous aujourd'hui. [2]
LOUIS	Eh bien, il faut que je parte. Mes compliments à Philippe.
XAVIER	Et toi à Émile. À bientôt, Louis.

[1] beaucoup mieux much better   [2] aujourd'hui today

7 The census-taker finds Georges alone outside the Desgranges' huge old house.

M. GIROUX	Vos grands-parents habitent-ils chez vous?
GEORGES	Oui, Monsieur.
M. GIROUX	Est-ce que ce sont les parents de votre père?
GEORGES	Non, Monsieur. De ma mère.
M. GIROUX	Avez-vous des tantes qui habitent chez vous?
GEORGES	Oui, Monsieur, ma tante Isabelle, ma tante Rosine, et ma tante Desdémone,—toutes les trois.
M. GIROUX	Est-ce que ce sont les sœurs de votre père?
GEORGES	Non, Monsieur. De ma mère.
M. GIROUX	Vos tantes, ont-elles des enfants, mon garçon?
GEORGES	Mais oui, Monsieur. Ma tante Isabelle a trois enfants, ma tante Rosine a quatre enfants, et ma tante Desdémone, trois.
M. GIROUX	Combien de cousins avez-vous et combien de cousines?
GEORGES	Ce sont toutes des filles, Monsieur.
M. GIROUX	Dix cousines? Et vous n'avez pas d'oncles qui habitent chez vous?
GEORGES	Si, Monsieur, mon oncle Jacques. Nous l'appelons tous Jacquot.
M. GIROUX	Est-ce le frère de votre père?
GEORGES	Non, Monsieur. De ma mère.
M. GIROUX	Et votre père, a-t-il des frères et des sœurs?
GEORGES	Non, Monsieur, mon père est fils unique.
M. GIROUX	Et vous, mon garçon, combien de frères et de sœurs avez-vous?
GEORGES	Je n'ai pas de frères, Monsieur, et je n'ai pas de sœurs. Je suis fils unique, comme mon père.

Reading and Review

(Jeanne and Marie are describing to their aunt the boy who lives next door.)

1 LE GARÇON QUI HABITE À CÔTÉ DE CHEZ NOUS

Marie a douze ans. Jeanne, sa sœur aînée, a dix-huit ans.

Une des sœurs dit:

Il s'appelle Marc, mais, moi, je l'appelle Marco. Il est jeune; il n'a que vingt ans. Il est vraiment très amusant, et aussi très intelligent. Il me trouve très jolie. Il est fort gentil. Il me présente ses amis qui sont tous des garçons sympathiques. Et surtout, il est beau. Il est certainement très, très beau.

Il faut qu'il parte dans la marine.

C'est dommage.

Qui dit ça?

L'autre sœur dit:

Le garçon qui habite à côté de chez nous s'appelle Marc. Il est très âgé. Il vient d'avoir vingt ans. Il n'est pas amusant. Ah, non. Il n'est pas intelligent. Il m'appelle «petite». Je ne suis pas petite. Vraiment, il n'est pas gentil. Il ne me présente pas ses amis. Il n'est pas mal mais il n'est pas beau. Non, il n'est certainement pas beau.

Il faut qu'il parte dans la marine.

Tant mieux.

Qui dit ça?

QUESTIONS

1. Quel âge a Marie?
2. Quel âge a Jeanne?
3. Comment s'appelle ce garçon?
4. Quel âge a-t-il?
5. Est-ce que Jeanne trouve qu'il est intelligent et amusant?
6. Est-ce que Marc présente ses amis à Jeanne?
7. Est-ce que Jeanne trouve que Marc est beau?
8. Est-ce que Marie trouve que Marc est beau?
9. Qui dit «Tant mieux»?
10. Qui dit: «C'est dommage»?

[34] FIRST READING AND REVIEW

2 LUCETTE ET TONTON DA

Daniel Giraud a quatre neveux et deux nièces.   Martine, la plus âgée, a douze ans.   Lucie vient d'avoir quatre ans.   Daniel trouve Lucie fort jolie.   Et surtout, il la trouve très intelligente.   Il l'appelle «Mademoiselle Lucette» et elle l'appelle «Tonton Da».

Tiens, la voilà qui arrive.

—Bonjour, Tonton Da.   Comment vas-tu?

—Pas mal, merci.

—Tu n'es pas malade?

—Mais non.   Et toi, comment vas-tu?

—Moi, je suis malade.   C'est très, très grave.

Elle va très bien mais elle trouve que c'est amusant de dire qu'elle est malade.   Oncle Daniel dit:

—J'en suis désolé, Mademoiselle Lucette.

—Tu veux dire que tu en es très, très désolé?

—Mais bien sûr.   J'en suis vraiment très désolé.

—Tu es gentil.   Tonton Da, comment trouves-tu Martine?

—Je la trouve sympathique, intelligente.

—Eh bien, Tonton Da, tu ne la connais pas.   Elle n'est pas sympathique et elle n'est pas intelligente.

—Vraiment?

—Certainement.   Elle trouve que tu n'es pas gentil et que tu n'es pas amusant.

Oncle Daniel et sa nièce sont de bons copains.

QUESTIONS

1. Combien de neveux a Daniel Giraud?
2. Combien de nièces?
3. Quel âge a Martine?
4. Quel âge a Lucie?
5. Comment Daniel Giraud trouve-t-il Lucie?
6. Comment Lucie appelle-t-elle son oncle?
7. Est-ce que Lucie est vraiment malade?
8. Comment oncle Daniel trouve-t-il Martine?
9. Est-ce que Martine trouve oncle Daniel gentil et amusant?
10. Qu'est-ce que Lucie dit de Martine?

(Édouard, who has just received a picture of his family, is talking with his friend Guillaume at summer camp.)

3 ÉDOUARD ET SA FAMILLE

—Toi, Guillaume, tu es fils unique?

—Mais oui. Et toi?

—Ah, moi . . . Tiens, voilà ma famille.

—Tu veux dire ta famille et des amis.

—Non. Je veux dire ma famille. Je vais te la présenter. Cette dame, c'est ma mère.

—Elle est très gentille. . . . Et ce monsieur à côté de ta mère, c'est ton père?

—Mais oui. Comment le trouves-tu?

—Très sympathique.

—Et très intelligent. Comme son fils Édouard.

—Vraiment? Tiens! Qui est cette jeune fille?

—C'est ma sœur Odette.

—Quel âge a-t-elle?

—Elle est très âgée. Elle a dix-neuf ans.

—Elle est fort jolie.

—On le dit. Moi, je ne la trouve pas très amusante. Ce petit garçon, à côté de ma mère, c'est mon jeune frère Étienne. Il n'a que neuf ans.

—Et ce beau garçon?

—C'est Sébastien, mon frère aîné. Lui et moi, nous sommes de bons copains. Il est dans la marine. Et voilà mon autre sœur, Antoinette, et mon beau-frère.

—Et ce monsieur à côté de ton beau-frère?

—C'est mon grand-père et à côté de lui, ma grand-mère. Ils sont très gentils. Comment trouves-tu ma famille?

—Ils sont tous très sympathiques, surtout ta sœur Odette.

QUESTIONS

1. Comment est la mère d'Édouard?
2. Comment Guillaume trouve-t-il le père d'Édouard?
3. Comment s'appelle la sœur d'Édouard?
4. Quel âge a-t-elle?
5. Qui est le petit garçon à côté de la mère d'Édouard?
6. Quel âge a-t-il?
7. Qui est le beau garçon?
8. Qui est le monsieur à côté du beau-frère d'Édouard?
9. Combien Édouard a-t-il de frères? de sœurs?
10. Comment Guillaume trouve-t-il la famille d'Édouard?

5   Addresses

1   10, 20, 30, 40, 50.
2   60, 70, 80, 90, 100.

3   "What street do you live on?"
4   "48 Lafayette Street."
5   "What's your telephone number?"
6   "My number is Littré 24.17."

7   "Where do your cousins live?"
8   "Out in the country, in a small town."
9   "Is it near here?"
10 "No, it's pretty far."

11 "We live in the city.
12   At 55 Gobelins Avenue.
13   It's near the botanical garden.

14   Here's our telephone number.
15   Gobelins 92.04.
16   Call us Sunday, will you?"

17 "Do you know where the Martins live?"
18 "Yes, 110 Rivoli Street."
19 "That's near the center of town, isn't it?"
20 "Yes, and it's a very fashionable neighborhood."

5 Adresses

1 Dix, vingt, trente, quarante, cinquante.

2 Soixante, soixante-dix, quatre-vingts, quatre-vingt-dix, cent.

3 —Dans quelle rue demeurez-vous?

4 —Rue Lafayette, au numéro quarante-huit.

5 —Quel est votre numéro de téléphone?

6 —Mon numéro est LITtré vingt-quatre—dix-sept.

7 —Où demeurent tes cousins?

8 —À la campagne, dans un petit village.

9 —Est-ce que c'est près d'ici?

10 —Non, c'est assez loin.

11 —Nous, nous demeurons en ville.

12 Avenue des Gobelins, au cinquante-cinq.

13 C'est près du Jardin des plantes.

14 Voici notre numéro de téléphone.

15 GOBelins quatre-vingt-douze—zéro-quatre.

16 Téléphone-nous dimanche, veux-tu?

17 —Savez-vous où demeurent les Martin?

18 —Oui, rue de Rivoli, au cent dix.

19 —C'est près du centre, n'est-ce pas?

20 —Oui.   Et c'est un quartier très chic.

QUESTION-ANSWER PRACTICE

1 CLAIRE Où demeures-tu, Jeanne?
  JEANNE Rue Lafayette, au quarante-huit.

2 M. BECQ Quel est votre numéro de téléphone, Monsieur?
  M. RÉMY Mon numéro est LITtré vingt-quatre—dix-sept.

3 M. LEBLOND Où demeurez-vous, Monsieur?
  M. MARTIN À la campagne, dans un petit village.

4 MME DUVAL Dans quelle rue demeurez-vous, Madame?
  MME LACLOS Rue de Rivoli. C'est près du centre.

5 JOSEPH Savez-vous où demeurent les Dupont?
  M. LATOUR Oui, rue de Rivoli, au cent dix.

6 JOSEPH Est-ce que c'est près d'ici?
  M. LATOUR Non, c'est assez loin.

7 MLLE POUGET Savez-vous où est l'avenue des Gobelins?
  M. FABRE Oui, Mademoiselle. C'est près du Jardin des
    plantes.

8 LUCIENNE Où demeurent tes cousins?
  PAULETTE Dans un petit village près d'ici.

9 MLLE DUCLOS Vous demeurez à la campagne, n'est-ce pas?
  MME VINCENT Non, nous demeurons en ville.

10 MLLE DUCLOS Demeurez-vous près du centre?
  MME VINCENT Oui, près de la rue de Rivoli.

PATTERN PRACTICE

1 Nous, nous demeurons rue Lafayette, au

cent dix	*110*
cent vingt	*120*
cent trente	*130*
cent quarante	*140*
cent cinquante	*150*
cent soixante	*160*

2 Quel est

ton
— —
votre

numéro de
téléphone,

| Pierre |
| Hélène |
| Marcel |
| — — — — — — — |
| jeune homme   *young man* |
| Madame |
| Mademoiselle |

?

3 Est-ce que c'est

près de chez vos amis	*near your friends*
près du Jardin des plantes	
près de l'avenue Foch	
près de la rue de Rivoli	
près du petit village	
près de la place	*square*

?

4 Savez-vous où demeurent

| les Martin |
| les Dupont |
| les Duclos |
| les Michaud |
| Georges et Louis |
| Claire et Sylvie |

?

5 C'est

assez	
très	
bien	
un peu	*a little*
beaucoup trop	*much too*
vraiment	

loin.

6 Elle vient d'avoir cinq ans

lundi	Monday
mardi	Tuesday
mercredi	Wednesday
jeudi	Thursday
vendredi	Friday
samedi	Saturday

.

7 Dans quelle rue

demeures-tu
————————
demeurez-vous

,

Paul
Hélène
Marcel
— — — — —
Monsieur
Madame
Mademoiselle

?

8 Jeanne et Louise?   Elles ont

quatre frères
deux sœurs
un oncle
trois tantes
cinq cousins
une cousine

.

9 Téléphone

-nous
-moi
à ton cousin
à mon ami
à Louise
à Monsieur Lebel

dimanche, veux-tu?

10

Vous,
Votre ami et vous,
Charles et vous,
———————————
Les Martin
Claire et Jeanne
Ses parents   *her parents*

vous demeurez
— — — —
demeurent

en ville, n'est-ce pas?

Cardinal Numbers

20	vingt
30	trente
40	quarante
50	cinquante

100   cent

21	vingt et un
22	vingt-deux
31	trente et un
33	trente-trois
44	quarante-quatre
55	cinquante-cinq
66	soixante-six
71	soixante et onze
72	soixante-douze

Nombres Cardinaux

60	soixante
70	soixante-dix
80	quatre-vingts
90	quatre-vingt-dix

81	quatre-vingt-un
83	quatre-vingt-trois
87	quatre-vingt-sept
89	quatre-vingt-neuf
91	quatre-vingt-onze
93	quatre-vingt-treize
95	quatre-vingt-quinze
97	quatre-vingt-dix-sept
99	quatre-vingt-dix-neuf

CONVERSATIONS

1   Mr. Lançon is trying to locate the Boivin family.

M. LANÇON	Bonjour, Madame.
LA DAME	Bonjour, Monsieur.
M. LANÇON	Excusez-moi. Savez-vous où demeurent les Boivin?
LA DAME	Ce n'est pas ici. Ils habitent rue Buffon.
M. LANÇON	Est-ce que c'est loin d'ici?
LA DAME	Non, Monsieur, c'est tout près du Jardin des plantes.
M. LANÇON	Merci bien, Madame.

2   Mrs. Duval, who is afraid she has lost her way, sees Olivier across the street.

MME DUVAL	Bonjour, mon garçon. Cette rue est bien la rue Lafayette?
OLIVIER	Oui, Madame.
MME DUVAL	Est-ce que tu connais les Martin?
OLIVIER	Oui, Madame. Ils habitent au quarante-neuf.
MME DUVAL	Est-ce loin d'ici?
OLIVIER	Non, Madame. C'est tout près. Ils habitent tout à côté de chez nous.
MME DUVAL	Merci beaucoup, mon garçon. Au revoir.

3   The class is making a field trip to the Botanical Garden on Saturday, and Hubert is checking on plans with Jacques, who has just moved to town.

HUBERT	Tu vas au Jardin des plantes samedi, n'est-ce pas?
JACQUES	Oui. Où est-ce? Est-ce que c'est loin?
HUBERT	Où habites-tu?
JACQUES	Avenue des Gobelins, au cent dix.
HUBERT	Tiens! Ce n'est pas loin du Jardin et c'est tout près de chez moi. Voici mon muméro: GOBelins vingt-huit—trente-six. Téléphone-moi vendredi, veux-tu?
JACQUES	Je regrette, mais je n'ai pas le téléphone. . . . Les Martin ont le téléphone et ils habitent tout à côté de chez moi.
HUBERT	Bon! À bientôt, Jacques.
JACQUES	Au revoir, Hubert.

4 Alexandre has witnessed a serious accident, and a police officer is taking his testimony.

L'AGENT   Comment vous appelez-vous, Monsieur?

ALEXANDRE   Alexandre Émond.

L'AGENT   Quel âge avez-vous, Monsieur?

ALEXANDRE   J'ai seize ans.

L'AGENT   Et où demeurez-vous?

ALEXANDRE   Je demeure rue de Rennes.

L'AGENT   À quel numéro?

ALEXANDRE   Au cinquante-cinq.

L'AGENT   Quel est votre numéro de téléphone?

ALEXANDRE   C'est LITtré vingt-quatre—dix-sept.

L'AGENT   Très bien, Monsieur. Merci.

5 Michelle and her younger cousin are signing up for dancing classes.

MICHELLE   Je m'appelle Michelle Chapuis.

LA DAME   Votre adresse, Mademoiselle?

MICHELLE   Rue Custeau, au quarante-huit.

LA DAME   Est-ce que c'est près du centre?

MICHELLE   Non, Madame. C'est assez loin.

LA DAME   Où est cette rue?

MICHELLE   C'est près de l'avenue Lafayette.

LA DAME   Ah oui, je me rappelle maintenant.

MICHELLE   Et voici ma cousine Paule. Elle ne demeure pas en ville.

LA DAME   Où demeure-t-elle?

MICHELLE   Pas loin d'ici. À Saint-Jean. C'est un petit village.

6 The overworked secretary of an agency is filling out forms for summer employment.

LA SECRÉTAIRE   Eh bien, Monsieur, comment vous appelez-vous?

ROBERT   Robert Carmeau, Mademoiselle.

LA SECRÉTAIRE   (*au téléphone*) Allô! . . . Non, il n'est pas ici. Oui. . . . Certainement. Au revoir, Madame.

LA SECRÉTAIRE   Voyons?[1] Vous vous appelez Hubert Chameau . . .

ROBERT   Non, Mademoiselle, pas Chameau, Car . . . meau, Robert Carmeau.

LA SECRÉTAIRE   Très bien. Robert Car . . . meau. Votre âge, Monsieur?

ROBERT   Dix-sept ans.

LA SECRÉTAIRE	Di . . . x-sept. Et votre adresse? . . . Où demeurez-vous?
ROBERT	Quatre-vingt-quatre, rue Edmond Primeau.
LA SECRÉTAIRE	(*au téléphone*) Allô! . . . Non, Monsieur . . . Oui, Monsieur . . . À bientôt, Monsieur.
LA SECRÉTAIRE	Voyons, . . . adresse—quatre-vingt, rue Edouard Plumeau . . .
ROBERT	Non, Mademoiselle, quatre-vingt-quatre, rue Ed . . . mond Pri . . . meau.
LA SECRÉTAIRE	Bon! Quatre-vingt-quatre, Edmond Primeau . . . Avez-vous le téléphone, Monsieur?
ROBERT	Oui, Mademoiselle.
LA SECRÉTAIRE	Et . . . Quel est le numéro?
ROBERT	Excusez-moi, mon numéro est OPÉra quarante-six—dix-neuf.
LA SECRÉTAIRE	Comment? OPÉra . . . ?
ROBERT	Quarante-six—dix-neuf.
LA SECRÉTAIRE	Merci, Monsieur, c'est tout. Au revoir, Monsieur.
ROBERT	Au revoir, Mademoiselle.
LA SECRÉTAIRE	(*au téléphone*) Allô! . . . Non, il n'est pas. . . .

¹ Voyons? Let's see

7 Fernande has asked Monique, the editor of the school newspaper, to send her a past issue which carries a story that she wrote.

FERNANDE	Je demeure rue de la Pompe.
MONIQUE	À quel numéro?
FERNANDE	Au vingt et un.
MONIQUE	Tiens! Je connais très bien cette jolie rue.
FERNANDE	Vraiment?
MONIQUE	Oui. C'est un beau quartier. Ma tante et mes deux cousins demeurent là. Ils s'appellent Chardenet.
FERNANDE	Tiens! Les Chardenet? Mais je les connais! Un de tes cousins fait son service militaire, n'est-ce pas?
MONIQUE	Oui, René.
FERNANDE	Et l'autre demeure avec ta tante? ¹
MONIQUE	Oui. Comment trouves-tu Pierre?
FERNANDE	Il est vraiment sympathique.
MONIQUE	Oui, et très amusant.

¹ avec with

8 Looking for a customer's house, the TV repairman sees a young fellow he knows.

M. DUGAS   Bonjour, Jean-Marc. Ça va?
JEAN-MARC   Bonjour, Monsieur Dugas.
M. DUGAS   Est-ce que la famille Richard demeure ici?
JEAN-MARC   Non, Monsieur. C'est au numéro vingt-trois.
M. DUGAS   Tiens! C'est tout près de chez vous.
JEAN-MARC   Oui, Monsieur. Tout à côté. C'est cette porte-là.

9 Having met unexpectedly on the bus, Marguerite and Pierrette are hurriedly bringing each other up to date on what has happened since their graduation.

MARGUERITE   . . . Et tes parents?
PIERRETTE   Ils vont très bien, merci.
MARGUERITE   Et ton frère, Georges?
PIERRETTE   Il fait son service militaire.
MARGUERITE   Et tes cousins? Où demeurent-ils maintenant?
PIERRETTE   Avenue Marceau, au quatre-vingt.
MARGUERITE   C'est un quartier très chic, ça!
PIERRETTE   Oui, et c'est près du centre. . . . Il faut que je parte
               maintenant. Téléphone-moi dimanche, veux-tu?
               Voici mon numéro—LITtré quarante-huit—
               quatre-vingt-dix-sept.

6 Time of day

1 "Is it noon already?"

2 "Yes. It just struck twelve."

3 "Good! Do you want to have lunch now or later?"

4 "I'd rather eat something right away."

5 "Did you eat breakfast early this morning?"

6 "No, but I'm always hungry by noon."

7 "What time is it?"

8 "Exactly one o'clock."

9 "Already? That's impossible!

10 I have a quarter to one."

11 "Your watch must be a little slow."

12 "Maybe. It doesn't run very well."

13 "What time are you going to the movies tonight?"

14 "At seven fifteen."

15 "Do you have a date with anyone?"

16 "Yes. I'm supposed to meet Henri in front of the movie."

17 "What time do you start work, Mr. Taine?"

18 "Usually at eight thirty."

19 "Do you take the bus in the morning?"

20 "No, only when I'm late."

6 L'heure

1 —Est-ce qu'il est déjà midi?

2 —Oui. Midi vient de sonner.

3 —Bon! Veux-tu déjeuner maintenant ou plus tard?

4 —Je préfère prendre quelque chose tout de suite.

5 —As-tu déjeuné de bonne heure ce matin?

6 —Non, mais j'ai toujours faim à midi.

7 —Quelle heure est-il?

8 —Il est une heure juste.

9 —Déjà? Pas possible!

10 Moi, j'ai une heure moins le quart.

11 —Ta montre doit retarder un peu.

12 —Ça se peut. Elle ne marche pas très bien.

13 —À quelle heure vas-tu au cinéma ce soir?

14 —À sept heures et quart.

15 —As-tu un rendez-vous avec quelqu'un?

16 —Oui. Je dois retrouver Henri devant le cinéma.

17 —À quelle heure commencez-vous votre travail, Monsieur
     Taine?

18 —En général à huit heures et demie.

19 —Est-ce que vous prenez l'autobus le matin?

20 —Non, seulement quand je suis en retard.

QUESTION-ANSWER PRACTICE

1
JEANNE   Quelle heure est-il?
LUCILLE   Il est une heure juste.

2
ANTOINE   J'ai faim.   Est-il déjà midi?
ROBERT   Oui.   Midi vient de sonner.

3
ROBERT   As-tu déjeuné de bonne heure ce matin?
ANTOINE   Non, mais j'ai toujours faim à midi.

4
HENRI   Est-ce que ta montre retarde un peu?
ROLAND   Ça se peut.   Elle ne marche pas très bien.

5
MARIE   À quelle heure vas-tu au cinéma ce soir?
HÉLÈNE   À sept heures et demie.

6
MARIE   N'as-tu pas un rendez-vous avec quelqu'un?
HÉLÈNE   Si.   Je dois retrouver Yvonne devant le cinéma.

7
JACQUES   À quelle heure commencez-vous votre travail, Monsieur?
M. TAINE   En général à neuf heures moins le quart.

8
JACQUES   Prenez-vous l'autobus le matin?
M. TAINE   Non, seulement quand je suis en retard.

9
JACQUES   Déjeunez-vous à midi ou à une heure?
M. TAINE   Je déjeune à midi et quart.

10
PAUL   Veux-tu déjeuner maintenant ou plus tard?
JEAN-PIERRE   Je préfère prendre quelque chose tout de suite.

PATTERN PRACTICE

1 Est-ce qu'il est déjà

midi	
une heure et quart	
deux heures et demie	
trois heures moins le quart	*2:45*
cinq heures	
minuit	*midnight*

?

2

| Alain |
| Marie |
| Michel |
| — — — — — |
| Monsieur |
| Madame |
| Jean et Louis |

,

| veux-tu |
| — — — — — |
| voulez-vous |

prendre quelque chose
maintenant?

3 Je préfère

rentrer	*to go home*
prendre l'autobus	
déjeuner	
commencer	*to begin*
dîner	*to have dinner*
téléphoner	

tout de suite.

4 Nous avons
un rendez-vous

à midi	
à onze heures moins dix	*10:50*
à dix heures moins le quart	*9:45*
à neuf heures et demie	
à huit heures et quart	
à sept heures douze	*7:12*

5

| As-tu déjeuné |
| — — — — — |
| Avez-vous déjeuné |

de bonne heure,

| Jean-Pierre |
| François |
| Anne-Marie |
| — — — — — |
| Mademoiselle |
| Monsieur |
| Madame |

?

6 Vas-tu en ville

ce matin	
ce soir	
cet après-midi	*this afternoon*
aujourd'hui	*today*
demain	*tomorrow*
demain soir	*tomorrow evening*

?

7 Je dois retrouver

mon père	*father*
mon oncle	
mon cousin	
ma tante	
ma cousine	
ma mère	*mother*

devant le cinéma.

8 À quelle heure

commences-tu ton travail
— — — — — —
commencez-vous votre travail

,

Jean
Louis
Marie
— — — — —
Monsieur
Madame
Mademoiselle

?

9 Est-ce que

tu prends
— — — — —
vous prenez

l'autobus le matin,

Paul
Jean-Claude
Thérèse
— — — — —
Monsieur
Madame
Mademoiselle

?

10 Moi, j'ai toujours faim

le matin	
le soir	
l'après-midi	*afternoon*
à midi	
à midi et demi	
à une heure	

.

Les Jours de la Semaine

Monday	lundi
Tuesday	mardi
Wednesday	mercredi
Thursday	jeudi
Friday	vendredi
Saturday	samedi
Sunday	dimanche

CONVERSATIONS

1 Three old friends are on their way to a political rally.

M. FABRE   Il est huit heures seulement.
M. BISSON   Mais non. Il est huit heures et quart.
M. FABRE   Pas possible! Ma montre doit retarder un peu.
M. DUPRÉ   Certainement. Moi, j'ai déjà huit heures et quart.
M. FABRE   À quelle heure est-ce que ça commence?
M. BISSON   En général à huit heures et demie.
M. DUPRÉ   Ou à neuf heures moins le quart.
M. FABRE   Eh bien, veux-tu prendre l'autobus?
M. BISSON   Non. Nous sommes assez près maintenant.

2 Danièle and Pierrette are about ready to go home after a shopping trip.

DANIÈLE   Veux-tu prendre l'autobus à quatre heures ou à quatre
            heures et demie?
PIERRETTE   Je préfère prendre l'autobus plus tard.
DANIÈLE   Quelle heure est-il maintenant?
PIERRETTE   Il n'est que trois heures moins dix et j'ai faim.
DANIÈLE   N'as-tu pas déjeuné à midi?
PIERRETTE   Si.
DANIÈLE   Et tu as faim?
PIERRETTE   Oui. C'est bien dommage, n'est-ce pas, mais j'ai
            toujours faim!
DANIÈLE   Veux-tu prendre quelque chose maintenant?
PIERRETTE   Bien sûr. J'ai très faim.

3 Mrs. Germain appears as her painter, Mr. Morel, puts down his brushes and
   opens his lunchbox.

MME GERMAIN   Excusez-moi, Monsieur. Quelle heure est-il?
M. MOREL   Il est midi.
MME GERMAIN   Vraiment?
M. MOREL   Oui, Madame. Ça vient de sonner.
MME GERMAIN   Tiens! Ma montre doit retarder.
M. MOREL   Ça se peut.
MME GERMAIN   Mais oui. J'ai midi moins le quart.

4 Across the fence, Mrs. Rémy and Mrs. Durand are talking of their plans for the day.

MME DURAND	J'ai un rendez-vous en ville ce matin.
MME RÉMY	Moi, je dois aller chez ma sœur aînée. Son fils unique est malade. Le petit n'a que sept ans. C'est très grave.
MME DURAND	J'en suis désolée. Où demeure votre sœur?
MME RÉMY	Dans un petit village à la campagne assez loin d'ici. . . . Quelle heure est-il? Ma montre ne marche pas très bien.
MME DURAND	Il est dix heures juste.
MME RÉMY	Déjà? Pas possible! Excusez-moi, Madame. Il faut que je parte.
MME DURAND	Vous direz bien des choses à votre sœur.
MME RÉMY	Merci, Madame. Au revoir.

5 Émile and Léo are playing ball near Léo's house.

ÉMILE	Quelle heure est-il?
LÉO	Il est midi.
ÉMILE	C'est l'heure du déjeuner.
LÉO	Veux-tu déjeuner chez moi?
ÉMILE	Oui, bien sûr! Mais il faut téléphoner à maman.
LÉO	Bon! Viens! Après le déjeuner, [1] veux-tu aller au cinéma?
ÉMILE	Si tu veux.
LÉO	Très bien.

[1] après after

6 François looks at the kitchen clock and realizes his watch is wrong. He checks the time with his mother.

FRANÇOIS	Est-ce qu'il est déjà six heures? Moi, j'ai six heures moins le quart.
MME MARTIN	Ta montre doit retarder un peu.
FRANÇOIS	Ça se peut. Elle ne marche pas très bien.
MME MARTIN	À quelle heure vas-tu au cinéma ce soir?
FRANÇOIS	À huit heures.
MME MARTIN	As-tu un rendez-vous?
FRANÇOIS	Oui. Je dois retrouver Pierre à sept heures et demie.

7 Over the breakfast table, between glances at the morning paper, Mr. Rainville answers his visiting sister-in-law, Mrs. Vaillant.

MME VAILLANT Est-ce que vous prenez l'autobus le matin?

M. RAINVILLE Oui, surtout quand je suis en retard.

MME VAILLANT Mais où est-ce que vous le prenez?

M. RAINVILLE Je le prends devant le Jardin des plantes.

MME VAILLANT À quelle heure?

M. RAINVILLE En général à sept heures vingt-cinq.

MME VAILLANT Et là, est-ce que vous retrouvez quelqu'un?

M. RAINVILLE Mais oui. Je retrouve toujours mes amis Gilbert Dumas et Alexandre Bruel.

MME VAILLANT Tiens! Je connais votre ami Monsieur Bruel. Est-ce qu'il va bien?

M. RAINVILLE Oui. Il va très bien.

8 Blanche is talking on the phone with her friend Gisèle.

BLANCHE À quelle heure vas-tu au cinéma ce soir?

GISÈLE À sept heures et demie.

BLANCHE As-tu un rendez-vous avec quelqu'un?

GISÈLE Oui. Je dois retrouver Estelle et son frère qui fait son service militaire.

BLANCHE Estelle? Tu veux dire Estelle Bélanger?

GISÈLE Bien sûr. Je dois la retrouver devant le cinéma à huit heures moins le quart. Tu viens?

BLANCHE Si tu veux. À quelle heure est-ce que ça commence?

GISÈLE En général à huit heures juste.

BLANCHE Bon. Il faut que je parte tout de suite . . . Devant le cinéma à huit heures moins le quart! Au revoir, Gisèle.

GISÈLE À bientôt, Blanche.

TOPICS FOR REPORTS

1

Il est midi ..... *As-tu faim?* ..... *Veux-tu déjeuner maintenant ou plus tard?*
..... *As-tu déjeuné de bonne heure ce matin?* ..... *As-tu toujours faim à midi?* .....
En général, à quelle heure préfères-tu déjeuner?

2

Je suis en retard ce matin ..... *À quelle heure as-tu déjeuné ce matin?*
..... *À quelle heure faut-il que tu partes?* ..... *Est-ce que tu prends l'autobus?* .....
À quelle heure faut-il que tu arrives? ..... *Quelle heure est-il maintenant?*

3

Il y a un bon film ce soir ..... *Veux-tu aller au cinéma?* ..... *À quelle
heure le film commence-t-il?* ..... *As-tu un rendez-vous avec quelqu'un?* ..... *Qui
est-ce?* ..... *Où dois-tu retrouver ton ami(e)?*

4

Ma montre ne marche pas bien ..... *Quelle heure as-tu?* ..... *Quelle
heure est-il maintenant?* ..... *Est-ce que ta montre retarde?* ..... *En général, est-ce
qu'elle marche bien?*

5

J'ai un rendez-vous ..... *À quelle heure as-tu un rendez-vous?* ..... *Quelle
heure est-il maintenant?* ..... *Où vas-tu?* ..... *Avec qui as-tu un rendez-vous?* .....
Es-tu en retard?

6

Mon père travaille assez loin d'ici ..... *Est-ce près du centre?* ..... *À
quelle heure commence-t-il le matin?* ..... *Prend-il l'autobus le matin? le soir?*

7   Dates

1   "Wonderful!   No work tomorrow!"
2   "Why?   Tomorrow's Wednesday."
3   "Because it's a holiday!"
4   "Am I stupid!
5   I had completely forgotten it."

6   "When's your birthday?"
7   "Next week, the fifth of December."
8   "Are you going to be sixteen?"
9   "No indeed.   I'm only fourteen."

10   "Today is Marie-Anne's birthday."
11   "Are you going to give her a present?"
12   "Yes.   I bought her a record."
13   "That was a good idea.
14   You never have enough records."

15   "Have you been to the fair?"
16   "Not yet.   When does it end?"
17   "Today's the last day."
18   "But we can't go without money."
19   "Don't worry about that.
20   I can lend you some, if you like."

7   La date

1 —Bravo!   Pas de travail demain!

2 —Pourquoi?   Demain, c'est mercredi.

3 —Parce que c'est un jour de fête!

4 —Que je suis bête!

5   Je l'avais complètement oublié.

6 —Quand est ton anniversaire?

7 —La semaine prochaine, le cinq décembre.

8 —Tu vas avoir seize ans?

9 —Pas du tout.   Je n'ai que quatorze ans.

10 —C'est l'anniversaire de Marie-Anne aujourd'hui.

11 —Tu vas lui faire un cadeau?

12 —Oui.   Je lui ai acheté un disque.

13 —Tu as bien fait.

14   On n'a jamais assez de disques.

15 —Êtes-vous allés à la foire?

16 —Pas encore.   Quand se termine-t-elle?

17 —C'est aujourd'hui le dernier jour.

18 —Mais nous ne pouvons pas y aller sans argent.

19 —Ne vous inquiétez pas de cela.

20   Je peux vous en prêter, si vous voulez.

QUESTION-ANSWER PRACTICE

1
  ANNETTE   Quel jour est-ce aujourd'hui?
  CLAIRE   C'est aujourd'hui mercredi.

2
  SYLVIE   C'est demain un jour de fête, n'est-ce pas?
  PAULE   Oui, pas de travail demain!

3
  LÉON   Quand est ton anniversaire?
  GEORGES La semaine prochaine, le cinq décembre.

4
  LÉON   Quel âge vas-tu avoir?
  GEORGES Je vais avoir seize ans.

5
  GEORGES Toi, tu vas avoir seize ans aussi, n'est-ce pas?
  LÉON   Non, je n'ai que quatorze ans.

6
  ALBERT   Demain, c'est l'anniversaire de Louis, n'est-ce pas?
  GEORGES Que je suis bête! Je l'avais complètement oublié!

7
  GEORGES Est-ce que tu lui as fait un cadeau?
  ALBERT   Oui. Je lui ai acheté un disque.

8
  M. BENOÎT Êtes-vous allés à la foire, toi et ton frère?
  LUCIEN   Non. Nous ne pouvons pas y aller sans argent.

9
  LOUISE   Quand se termine la foire?
  ANNETTE C'est aujourd'hui le dernier jour.

10
  RENÉ   Tu vas acheter des disques?
  ROBERT   Oui, on n'a jamais assez de disques.

PATTERN PRACTICE

1 Demain, c'est

| lundi |
| mardi |
| mercredi |
| jeudi |
| vendredi |
| samedi |

, jour de foire.

2

| Ne t'inquiète pas |
| Ne vous inquiétez pas |

de cela,

| Paul |
| Hélène |
| mon ami |
| Monsieur |
| Madame |
| Mademoiselle |

.

3

| Es-tu allé |
| Êtes-vous allés |

à la foire,

| Jean |
| Henri |
| Robert |
| Jean et Marc |
| Paul et Marie |
| Louis et Simone |

?

4 J'avais complètement oublié

l'heure	
son anniversaire	
le disque	
les patins	*skates*
la date	
son nom	

.

5 Nous pouvons y aller

le premier janvier	*first of January*
le deux février	*February*
le trois mars	*March*
le quatre avril	*April*
le cinq mai	*May*
le six juin	*June*

6   Tu vas avoir
douze
treize
quatorze
quinze
seize
dix-sept

ans la semaine prochaine, n'est-ce pas?

7   Mademoiselle Leclair n'a que
vingt et un
trente-huit
quarante
soixante-trois
cinquante-cinq
soixante-dix-neuf

ans.

8   On n'a jamais
assez de disques	
assez d'amis	
assez de cadeaux	
assez d'argent	
assez de temps	*time*
assez de livres	*books*

.

9
Pas d'argent	
Pas de disques	
Pas de skis	*skis*
Pas de patins	*skates*
Pas de crayons	*pencils*
Pas de papier	*paper*

? Je peux vous en prêter.

10
Marie
— — —
Robert

? Tonton Charles lui a acheté
un collier	*necklace*
une jupe	*skirt*
un sac	*handbag*
— — — —	
une cravate	*necktie*
un veston	*sport jacket*
un disque	

.

Les Saisons

last spring	le printemps dernier	in spring	au printemps
last summer	l'été dernier	in summer	en été
last autumn	l'automne dernier	in autumn	en automne
last winter	l'hiver dernier	in winter	en hiver

Les Mois de l'Année

January	janvier
February	février
March	mars
April	avril
May	mai
June	juin
July	juillet
August	août
September	septembre
October	octobre
November	novembre
December	décembre

Quelle est la date aujourd'hui?

C'est aujourd'hui le premier janvier
    le deux février
    le trois mars
    le quatre avril
    le cinq mai
    le dix juin
    le quinze juillet
    le vingt août
    le vingt et un septembre
    le vingt-deux octobre
    le trente novembre
    le trente et un décembre

CONVERSATIONS

1 Georges and Charles are on their way to Pierre's house for a surprise party.

GEORGES   Tu as seize ans, n'est-ce-pas?
CHARLES   Moi? Pas du tout. Je n'ai que quatorze ans.
GEORGES   Quand est ton anniversaire?
CHARLES   La semaine prochaine, le quatre novembre.
GEORGES   Tiens! Moi aussi. Je vais avoir seize ans le quatre novembre.

2 Marie and Rita are walking home from school.

RITA   Veux-tu faire ton travail chez moi aujourd'hui?
MARIE   Mais il n'y a pas de classes demain!
RITA   Que je suis bête!
MARIE   Pourquoi?
RITA   Parce que je l'avais oublié.
MARIE   Pas possible! Oublier un samedi?
RITA   Si, c'est bien possible pour moi.
MARIE   Que vas-tu faire maintenant?
RITA   Je vais acheter des disques.
MARIE   Très bien. Moi aussi, je veux acheter des disques pour [1] une jeune dame que tu connais très bien.
RITA   Qui est cette dame?
MARIE   C'est moi.

[1] pour   for

3 Annette and Céline are having a soda at the Campus Shop.

ANNETTE   C'est demain ton anniversaire.
CÉLINE   Oui, et tu viens chez moi?
ANNETTE   Certainement. Mais où habites-tu? Je l'ai oublié.
CÉLINE   Soixante-dix, rue Marot.
ANNETTE   Moi, je viens d'avoir quinze ans, et toi, tu vas avoir seize ans.
CÉLINE   Que tu es jeune!

4   Hélène is on the phone with Éliane.

HÉLÈNE   Quand est l'anniversaire de Christiane?
ÉLIANE   C'est demain.   Elle va avoir seize ans.
HÉLÈNE   Que je suis bête!   Je l'avais complètement oublié.   Tu
         vas lui faire un cadeau?
ÉLIANE   Oui.   Je lui ai acheté des disques.
HÉLÈNE   Tu as bien fait.   On n'a jamais assez de disques.   Je
         vais en ville cet après-midi lui acheter quelque chose.
         . . . Est-ce que ta sœur va mieux?
ÉLIANE   Oui, un peu mieux, merci.
HÉLÈNE   Tant mieux.   Tu lui diras bien des choses.   Bonsoir,
         Éliane.   À demain.
ÉLIANE   Bonsoir, Hélène.

5   Simone, who has just been looking over the calendar of family birthdays,
    meets her brother Thomas at the door.

SIMONE   C'est aujourd'hui l'anniversaire de Tonton Albert.
THOMAS   Pas possible!   C'est demain.
SIMONE   Mais non.   C'est aujourd'hui le vingt-trois décembre.
THOMAS   Que je suis bête!   Je l'avais complètement oublié.
SIMONE   Tu vas lui acheter quelque chose?
THOMAS   Certainement.   Je vais lui faire un beau cadeau si tu
         peux me prêter de l'argent.
SIMONE   Je n'en ai pas assez.
THOMAS   Combien as-tu?
SIMONE   Juste assez pour aller au cinéma. [1]
THOMAS   Tiens!   Moi aussi, je vais au cinéma.   Je dois retrouver
         des copains.
SIMONE   Mais tu n'as pas d'argent.
THOMAS   Non, mais Jean-Paul en a assez pour m'en prêter.
SIMONE   Où vas-tu les retrouver?
THOMAS   À la porte du cinéma.
SIMONE   À quelle heure?
THOMAS   À trois heures moins le quart.
SIMONE   Moi, j'y vais avec mon amie Germaine.
THOMAS   Et Tonton Albert?
SIMONE   Oh. . . .

[1]   pour aller   in order to go

6 Mrs. Hébert has to jog her husband's memory.

MME HÉBERT   Georges, c'est notre anniversaire de mariage.

M. HÉBERT   Pas possible!

MME HÉBERT   Mais si. Tu ne te rappelles pas? C'est aujourd'hui le sept décembre.

M. HÉBERT   Vraiment?

MME HÉBERT   Oui. Dix ans aujourd'hui. . . .

M. HÉBERT   Eh bien. . . . je t'ai acheté quelque chose.

MME HÉBERT   C'est un collier? . . . une montre?

M. HÉBERT   Patience! Plus tard.

MME HÉBERT   Oh Georges, pas plus tard.

M. HÉBERT   Ce soir, Annette, ce soir.

MME HÉBERT   Ah, Georges, pour toi c'est toujours plus tard, ce soir, demain, la semaine prochaine. Tu as oublié! . . . Tu oublies toujours.

7 Pauline consults with her best friend, Alice.

PAULINE   C'est un jour de fête demain.

ALICE   Bravo! Pas de travail.

PAULINE   Veux-tu aller à la foire avec Colette et moi?

ALICE   Avec qui?

PAULINE   Colette Dupré, ma jeune cousine.

ALICE   Ah, oui. Est-ce que sa sœur y va aussi?

PAULINE   Non, seulement nous trois.

ALICE   Mais je ne peux pas y aller sans argent.

PAULINE   Ne t'inquiète pas.

ALICE   Pourquoi?

PAULINE   Parce que j'ai assez d'argent.

ALICE   Combien d'argent as-tu?

PAULINE   J'en ai assez pour nous deux. [1]

ALICE   Bravo! À quelle heure vas-tu y aller?

PAULINE   Je préfère y aller à deux heures.

ALICE   Et tu vas vraiment me prêter un peu d'argent?

PAULINE   Mais oui. Pourquoi pas? Nous sommes de bonnes amies.

[1] pour for

8 The barber rattles on as he clips.

M. ARNAULT Es-tu allé à la foire? . . . Non? Pas encore? Elle va
se terminer dans trois ou quatre jours.

PAUL Aie!

M. ARNAULT Oh, pardon, . . . moi, j'y suis allé samedi. Si tu y
vas demain, il faut y aller de bonne heure parce
que. . . .

PAUL Mmmm. . . .

M. ARNAULT . . . c'est un jour de fête. En général la foire commence à dix heures, mais demain elle va com-
mencer à neuf heures. . . . Voilà, mon garçon.

PAUL Voilà, Monsieur.

*   *   *

M. ARNAULT Ah, les garçons d'aujourd'hui. . . . Ils ne sont pas
très sympathiques.

9 Suzanne has invited Vincent and Jean-Paul to her birthday party.

VINCENT J'avais complètement oublié l'anniversaire de Suzanne.

JEAN-PAUL Et moi aussi. Que vas-tu lui acheter?

VINCENT Quelques disques.

JEAN-PAUL Mais elle a déjà plus de cent disques à la maison![1]

VINCENT C'est possible, mais on n'en a jamais assez.

JEAN-PAUL Moi, je vais lui acheter autre chose. Peux-tu me
prêter de l'argent aujourd'hui?

VINCENT Oui, mais surtout n'oublie pas que je veux mon
argent bientôt.

JEAN-PAUL Ne t'inquiète pas! Le lundi j'ai toujours de l'argent.

VINCENT Mais, c'est aujourd'hui lundi.

JEAN-PAUL Bien sûr, mais c'est lundi après-midi.

[1] à la maison at home

TOPICS FOR REPORTS

1

C'est bientôt mon anniversaire. ..... *Quand est ton anniversaire?* .....
Quel âge vas-tu avoir? ..... *Qui va te faire un cadeau?* ..... *Quel cadeau préfères-tu?*

2

Demain est un jour de fête. ..... *Quel jour est-ce demain?* ..... *L'avais-
tu complètement oublié?* ..... *As-tu du travail à faire?* ..... *Que veux-tu faire?*

3

C'est aujourd'hui le —. ..... *Quel jour est-ce?* ..... *Est-ce un jour de
fête?* ..... *Est-ce un jour de travail?* ..... *Vas-tu au cinéma ce soir?* ..... *À quelle
heure y vas-tu?*

4

Mon cousin et moi, nous sommes de bons copains. ..... *Comment
s'appelle ton cousin?* ..... *Quel âge a-t-il?* ..... *Où demeure-t-il?* ..... *Est-ce loin
de chez toi?* ..... *Il est très gentil, n'est-ce pas?*

5

Mon père est allé à la foire. ..... *Quand se termine-t-elle?* ..... *Est-ce
le dernier jour demain?* ..... *Est-ce que tu y vas?* ..... *Si tu n'as pas assez d'argent,
qui peut t'en prêter?*

6

Je vais faire un cadeau à mon ami(e). ..... *Comment s'appelle-t-il
(elle)?* ..... *Quand est son anniversaire?* ..... *Est-il(elle) plus jeune ou plus âgé(e)
que toi?* ..... *Est-ce qu'il(elle) est sympathique?* ..... *Est-ce qu'il(elle) demeure près
de chez toi?*

8   Meals

1   "Why aren't you eating in the lunchroom today?"
2   "Because I don't like what they're serving."
3   "You don't like chicken?
4   Neither do I.   I never eat it."
5   "Here's a good restaurant.   Suppose we have dinner here."
6   "All right with me.   Let's go in."

7   "Waiter, I'll take the veal and spinach, please."
8   "I'm sorry, Sir.   There isn't any more.   Here's the menu."
9   "Is there any fish left?"
10   "Just a moment, please.
11   I'll ask in the kitchen . . . .
12   What would you like to drink?"
13   "Coffee for me and milk for my friend."

14   "Say!   I don't have a knife."
15   "You can take mine."
16   "Pass the salt, please."
17   "It's there, next to your glass."

18   "Waiter, what do you have for dessert?"
19   "Ice cream, pastry, and fruit."
20   "All right.   Chocolate ice cream and an éclair."

8   Repas

1 —Pourquoi ne déjeunes-tu pas au réfectoire aujourd'hui?

2 —Parce que le menu ne me plaît pas.

3 —Tu n'aimes pas le poulet?

4   Moi non plus.   Je n'en mange jamais.

5 —Voici un bon restaurant.   Si on y dînait?

6 —D'accord.   Entrons.

7 —Garçon, du veau aux épinards, s'il vous plaît.

8 —Je regrette, Monsieur.   Il n'y en a plus.   Voici la carte.

9 —Est-ce qu'il y a encore du poisson?

10 —Un moment, Monsieur, s'il vous plaît.

11   Je vais demander à la cuisine . . . .

12   Que désirez-vous boire?

13 —Du café pour moi et du lait pour mon ami.

14 —Tiens!   Je n'ai pas de couteau.

15 —Tu peux prendre le mien.

16 —Passe-moi le sel, s'il te plaît.

17 —Il est là, à côté de ton verre.

18 —Garçon, qu'est-ce qu'il y a comme dessert?

19 —De la glace, de la pâtisserie, et des fruits.

20 —Très bien.   Une glace au chocolat et un éclair.

QUESTION-ANSWER PRACTICE

1
  GEORGES Pourquoi ne déjeunes-tu pas au réfectoire?
  ÉTIENNE Parce que le menu ne me plaît pas.

2
  ANDRÉ Tu n'aimes pas le poulet?
  ÉDOUARD Pas du tout. Je n'en mange jamais.

3
  LOUIS Voici un bon restaurant. Si on y dînait?
  RICHARD D'accord. Entrons.

4
  CÉCILE Moi, je n'aime pas le veau. Et toi?
  ANGÈLE Moi non plus.

5
  M. GAGNY Est-ce qu'il y a encore du poisson?
  LE GARÇON Je regrette, Monsieur. Il n'y en a plus.

6
  LE GARÇON Que désirez-vous comme dessert, Monsieur?
  M. DUISIT Une glace au chocolat, s'il vous plaît.

7
  JACQUES Veux-tu me passer le sel?
  FRANÇOIS Il est là, à côté de ton verre.

8
  MME DUVAL Où est mon couteau?
  M. DUVAL Tu peux prendre le mien.

9
  MME LATOUR Qu'est-ce qu'il y a comme dessert?
  LE GARÇON Des fruits et de la pâtisserie.

10
  LE GARÇON Que désirez-vous boire?
  MME LATOUR Du café pour moi et du lait pour mon amie.

PATTERN PRACTICE

1 Tu n'aimes pas

le poulet	
le lait	
le jambon	*ham*
le saumon	*salmon*
les légumes	*vegetables*
le veau	

? Moi non plus.

2 Est-ce qu'il y a encore

de la salade	*salad*
du fromage	*cheese*
du gâteau	*cake*
du thé	*tea*
des fruits	
des soles	*soles*

?

3 Passe-moi

le café	
la viande	*meat*
le sucre	*sugar*
le pain	*bread*
le sel	
le poivre	*pepper*

, s'il te plaît.

4

Des épinards	*spinach*
Des petits pois	*peas*
Des haricots verts	*string beans*
Des tomates	*tomatoes*
Des carottes	*carrots*
Des pommes frites	*French fried potatoes*

? Il n'y en a plus.

5 Si on y

dînait	
déjeunait	
allait	*go*
montait	*go up*
entrait	
restait	*stay*

?

6   Je n'ai

pas de couteau	
pas de verre	
pas de beurre	*butter*
pas de fourchette	*fork*
pas de tasse	*cup*
pas de cuillère	*spoon*

.

7   Que désirez-vous

boire
faire
acheter
prendre
voir
apprendre   *to learn*

?

8

Le menu
La glace
La pâtisserie
Le poisson
Le veau
Le bifteck   *steak*

ne me plaît pas.

9

Paul
Jacqueline
Élise
— — — — — — —
Monsieur Taillard
Madame Bénard
Mademoiselle Saindon

,

peux-tu
— — — — —
pouvez-vous

me prêter de l'argent?

10

Jean
Henri
François
— — — — — —
Monsieur Dupont
Pierre et Élise
Madame Lalonde

, pourquoi

ne déjeunes-tu pas
— — — — — — —
ne déjeunez-vous pas

maintenant?

CONVERSATIONS

1 The same waiter always serves Mr. Gélinas.

LE GARÇON	Bonjour, Monsieur. Comment allez-vous aujourd'hui?
M. GÉLINAS	Très bien, merci. La carte, s'il vous plaît.
LE GARÇON	Voici, Monsieur.
M. GÉLINAS	Ah, bon! Vous avez du jambon?
LE GARÇON	Oui, Monsieur. En désirez-vous?
M. GÉLINAS	S'il vous plaît.
LE GARÇON	Très bien, Monsieur.

2 On his way to the water fountain at the office, Mr. Faure stops to check up on his friend Mr. Lenoir.

M. FAURE	Vas-tu prendre l'autobus à cinq heures?
M. LENOIR	Non, pas ce soir. Je dîne au restaurant.
M. FAURE	Madeleine vient te rejoindre?
M. LENOIR	Non, elle est allée chez mes parents.
M. FAURE	Ah, ils ne vont pas bien?
M. LENOIR	Pas très bien. Mon père est malade.
M. FAURE	Est-ce que c'est grave?
M. LENOIR	Non, pas du tout.
M. FAURE	Tant mieux. Tu ne vas pas aller au restaurant. Tu vas venir chez moi.
M. LENOIR	D'accord.
M. FAURE	Je te retrouve à cinq heures.

3 Dinner at her uncle's favorite restaurant tops off a big afternoon for Nadine.

M. MAILLOUX	Eh bien, Nadine. Que veux-tu prendre?
NADINE	Je n'ai pas la carte. Où est-elle?
LE GARÇON	Voici, Mademoiselle.
NADINE	Ah! du poulet!
M. MAILLOUX	Garçon, du poulet pour Mademoiselle et du veau pour moi.
LE GARÇON	Je regrette, Monsieur. Il n'y a plus de veau.
M. MAILLOUX	Avez-vous des soles?
LE GARÇON	Oui, Monsieur. Elles sont très bonnes.
M. MAILLOUX	Du poulet pour Mademoiselle et une sole pour moi.

4 All morning, inquisitive Thérèse has been dying to talk to her classmate and next-door neighbor, Lucille.

THÉRÈSE	Bonjour, Lucille. Tu vas au réfectoire?
LUCILLE	Oui.
THÉRÈSE	Est-ce que je peux t'accompagner?
LUCILLE	Si tu veux.
THÉRÈSE	Tu as très faim, sans doute. [1]
LUCILLE	Oui, mais pourquoi dis-tu ça?
THÉRÈSE	N'as-tu pas déjeuné de très bonne heure ce matin?
LUCILLE	Si.
THÉRÈSE	C'est sans doute parce que ton frère Marc est arrivé ce matin?
LUCILLE	Oui.
THÉRÈSE	Et qui est son ami?
LUCILLE	Ah, Thérèse, tu vois tout, [2] comme toujours. C'est Paul Bruel.
THÉRÈSE	Il est dans la marine, n'est-ce pas?
LUCILLE	Oui.
THÉRÈSE	Un des amis de Marc?
LUCILLE	Oui, c'est un de ses copains.
THÉRÈSE	Moi, j'adore la marine. Et c'est un beau garçon.
LUCILLE	Beau? C'est possible.
THÉRÈSE	Tu vas me le présenter, n'est-ce pas?
LUCILLE	Si tu veux. . . . Mais voilà le réfectoire. Entrons.

[1] **sans doute** no doubt   [2] **vois** see

5 Arthur and Frédéric are hard to satisfy.

ARTHUR   Pourquoi ne déjeunes-tu pas au réfectoire aujourd'hui?

FRÉDÉRIC   Parce que ça ne me plaît pas.

ARTHUR   Tu n'aimes pas le veau?

FRÉDÉRIC   Pas du tout.   Je n'en mange jamais.   Et toi?

ARTHUR   Moi non plus.   Midi vient de sonner.   Allons en ville. . . .

*   *   *

FRÉDÉRIC   Tiens!   Voici un bon restaurant.   Je le connais très bien.

ARTHUR   Si on y déjeunait?

FRÉDÉRIC   D'accord.   Entrons. . . .

*   *   *

ARTHUR   Tiens!   Il n'y a pas de sel.

FRÉDÉRIC   Mais si.   Il est là, près de mon verre.

ARTHUR   Passe-le-moi, s'il te plaît.   Ce poisson est très bon.

FRÉDÉRIC   Oui.   On est certainement mieux ici qu'au réfectoire.

ARTHUR   Il faut parler de ce restaurant à nos amis.

6 Mr. Biron and his family are having Sunday dinner out.

M. BIRON   Garçon, qu'est-ce qu'il y a comme dessert?

LE GARÇON   Nous avons de la glace, des fruits et de la pâtisserie, Monsieur.

M. BIRON   Une glace au chocolat pour Madame et un éclair pour moi.   Et toi, Anne-Marie, que préfères-tu?

ANNE-MARIE   Je préfère prendre une glace.

LE GARÇON   Très bien.   Deux glaces et un éclair.   Que désirez-vous boire?

M. BIRON   Du café pour nous et du lait pour la petite.

LE GARÇON   Oui, Monsieur.   Un moment, s'il vous plaît.

7 André has just arrived for dinner at the Landrys.

MME LANDRY   Bonsoir, André.

ANDRÉ   Bonsoir, Madame. Excusez-moi. Je suis en retard.   J'habite très loin.

MME LANDRY	Tu habites avenue Foch, n'est-ce pas?
ANDRÉ	Oui, au cent quatre-vingt.
MME LANDRY	Oh, oui. Je connais cette avenue. Et tes parents, comment vont-ils?
ANDRÉ	Très bien, merci.
MME LANDRY	Assieds-toi, André. Roland vient tout de suite. Roland! Ton ami André vient d'arriver.
ROLAND	Bonsoir, André.
ANDRÉ	Bonsoir, Roland.
ROLAND	Nous avons un très bon repas ce soir.
ANDRÉ	Qu'est-ce qu'il y a?
ROLAND	Nous avons du veau aux épinards, un gâteau, du . . .
ANDRÉ	Oh! assez! Ça me plaît déjà.
ROLAND	Que désires-tu boire?
ANDRÉ	Du lait, si vous en avez.
MME LANDRY	Bien sûr, mes garçons. Asseyez-vous.

8 Papa takes Pierrette to lunch in town.

M. POMMIER	Garçon, un bifteck pommes frites, s'il vous plaît.
LE GARÇON	Je regrette, Monsieur. Il n'y en a plus.
M. POMMIER	Est-ce qu'il y a encore du saumon?
LE GARÇON	Un moment, Monsieur. Je vais demander à la cuisine.
PIERRETTE	Je n'aime pas le poisson.
LE GARÇON	Il y a du saumon et du poulet.
M. POMMIER	Bien. Du poulet pour ma fille et du saumon pour moi.
PIERRETTE	Que c'est amusant de déjeuner dans un restaurant chic!
M. POMMIER	Nous déjeunons ici parce que c'est ton anniversaire . . . et le mien aussi. Toi, tu as quinze ans . . . et moi . . .
PIERRETTE	Et toi, papa?
M. POMMIER	Moi? . . . J'en ai cinquante.
PIERRETTE	Est-ce que je vais aussi avoir un cadeau?
M. POMMIER	Oui, ce soir.
PIERRETTE	Que tu es gentil, papa.
M. POMMIER	Et mon cadeau?
LE GARÇON	Le poisson est pour monsieur?

9 Roger heads straight for the kitchen as he and his friend Bertrand come from football practice.

ROGER	Viens. Nous allons manger quelque chose.
BERTRAND	Je ne peux pas maintenant. Il est déjà tard. J'ai du travail, et je suis en retard.
ROGER	En retard? Pourquoi? Demain, c'est un jour de fête. Pas de travail.
BERTRAND	Que je suis bête!
ROGER	L'avais-tu oublié?
BERTRAND	Oui, complètement.

*   *   *

ROGER	Tiens, voici du poulet.
BERTRAND	Merci bien. As-tu un couteau?
ROGER	Prends le mien.
BERTRAND	Ce poulet est très bon.
ROGER	Veux-tu boire quelque chose?
BERTRAND	Oui, s'il te plaît. Du lait, si tu en as.

*   *   *

BERTRAND	Voilà de très bons sandwichs!
ROGER	En veux-tu encore un? . . . Dommage! il n'y a plus de poulet.
BERTRAND	Que va dire ta maman?

TOPICS FOR REPORTS

1

Demain mes parents et moi, nous allons dîner dans un bon restaurant. ..... *Est-ce que cela te plaît?* ..... *Dans quelle rue est ce restaurant?* ..... *Est-ce un restaurant chic?* ..... *À quelle heure allez-vous dîner?*

2

C'est l'heure du déjeuner. ..... *As-tu très faim?* ..... *Qu'est-ce qu'il y a à la carte?* ..... *Aimes-tu le poulet?* ..... *Que désires-tu boire?* ..... *Qu'est-ce que tu préfères comme dessert?*

3

Ce soir nous avons un bon dîner. ..... *À quelle heure dînes-tu?* ..... *Est-ce l'anniversaire de quelqu'un?* ..... *Préfères-tu le veau ou le poulet?* ..... *Est-ce que le dessert te plaît?*

4

Garçon, la carte, s'il vous plaît. ..... *Est-ce qu'il y a du poisson aujourd'hui?* ..... *En veux-tu?* ..... *As-tu un couteau?* ..... *Veux-tu du sel?* ..... *Vas-tu boire du lait ou du café?*

5

Comme dessert il y a ―. ..... *Y a-t-il aussi de la glace?* ..... *Aimes-tu les éclairs?* ..... *Préfères-tu des fruits ou de la pâtisserie?*

6

Mon oncle demeure en ville. ..... *Est-ce qu'il habite près de chez vous?* ..... *Dans quelle rue habite-t-il?* ..... *Est-ce que c'est près du centre?* ..... *Est-ce un quartier chic?* ..... *Quel est son numéro de téléphone?*

Reading and Review

(An unsuccessful adventure.)

1 FÉLIX DÉJEUNE AU RESTAURANT

Félix a treize ans. Il demeure dans un petit village à la campagne, mais aujourd'hui il va en ville. Il a un rendez-vous avec son ami Raoul à deux heures.

Félix a un oncle qui demeure en ville. L'oncle Georges est âgé de cinquante ans. Il demeure dans un quartier très chic mais assez loin du centre. Félix aime bien déjeuner chez son oncle. Il connaît son numéro de téléphone: PASteur cinquante-trois—quatre-vingt-un. Il lui téléphone. Son oncle dit:

—Qui est à l'appareil?

—Félix. Bonjour, mon oncle. Comment vas-tu?

—Tiens! Félix. Je vais très bien, et toi?

—Pas mal. Je vais en ville aujourd'hui. J'ai rendez-vous avec Raoul à deux heures devant le cinéma.

—À deux heures? Eh bien, tu peux déjeuner avec moi.

—Certainement, mon oncle.

Félix arrive chez son oncle à midi et quart. Son oncle dit:

—Nous ne déjeunons pas ici. Nous allons au restaurant. Ça te plaît?

—Mais oui, mon oncle. Ça me plaît beaucoup.

—Les restaurants sont au centre de la ville. Nous ne prenons pas l'autobus. Il n'est que onze heures et quart.

—Mais mon oncle, il est déjà . . .

—Ma montre marche très bien. J'ai onze heures et quart. Il est onze heures et quart.

Félix et son oncle arrivent au centre de la ville à une heure. Félix a très faim. Il dit:

—Voici un restaurant. Si on y entrait?

—Non. Il n'est pas bon.

Dix autres restaurants ne sont pas assez bons pour l'oncle Georges. Il est deux heures moins le quart quand l'oncle et le neveu entrent dans un très petit restaurant. L'oncle Georges dit:

—Garçon, la carte, s'il vous plaît. . . . Ah, du poulet. Tu aimes le poulet?

—Mais oui, mon oncle.

—Bon. Garçon, deux poulets.

—Je regrette, Monsieur. Il n'y en a plus.

—Eh bien, du veau aux épinards.

—Il n'y en a plus.

—Bon. Nous allons manger du poisson.

—Il n'y a plus de poisson.

—Plus de poisson! Ce n'est pas possible.

—Mais Monsieur, il est deux heures.

—Deux heures! Mais non. . . . Moi, j'ai . . . j'ai onze heures et demie! J'en suis désolé, Félix. Vous avez bien du jambon?

—Oui, Monsieur.

Mais Félix dit:

—Il faut que je parte tout de suite. Raoul est certainement devant le cinéma.

Mais il arrive en retard au rendez-vous. Raoul n'est plus là. Il n'est pas chez lui non plus.

Félix est chez lui. Il vient de dîner. Il dit à sa mère:

—J'aime prendre mes repas ici.

—Pourquoi?

—Parce que tu ne dis jamais: «Il n'y en a plus».

QUESTIONS

1. Quel âge a Félix?
2. Où demeure-t-il?
3. À quelle heure a-t-il un rendez-vous?
4. Avec qui a-t-il un rendez-vous?
5. Avec qui Félix va-t-il déjeuner?
6. À quelle heure Félix arrive-t-il chez son oncle?
7. Quelle heure est-il à la montre de l'oncle Georges?
8. À quelle heure Félix et son oncle arrivent-ils au centre de la ville?
9. Combien de restaurants ne sont pas assez bons pour l'oncle Georges?
10. Quelle heure est-il quand Félix et son oncle entrent dans un très petit restaurant?
11. Est-ce qu'il y a encore du poulet? du veau aux épinards? du poisson?
12. Quelle heure est-il à la montre de l'oncle Georges?
13. Est-ce que Félix déjeune au restaurant?
14. Est-ce que Félix arrive en retard à son rendez-vous?
15. Qu'est-ce que Félix dit à sa mère?

(Christian is having a formal birthday party.)

2 UN JOUR DE FÊTE

Aujourd'hui, Christian a douze ans. Sa mère lui dit:

—Christian, voici un disque pour ton anniversaire.

—Que tu es gentille. On n'a jamais assez de disques.

—Tu dis toujours ça. C'est pourquoi je t'en ai acheté un.

—Qu'est-ce que c'est? Oh, «Jour de fête». Très bien. Tous mes copains aiment ce disque.

Il y a un dîner, ce soir, pour l'anniversaire de Christian. Les amis arrivent. Sidonie dit:

—J'ai un cadeau pour toi. Comme tu aimes les disques, en voilà un.

—Merci beaucoup.

Le disque, c'est «Jour de fête».

Un autre ami, Jean-Paul, arrive.

—Voilà un cadeau. Bon anniversaire, Christian—un disque pour toi.

Le disque—un autre «Jour de fête».

Et les autres cadeaux sont tous des disques. Et tous les disques sont «Jour de fête». Onze «Jour de fête»!

Mais sa mère dit à Christian:

—Tu désires une montre, n'est-ce pas? Tiens, en voilà une.

—Oh merci. Qu'elle est jolie, cette montre!

Et son père lui dit:

—Voilà de l'argent pour aller à la foire.

Le dîner est très bon. Du poulet, de la glace au chocolat, de la pâtisserie.

Après le dîner, Christian dit:

—Allons à la foire, mes amis, et si vous n'avez pas assez d'argent, je peux vous en prêter.

*   *   *

—Quel anniversaire! dit la mère.

—Quel «Jour de fête»! dit Christian.

QUESTIONS

1. Quel âge a Christian aujourd'hui?
2. Qu'est-ce que Christian dit toujours?
3. Qu'est-ce que sa mère lui a acheté pour son anniversaire?
4. Comment s'appelle ce disque?

5. Qu'est-ce qu'il y a ce soir?
6. Que dit Sidonie?
7. Combien de cadeaux a Christian?
8. Comment s'appellent tous les disques?
9. Est-ce que Christian a assez de disques maintenant?
10. Quel cadeau sa mère fait-elle à Christian?
11. Quel cadeau son père fait-il à Christian?
12. Qu'est-ce qu'il y a pour dîner?
13. Que dit Christian après le dîner?

9   Pastimes

1   "Am I tired!"
2   "Then you don't want to come with me?"
3   "Where do you want to go?"
4   "To Simone's.   Everybody's going to be there."
5   "I don't feel like going."
6   "Don't you want to hear her new records?"
7   "No.   No music for me!"
8   "Well, if you change your mind, call me."

9   "What are you doing after school?"
10 "I've got to help my mother."
11 "Then no game today!"
12 "No, I'm going straight home."

13 "Bernard's expecting us at his house."
14 "Do you know why?"
15 "He wants to show us his new TV."
16 "Are there any good programs this afternoon?"
17 "Yes, I think they are showing a football game."
18 "I'd rather see an adventure picture."
19 "Bernard likes that kind of picture, too."
20 "Fine.   Let's go right now."

9 Les distractions

1 —Que je suis fatigué!

2 —Alors, tu ne veux pas venir avec moi?

3 —Où veux-tu aller?

4 —Chez Simone. Tout le monde sera là.

5 —Je n'en ai pas envie.

6 —Ne veux-tu pas écouter ses nouveaux disques?

7 —Non, pas de musique pour moi!

8 —Eh bien, si tu changes d'avis, téléphone-moi.

9 —Que fais-tu après l'école?

10 —Il faut que j'aide ma mère.

11 —Alors, pas de sport aujourd'hui!

12 —Non. Je rentre immédiatement.

13 —Bernard nous attend chez lui.

14 —Est-ce que tu sais pourquoi?

15 —Il veut nous montrer sa nouvelle télévision.

16 —Y a-t-il de bons programmes cet après-midi?

17 —Oui, je crois qu'on donne un match de football.

18 —Moi, j'aimerais mieux voir un film d'aventures.

19 —Bernard aime aussi ce genre de film.

20 —Tant mieux. Allons-y tout de suite.

QUESTION-ANSWER PRACTICE

1 EDMOND   Est-ce que tu veux aller chez Simone?
   GUSTAVE Je n'en ai pas envie.

2 ANITA   Tu ne veux pas venir avec moi chez Marie-Claude?
   YVETTE   Non. Je suis fatiguée.

3 ANITA   As-tu envie d'écouter des disques?
   YVETTE   Non. Pas de musique pour moi.

4 ALBERT   Que fais-tu après l'école?
   GILLES   Il faut que j'aide ma mère.

5 ALBERT   Alors, pas de sport aujourd'hui?
   GILLES   Non. Je rentre immédiatement.

6 OLIVIER Où veux-tu aller cet après-midi?
   PIERRE   Chez Bernard. Tout le monde sera là.

7 MICHEL   J'aime les films d'aventures. Et toi?
   CHARLES Moi aussi, j'aime ce genre de film.

8 M. BONIN Y a-t-il de bons programmes cet après-midi?
   M. SELVI Oui, je crois qu'on donne un match de football.

9 M. BRUNELLE   Sais-tu pourquoi Annette Duclos nous attend
                  chez elle?
   MME BRUNELLE   Elle veut nous montrer sa nouvelle télévision.

10 GÉRARD   Veux-tu voir un match de football?
   MARC   J'aimerais mieux voir un film d'aventures.

PATTERN PRACTICE

1 Alors, tu ne veux pas venir

avec moi
avec lui
avec elle
avec nous
avec eux   *them*
avec elles

?

2 Il faut que

j'aide ma mère
je parte tout de suite
je rentre immédiatement
j'écoute ses disques
je déjeune de bonne heure
je retrouve Henri à midi

.

3

Bernard
Marcel
Jacques
— — — — —
Marie-Anne
Françoise
Rita

nous attend

chez lui
— — —
chez elle

.

4 Moi, j'aimerais mieux

voir un film
écouter ses disques
aller avec lui
venir chez toi
faire une promenade à   *go bicycle*
bicyclette   *riding*
dîner plus tard

.

5 Ne veux-tu pas aller

chez Simone
chez les Martin
à la foire
au cinéma
à un bon restaurant
en ville

?

6 Eh bien, si

| tu changes d'avis |
| tu rentres immédiatement |
| tu vas au cinéma |
| tu dînes en ville |
| tu veux aller chez Simone |
| tu préfères voir un film |

, téléphone-moi.

7 Alors,

pas de sport	
pas de football	*football*
pas de basket-ball	*basketball*
pas de tennis	
pas de natation	*swimming*
pas de boules	*bowling*

aujourd'hui?

8 Y a-t-il

| de bons programmes |
| de bons films |
| de nouveaux disques |
| du veau aux épinards |
| des éclairs au chocolat |
| de la pâtisserie |

?

9 Pierre veut nous montrer

| sa nouvelle |
| — — — — — |
| son nouveau |

télévision	
montre	
voiture	*car*
— — — — —	
livre	*book*
stylo	*pen*
canif	*penknife*

10 Que

| fais-tu |
| — — — — – |
| faites-vous |

cet après-midi,

| Louis |
| René |
| Yvonne |
| — — — — — — |
| Claudette et Jean |
| Paul et Henri |
| Monsieur |

?

CONVERSATIONS

1 Alfred sees Jérôme hurrying home.

ALFRED   Veux-tu venir chez Laurent avec moi?

JÉRÔME   Non, merci. Je suis très fatigué.

ALFRED   Il a de nouveaux disques et je vais aller les écouter.

JÉRÔME   Je regrette, mais je n'ai pas envie d'écouter des disques aujourd'hui.

ALFRED   Alors, que vas-tu faire?

JÉRÔME   Je vais rentrer. C'est tout.

ALFRED   Ah, j'avais oublié qu'on donne un match de football à la télévision cet après-midi.

2 Maurice meets Yves outside the lunchroom.

MAURICE   C'est un bon après-midi pour faire du football.

YVES   Pas de football pour moi! Il faut que j'aide ma mère.

MAURICE   À quelle heure faut-il que tu rentres?

YVES   Immédiatement après l'école.

MAURICE   Alors, pas de sport aujourd'hui?

YVES   Je regrette, mais je ne peux pas.

MAURICE   Si ta mère change d'avis, téléphone-moi.

YVES   D'accord. À demain, Maurice.

MAURICE   À demain, Yves.

3 Charles, the leading runner on the track team, is being interviewed by a reporter from the local radio station.

L'INTERVIEWEUR   Où demeures-tu, Charles?

CHARLES   Mon adresse? Quarante-cinq, rue Audubon.

L'INTERVIEWEUR   Comment s'appelle ton père?

CHARLES   Il s'appelle Paul Poncet.

L'INTERVIEWEUR   Foncet?

CHARLES   Non. Poncet. Avec un P. Il s'appelle Paul Poncet.

L'INTERVIEWEUR   Quel âge as-tu, Charles?

CHARLES   J'ai seize ans.

L'INTERVIEWEUR   As-tu des frères et des sœurs?

CHARLES	Oui. J'ai un frère et six sœurs. Mon frère est plus jeune que moi, et mes sœurs sont plus âgées.
L'INTERVIEWEUR	Six sœurs?
CHARLES	Oui, Monsieur.
L'INTERVIEWEUR	Toutes plus âgées que toi?
CHARLES	Oui, Monsieur.
L'INTERVIEWEUR	Comment s'appellent-elles?
CHARLES	Paulette, Paméla, Paule, Pierrette, Pascale, Pénélope.
L'INTERVIEWEUR	Toutes les six ont un nom qui commence avec un P?
CHARLES	Oui, Monsieur.
L'INTERVIEWEUR	Y a-t-il d'autres sports que tu aimes?
CHARLES	Oui, Monsieur. J'aime le football et le basket-ball.
L'INTERVIEWEUR	C'est tout pour aujourd'hui, Charles. Merci bien. . . . Six sœurs! Paulette, Paméla. . . .

4 Yvonne is trying to interest Lucienne in her plans.

YVONNE	Peux-tu venir avec nous demain?
LUCIENNE	Qu'est-ce que vous allez faire?
YVONNE	Germaine et moi, nous désirons aller à la foire.
LUCIENNE	Germaine? Je ne la connais pas. Est-ce que c'est la sœur de Clotilde?
YVONNE	Mais non. C'est ma cousine. Elle demeure à la campagne, dans un petit village.
LUCIENNE	Ah oui. Je me rappelle maintenant. Moi aussi, j'aimerais bien voir cette foire. À quelle heure commence-t-elle?
YVONNE	À dix heures.
LUCIENNE	Bon! Je vais te retrouver à neuf heures moins le quart.
YVONNE	Et que désires-tu faire après la foire?
LUCIENNE	On peut aller dîner dans un restaurant.
YVONNE	Connais-tu un bon restaurant?
LUCIENNE	Mais oui. Je connais un restaurant où la cuisine est très bonne.
YVONNE	Très bien. Je vais demander à Germaine si cela lui plaît.

5 Mr. Normand sees Mr. Boudry at the bus station.

M. NORMAND Bonsoir, Monsieur. Comment allez-vous?
M. BOUDRY Bien, merci. Et vous?
M. NORMAND Pas mal, merci. Est-ce vrai que votre aîné va venir
　　　　　　　vous voir cette semaine?
M. BOUDRY Oui. Marcel arrive ce soir, mais seulement pour
　　　　　　　trois jours.
M. NORMAND Et la marine lui plaît?
M. BOUDRY Oui. Il a de bons amis dans la marine.
M. NORMAND Voilà mon autobus. . . . Bien des choses à Marcel.
M. BOUDRY Certainement. Au revoir, Monsieur.

6 Edmond and Michel feel like relaxing.

EDMOND Bernard nous attend chez lui.
MICHEL Oui, je sais. Il veut nous montrer sa nouvelle télévision.
EDMOND Y a-t-il de bons programmes cet après-midi?
MICHEL Oui. On donne un match de football ou de tennis. Je
　　　　　ne me rappelle plus.
EDMOND Encore des sports? Je préfère un film.
MICHEL Mais je crois qu'il y a aussi un film d'aventures.
EDMOND Tu crois? J'aime ce genre de film. Ça me plaît bien.
MICHEL Bernard aussi les aime. Allons-y.

7 In desperation, Victor's mother is calling one of her son's friends.

MME DUPREY Jean? Ici Madame Duprey. Tu sais où est
　　　　　　　Victor?
JEAN Je ne sais pas, Madame. Je crois qu'il est encore à
　　　　l'école.
MME DUPREY Il est quatre heures juste.
JEAN Votre montre doit retarder, Madame. Il est quatre
　　　　heures et demie.
MME DUPREY Quatre heures et demie déjà! Et on doit aller en
　　　　　　　ville tous les deux, Victor et moi!
JEAN Je veux bien aller retrouver Victor. L'école n'est
　　　　pas loin.
MME DUPREY Merci bien. Tu lui diras que je l'attends.
JEAN Bien sûr.
MME DUPREY Merci encore, Jean.

8 Jeannette gives her friend Solange the news.

JEANNETTE	Connais-tu ma cousine Angèle?
SOLANGE	Oui, je la connais.
JEANNETTE	Eh bien, elle va venir nous voir.
SOLANGE	Est-ce qu'elle va venir avec toute la famille?
JEANNETTE	Bien sûr! Mon oncle, ma tante et le petit Lucien.
SOLANGE	Tu as oublié ton cousin Gérard.
JEANNETTE	Oui, je le sais. C'est parce qu'il fait encore son service militaire. Tu sais bien qu'il ne peut pas venir.
SOLANGE	C'est dommage! Il est très gentil et très amusant.
JEANNETTE	Et beau, n'est-ce pas? Au revoir, Solange. À demain. Il faut que je parte.

9 Élisabeth and Véronique are talking on the way home from school.

ÉLISABETH	Que fais-tu ce soir?
VÉRONIQUE	Je fais mon travail.
ÉLISABETH	Alors, si on allait chez Marie-Anne cet après-midi? C'est dans le quartier.
VÉRONIQUE	D'accord. Je vais demander à ma mère tout de suite.
ÉLISABETH	Moi aussi. Si je peux y aller je te retrouve chez toi. Sinon,[1] je te téléphone immédiatement.
VÉRONIQUE	Très bien, Élisabeth. À bientôt.

*   *   *

VÉRONIQUE	Je ne peux pas y aller. Ma mère dit que non.
ÉLISABETH	La mienne aussi.
VÉRONIQUE	Tu vas au match de football?
ÉLISABETH	Quel jour est le match?
VÉRONIQUE	Samedi prochain. Tu y vas?
ÉLISABETH	C'est possible. Et toi, tu y vas?
VÉRONIQUE	Oui. J'ai un rendez-vous avec quelqu'un.
ÉLISABETH	Quelqu'un que je connais?
VÉRONIQUE	Mais non, quelqu'un que tu ne connais pas.
ÉLISABETH	À quelle heure commence le match?
VÉRONIQUE	Comme toujours, à huit heures et demie et en général il se termine à dix heures.

[1] sinon otherwise

TOPICS FOR REPORTS

1

Il faut que j'aide ma mère. ..... *Ta mère, est-elle malade?* ..... *Est-ce grave?* ..... *Rentres-tu immédiatement?* ..... *Pas de sport aujourd'hui?* ..... *Es-tu fatigué(e) cet après-midi?*

2

Mon ami nous attend chez lui. ..... *Pourquoi nous attend-il?* ..... *Que peut-on faire chez lui?* ..... *A-t-il la télévision?* ..... *Aimerais-tu la regarder?* ..... *Qui sera là?* ..... *À quelle heure vas-tu rentrer?*

3

J'ai une nouvelle télévision. ..... *À quelle heure y a-t-il de bons programmes?* ..... *Quel genre de programme préfères-tu?* ..... *Aimes-tu les matchs de football?* ..... *Quel genre de programme préfère ton frère (ta sœur)?*

4

Mon frère adore le football. ..... *Regarde-t-il les matchs de football à la télévision?* ..... *Est-ce qu'il aime tous les sports?* ..... *Aimes-tu aussi le football?* ..... *Et ta sœur?*

5

Je te présente mon copain. ..... *Comment s'appelle-t-il?* ..... *Quel âge a-t-il?* ..... *Dans quelle rue demeure-t-il?* ..... *À quel numéro?* ..... *Quel est son numéro de téléphone?* ..... *Le connais-tu bien?* ..... *Comment le trouves-tu?*

10   On the telephone

1   "What's your telephone number?"

2   "Central 95.77.

3   And what's yours?"

4   "Mine's Trudaine 41.19.

5   Suppose I give you a ring tonight?"

6   "That would be fine."

7   "Hello! . . . Is this Émile?"

8   "Yes, and who is this?"

9   "Jean Dupuis.   Are you doing anything tonight?"

10   "I have to go to the library."

11   "To the library?   What are you going to do there?"

12   "I've got to return some books for my mother.

13   Want to go with me?"

14   "Okay.   I'll meet you around six."

15   "Mom, is dad here?"

16   "Yes, he just came in."

17   "Mr. Selvi wants to speak to him on the phone."

18   "Ask Mr. Selvi to wait a minute."

19   "Mr. Selvi?   Just a minute, please.

20   My father won't be long."

10 Au téléphone

1 —Quel est ton numéro de téléphone?

2 —CENtral quatre-vingt-quinze—soixante-dix-sept.

3 Et toi, quel est le tien?

4 —Moi, c'est TRUdaine quarante et un—dix-neuf.

5 Si je te donnais un coup de téléphone ce soir?

6 —Ça me ferait plaisir.

7 —Allô! Émile?

8 —Oui, qui est à l'appareil?

9 —Ici Jean Dupuis. Tu es libre ce soir?

10 —Je dois aller à la bibliothèque.

11 —À la bibliothèque? Qu'est-ce que tu vas y faire?

12 —Il faut que je rende des livres pour ma mère.

13 As-tu envie de m'accompagner?

14 —Oui, d'accord. Je te rejoindrai vers six heures.

15 —Maman, est-ce que papa est là?

16 —Oui, il vient d'arriver.

17 —Monsieur Selvi le demande au téléphone.

18 —Demande à Monsieur Selvi d'attendre un instant.

19 —Monsieur Selvi? Un moment, je vous prie.

20 Mon père ne tardera pas.

QUESTION-ANSWER PRACTICE

1 JEAN Qui est à l'appareil?
   ANDRÉ Ici André Lebel.

2 THOMAS Quel est ton numéro de téléphone?
   ÉMILE C'est CENtral quatre-vingt-quinze—soixante-dix-sept.

3 ÉMILE Et toi, quel est le tien?
   THOMAS Moi, c'est TRUdaine quarante et un—dix-neuf.

4 PAUL Es-tu libre ce soir?
   HENRI Non, je dois aller à la bibliothèque.

5 PAUL Qu'est-ce que tu vas y faire?
   HENRI Il faut que je rende des livres pour ma mère.

6 ANNE-MARIE Maman, Monsieur Selvi est à l'appareil. Est-ce que papa est là?
   MME CHANTAL Demande à Monsieur Selvi d'attendre un instant.

7 HÉLÈNE As-tu envie de m'accompagner ce soir?
   LUCILLE Oui, d'accord. Je te rejoindrai vers six heures.

8 ROBERT Madame Duval? Est-ce que Charles est là?
   MME DUVAL Oui, il vient d'arriver.

9 MME LAMBERT Si je vous donnais un coup de téléphone cet après-midi?
   MME VIGIER Ça me ferait plaisir.

10 MME MEUNIER Gisèle? Ta mère est là?
    GISÈLE Oui, Madame. Un moment, je vous prie. Elle ne tardera pas.

PATTERN PRACTICE

1 Qu'est-ce que

| tu veux faire |
| tu vas prendre |
| tu peux voir |
| tu dois acheter |
| tu attends |
| tu fais |

?

2 Ont-elles envie

| de m'accompagner |
| de déjeuner au réfectoire |
| d'écouter des disques |
| de venir avec moi |
| d'aller au village |
| de prendre quelque chose |

?

3

| Mon père |
| Ma tante |
| Sa mère |
| Mes amis |
| Tes parents |
| Ses cousines |

| vient |
| viennent |

d'arriver.

4 Est-ce que

| papa |
| Michel |
| Georges |
| maman |
| Marie-Anne |
| Henriette |

est là? François

| le |
| la |

demande au téléphone.

5 Demande à

| Monsieur Selvi |
| Jean |
| Marc |
| Madame Latour |
| ta mère |
| Mademoiselle Coty |

d'attendre un instant.

6 Je dois aller

à la bibliothèque
à la campagne
chez mon oncle
chez des amis
en ville
au bureau de poste *post office*

cet après-midi.

7 Mon numéro de télé-
phone est TRUdaine

quarante et un—dix-neuf
douze—soixante-trois
zéro-sept—quatre-vingt-huit
soixante-trois—dix
quatre-vingt-quatre—vingt-sept
quatre-vingt-seize—cinquante et un

8

Ce stylo   *pen*
Ce crayon   *pencil*
Ce disque
— — — — — — —
Cette bicyclette *bicycle*
Cette voiture   *car*
Cette montre

, est-ce que c'est

le tien
— — — —
la tienne

?

9

Tu es libre
— — — — — — —
Vous êtes libre

ce soir,

Paul
Jean
Marie
— — — — — — —
Monsieur
Madame
Mademoiselle

?

10

Tout le monde
Mon ami Jean
— — — — — — —
Paul et toi,
Jeanne et toi,
— — — — — — —
Henri et Jules
Les Vidal

sera
— — — —
vous serez
— — — —
seront

chez Simone ce soir,
n'est-ce pas?

CONVERSATIONS

1 Mrs. Rambert is in a jam and telephones her neighbor.

MME RAMBERT Ici, Madame Rambert. Bonjour, Madame. Avez-vous du sel à me prêter, s'il vous plaît? J'ai complètement oublié d'en acheter aujourd'hui.

MME FABRE Bien sûr, Madame. Ne vous inquiétez pas. Je vais vous en donner tout de suite.

MME RAMBERT Merci, Madame. C'est très gentil. Je vais sonner à votre porte dans un instant.

MME FABRE Mais oui, Madame. J'y serai.

2 Marc, who doesn't want to work this evening, dials Maurice's number.

MARC Allô! CENtral douze—trente-trois?

MAURICE Oui. Qui est à l'appareil?

MARC Ici Marc. C'est toi, Maurice?

MAURICE Oui. Bonjour, Marc.

MARC As-tu envie de m'accompagner ce soir? J'aimerais bien aller au match de basket-ball.

MAURICE Moi aussi. Mais je ne peux pas y aller.

MARC Pourquoi? Tu n'es pas malade?

MAURICE Oh non. Mais je dois aller à la bibliothèque pour ma mère et après, mon oncle va venir nous voir.

MARC C'est dommage parce que ce soir il y a un très bon match.

MAURICE Oui, je sais. Ça me ferait plaisir d'y aller mais ce n'est pas possible. Si ma mère change d'avis, je te donnerai un coup de téléphone.

3 Philippe has to see Yves. He's trying to arrange for a meeting.

PHILIPPE Allô! Yves?

ANTOINE Non, je suis son frère. Yves n'est pas là. Qui est à l'appareil?

PHILIPPE Philippe Bruel.

ANTOINE Yves est à la bibliothèque. Il aide son cousin Fernand à faire son travail. Il ne va pas tarder à rentrer.

PHILIPPE	Très bien. Je vais lui donner un coup de téléphone plus tard.
ANTOINE	Bien. . . . Oh, un moment. Yves vient d'arriver . . . Yves, Philippe Bruel te demande au téléphone. Un instant, je vous prie. Le voilà.
YVES	Allô! Philippe?
PHILIPPE	Bonsoir, Yves. Es-tu libre demain à midi?
YVES	Mais oui.
PHILIPPE	Alors, si on déjeunait au réfectoire tous les deux?
YVES	D'accord. Qu'est-ce qu'il y a comme menu?
PHILIPPE	Du poisson certainement. C'est vendredi.
YVES	Du poisson? Je n'aime pas ça. Je n'en mange jamais. Si on allait en ville?
PHILIPPE	Comme tu veux. Rendez-vous alors demain à midi devant la porte du réfectoire. Bonsoir, Yves.
YVES	D'accord, à demain. Bonsoir, Philippe.

4   The coach is calling to find out how his 200-pound lineman is.

M. JOUBERT	Allô! Madame Maret? Ici Monsieur Joubert. Comment va Alain?
MME MARET	Assez bien, Monsieur Joubert, merci. Ce n'est pas très grave.
M. JOUBERT	Tant mieux, tant mieux. Est-ce qu'il sera à l'école la semaine prochaine?
MME MARET	S'il va mieux, il y sera certainement. Ce soir il avait faim et il a très bien mangé.[1] Je lui ai donné du veau aux épinards, un verre de lait et un fruit.
M. JOUBERT	Il va certainement mieux alors! Il est fils unique, n'est-ce pas?
MME MARET	Oui, Monsieur. Nous n'avons que lui.
M. JOUBERT	C'est un garçon très sympathique, Madame.
MME MARET	Vous trouvez?
M. JOUBERT	Vous lui direz bien des choses.
MME MARET	Certainement, Monsieur. Merci.
M. JOUBERT	Au revoir, Madame.
MME MARET	Au revoir, Monsieur Joubert.

[1]   il avait faim   he was hungry

5   Jeanine and Lorraine are talking while Jeanine waits for the bus.

LORRAINE   Comment trouves-tu le nouveau copain de Louis Chevalier?

JEANINE   Je le trouve beau et sympathique.

LORRAINE   Moi aussi. Je l'aime bien. Il est très gentil. Aujourd'hui il est arrivé à l'école en retard.

JEANINE   Vraiment? En général il est toujours à l'heure.

LORRAINE   Oui, mais ce matin il avait oublié ses livres.

JEANINE   Tiens! . . . Eh bien, il faut que je parte. Voilà l'autobus.

LORRAINE   Quel est ton numéro de téléphone?

JEANINE   C'est TRUdaine quatre-vingt-quinze—soixante-dix. Et toi? Quel est le tien?

LORRAINE   Le mien est CENtral quarante et un—dix-neuf. Si je te donnais un coup de téléphone ce soir?

JEANINE   D'accord. Ça me ferait plaisir.

LORRAINE   Au revoir. À ce soir.

6   Mr. Marchand checks up on food and service at his restaurant.

M. MARCHAND   Alors, comment avez-vous trouvé le repas?

M. GUÉRIN   Le restaurant est très sympathique et la cuisine est très bonne. Mais je n'ai pas aimé le service.

M. MARCHAND   J'en suis désolé. Qu'est-il arrivé? [1]

M. GUÉRIN   Le garçon a oublié de me donner un couteau et un verre.

M. MARCHAND   J'en suis désolé, Monsieur. Vous savez, c'est un nouveau garçon et il fait tout son possible.

M. GUÉRIN   Ça se peut, mais je n'aime pas ce genre de garçon.

     Qu'est-il arrivé? What happened?

7   Jacques works out plans with Nicolas.

JACQUES   Qu'est-ce que tu vas faire après l'école?

NICOLAS   Je ne sais pas. Et toi?

JACQUES   Je dois aller à la bibliothèque. Tu veux m'accompagner?

NICOLAS   Je suis très fatigué maintenant. Est-ce que tu y vas tout de suite?

JACQUES	Non, plus tard.
NICOLAS	Quelle heure est-il?
JACQUES	Je ne sais pas. Ma montre ne marche pas.
NICOLAS	Mais à quelle heure veux-tu y aller?
JACQUES	Je crois qu'il faut y aller avant six heures.[1] J'ai des livres à rendre.
NICOLAS	Bon. Alors téléphone-moi quand tu seras libre et je te rejoindrai.
JACQUES	D'accord. Ton numéro est LITtré vingt-deux—trente-neuf, n'est-ce pas?

[1] avant before

8 Julia and Gisèle are window-shopping and seeing friends.

JULIA	Voilà Claire qui arrive.
GISÈLE	Qui est-ce? Je ne la connais pas.
JULIA	C'est une amie de ma sœur aînée. C'est elle qui demeure rue Buffon.
GISÈLE	Tu vas me présenter?
JULIA	Certainement. Viens! . . . Bonjour, Claire. Ça va?
CLAIRE	Très bien, merci. Et toi?
JULIA	Ça va bien. Claire, je veux te présenter mon amie Gisèle Coulombe. Gisèle, voici Claire Boivin.
GISÈLE	Bonjour, Claire. Vous demeurez rue Buffon?
CLAIRE	Oui, au soixante-douze.
GISÈLE	C'est près du Jardin des plantes, n'est-ce pas?
CLAIRE	Oui, c'est tout près.
JULIA	Si tu n'es pas fatiguée, veux-tu venir avec nous?
CLAIRE	Où allez-vous?
GISÈLE	Nous allons acheter un cadeau pour mon frère. C'est demain son anniversaire. Je vais lui acheter des disques. On n'en a jamais assez.
CLAIRE	Bon. Allons-y. Après, voulez-vous aller au restaurant de papa? Comme c'est jour de fête, il nous donnera certainement quelque chose à boire et de la pâtisserie.
GISÈLE	D'accord. Avec plaisir. Nous pouvons y passer une demi-heure.

9 Mrs. Masson calls Villard's restaurant.

MME MASSON Allô! TRUdaine quarante—trente-deux?

M. VILLARD Oui, Madame.

MME MASSON Bonjour, Monsieur. Madame Masson à l'appareil.
Est-ce que je n'ai pas oublié mon stylo à votre
restaurant?

M. VILLARD Attendez un moment. Je vais voir. . . . Oui, le
garçon l'a trouvé. Il est là. Ne vous inquiétez
pas.

MME MASSON Que je suis bête! Je vais venir le prendre ce soir.

M. VILLARD D'accord. Au revoir, Madame.

MME MASSON Au revoir, Monsieur. Vous êtes très gentil.

10 Albert gets up nerve enough to call for a date.

ALBERT Allô! Ici Albert Selvi. Berthe est là?

MME PICARD Oui, Albert. Elle vient d'arriver. . . . Berthe?
Albert Selvi te demande au téléphone.

BERTHE Demande-lui d'attendre un instant. . . .

MME PICARD Albert? Attends un petit moment, veux-tu? Berthe
ne tardera pas.

ALBERT Très bien, Madame.

MME PICARD La voici. . . .

BERTHE Bonjour, Albert.

ALBERT Bonjour, Berthe. As-tu envie de voir un fort bon
film ce soir?

BERTHE Qu'est-ce que c'est?

ALBERT C'est un film de sports.

BERTHE Mais oui, j'aimerais le voir. À quelle heure est-ce
que tu veux y aller?

ALBERT À sept heures, si c'est possible.

BERTHE Attends un peu. Je vais demander à ma mère . . .
D'accord. À sept heures juste.

ALBERT Bien! À sept heures alors.

TOPICS FOR REPORTS

1

Mes amis me téléphonent le soir. ..... *Quel est ton numéro de téléphone?* ..... *En général, combien d'amis te demandent au téléphone?* ..... *Est-ce que ça plaît à ta mère quand on te téléphone tard?* ..... *Si on te téléphone à onze heures du soir, est-ce que ta mère t'appellera?*

2

Je dois aller à la bibliothèque après l'école. ..... *Est-ce que c'est près de l'école?* ..... *Qui va t'accompagner?* ..... *Faut-il que tu rendes des livres?* ..... *À quelle heure y vas-tu?*

3

Il y a un grand match de football samedi. ..... *À quelle heure commence-t-il?* ..... *Qui a envie de t'accompagner?* ..... *Où dois-tu le (la) retrouver?* ..... *À quelle heure va-t-il(elle) te rejoindre?* ..... *À quelle heure le match se termine-t-il?* ..... *Que vas-tu faire après le match?*

4

Mon oncle est très sympathique. ..... *Quel âge a-t-il?* ..... *Combien de frères et de sœurs a-t-il?* ..... *Est-ce que ton oncle habite loin de chez toi?* ..... *Vas-tu le voir le dimanche?* ..... *Est-ce qu'il aime les sports?* ..... *Aime-t-il la musique?* ..... *Est-ce qu'il aime la télévision?*

5

Ma sœur va donner un coup de téléphone à une amie. ..... *À qui téléphone-t-elle?* ..... *Pourquoi lui téléphone-t-elle?* ..... *A-t-elle oublié ses livres?* ..... *Où sont ses livres?*

11   Winter

1   "Is it cold this morning!"

2   "And how!   Even colder than yesterday."

3   "I wonder if it's dangerous to skate."

4   "Not at all.   The ice is very thick.

5   They said so on the radio."

6   "Let's go skating then."

7   "I'll go get the skates."

8   "Look at that beautiful snow coming down."

9   "I hope there'll be enough for skiing."

10   "You like to ski?"

11   "I'm crazy about it.   It's my favorite sport."

12   "Is there a place to ski near here?"

13   "No, you have to go to the mountains."

14   "The other day Élise and Nadine went skating with me."

15   "Are they making progress?"

16   "Nadine especially.   You ought to see her!"

17   "I'm not surprised.   She's good at sports."

18   "As for Élise, she does the best she can, poor thing."

19   "How many times did she fall down?"

20   "Five or six times, at least."

11   L'hiver

1 —Qu'il fait froid ce matin!

2 —Et comment!   Encore plus froid qu'hier.

3 —Je me demande s'il est dangereux de patiner.

4 —Oh, pas du tout!   La glace est très épaisse.

5   On l'a annoncé à la radio.

6 —Allons patiner alors!

7 —Je vais aller chercher les patins.

8 —Regarde comme elle tombe, cette belle neige.

9 —J'espère qu'il y en aura assez pour faire du ski.

10 —Tu aimes faire du ski?

11 —J'adore ça.   C'est mon sport préféré.

12 —Y a-t-il une station de ski près d'ici?

13 —Non, il faut aller dans la montagne.

14 —L'autre jour Élise et Nadine sont venues patiner avec moi.

15 —Est-ce qu'elles font des progrès?

16 —Nadine surtout.   Tu devrais la voir!

17 —Cela ne m'étonne pas.   Elle est si sportive!

18 —Quant à Élise, elle fait de son mieux, la pauvre.

19 —Combien de fois est-elle tombée?

20 —Au moins cinq ou six fois.

QUESTION-ANSWER PRACTICE

1
ALBERT   Fait-il froid ce matin?
RENÉ   Oui.   Encore plus froid qu'hier.

2
ALBERT   Est-il dangereux de patiner aujourd'hui?
RENÉ   Pas du tout.   La glace est très épaisse.

3
ISABELLE   Regarde comme elle tombe; la neige est belle, n'est-ce pas?
SIMONE   Oui.   J'espère qu'il y en aura assez pour faire du ski.

4
RAYMOND   N'as-tu pas envie d'aller patiner cet après-midi?
PIERRE   Mais si.   Je vais aller chercher mes patins.

5
THOMAS   Est-ce qu'il y a une station de ski près d'ici?
PAULINE   Non, il faut aller dans la montagne.

6
CLAUDE   Tu aimes patiner?
MICHELLE   Oui.   J'adore ça.   C'est mon sport préféré.

7
VIRGINIE   Y a-t-il assez de neige pour faire du ski?
FRANÇOISE   Oui.   On l'a annoncé à la radio.

8
MME MOREL   Est-ce que tes amies font des progrès?
ALICE   Nadine surtout.   Tu devrais la voir.

9
ÉLIANE   Combien de fois es-tu tombée?
MARIE-ANGE   Au moins cinq ou six fois.

10
VINCENT   Est-ce qu'Anne est très sportive?
GILBERT   Non, mais elle fait de son mieux.

PATTERN PRACTICE

1 Je me demande
    s'il est dangereux de

> patiner aujourd'hui
> faire du ski
> faire du football
> faire cela
> nager ici   *swim here*
> voyager par avion   *travel by plane*

2 Je vais aller

> chercher les patins
> voir le film
> déjeuner
> patiner
> écrire une lettre   *write a letter*
> aider ma mère

3 Quant à

> Élise
> Suzanne
> Thérèse
> — — — —
> Jacques
> Claude
> Marcel

,

> elle
> — — —
> il

fait de son mieux.

4 Cela ne m'étonne pas.

> Elle
> Marie
> Nadine
> — — — — —
> Il
> Dominique
> Guy

est si

> sportive
> — — — —
> sportif

!

5 Tu devrais

> voir cela
> dîner maintenant
> déjeuner tout de suite
> partir de bonne heure
> rester ici   *stay here*
> téléphoner à ta tante

6 Elle est tombée au moins

deux
deux ou trois
trois ou quatre
quatre ou cinq
cinq ou six
sept ou huit

fois.

7 Il fait encore plus

beau	
froid	
chaud	*hot*
mauvais	*bad*
frais	*cool*
lourd	*sultry*

qu'hier.

8 Tu aimes

faire du ski	
danser	*dance*
chanter	*sing*
écouter la radio	
regarder la télévision	
aller à la pêche	*go fishing*

?

9 C'est

ma cravate	*necktie*
ma robe	*dress*
ma voiture	*car*
— — — — — — — — —	
mon sport	
mon programme	
mon livre	

préférée
— — — — — —
préféré

.

10

René
Monsieur Morel
— — — — — — — — —
Marc et moi, nous
Claudette et moi, nous
— — — — — — — — —
Jean-Paul et Louis
Marguerite et lui

est allé
— — — — — —
sommes allé(e)s
— — — — — —
sont allés

à la foire ce matin.

CONVERSATIONS

1 Élise is talking with her ski instructress.

ÉLISE Sylvie et Claire sont venues faire du ski avec moi.

NICOLE Est-ce qu'elles font des progrès?

ÉLISE Claire surtout.

NICOLE Cela ne m'étonne pas. Elle est si sportive.

ÉLISE Vous devriez la voir! Quant à Sylvie, elle fait de son mieux, la pauvre. Mais l'autre jour elle est tombée au moins six ou sept fois.

NICOLE Et vous?

2 The temperature has fallen and Henri rushes over to see Claude.

HENRI Si on allait patiner ce matin?

CLAUDE Mais non. Il ne fait pas assez froid.

HENRI Mais si! Il fait plus froid qu'hier.

CLAUDE Ça se peut. Attends, je vais demander à papa si je peux y aller. . . .

HENRI Alors?

CLAUDE Allons patiner tout de suite. Je crois que la glace sera assez épaisse et je ne veux pas être le dernier arrivé. [1]

> [1] être to be

3 Guillaume finally gets down to homework and has to call Martin.

GUILLAUME Ici Guillaume. C'est toi, Martin?

MARTIN Bonsoir, Guillaume.

GUILLAUME Qu'est-ce que le professeur nous a demandé de faire?

MARTIN Tu veux dire comme travail?

GUILLAUME Oui. J'ai oublié. Est-ce que tu te rappelles?

MARTIN Moi aussi, j'ai oublié. Que nous sommes bêtes! Attends, je vais donner un coup de téléphone à Lisette Bernier. Je vais lui demander. Quelle heure est-il maintenant?

GUILLAUME Il est cinq heures juste. Téléphone-moi à six heures et quart, veux-tu?

MARTIN Bien sûr. À plus tard.

4 Mrs. Dufour meets Mrs. Taillard at the laundromat.

MME DUFOUR Comment allez-vous aujourd'hui?

MME TAILLARD Très bien, merci. Et vous?

MME DUFOUR Pas mal. Comment va votre famille?

MME TAILLARD Mes deux filles vont bien. Mon petit garçon est malade, mais ce n'est pas grave.

MME DUFOUR Tant mieux. Est-ce que je peux vous demander quelque chose? Vous connaissez Monsieur Tissot?

MME TAILLARD Très bien. Il demeure dans notre quartier, avenue de la République.

MME DUFOUR Je vais lui demander de venir parce que ma télévision ne marche pas. Connaissez-vous son numéro?

MME TAILLARD Je crois que c'est CARnot onze—cinquante et un.

MME DUFOUR Merci bien, Madame. Je vais l'appeler tout de suite.

5 The snowstorm is over; the homework is done. Gaston and Raoul are talking together.

GASTON Regarde cette neige. Si on allait faire du ski?

RAOUL D'accord. Où veux-tu aller? Tu sais qu'il y a une bonne station de ski pas loin d'ici.

GASTON Bon! Nous pouvons y aller. On part immédiatement?

RAOUL Tu ne veux pas déjeuner maintenant?

GASTON Non, parce qu'il ne faut pas que nous y arrivions tard.

RAOUL C'est juste. On ferait mieux de prendre quelque chose plus tard alors.

GASTON Où sont les skis que tu vas me prêter?

RAOUL Chez Henri Duval. Il habite quarante-deux, rue de la Pompe.

GASTON Tu veux dire ce garçon qui est si amusant?

RAOUL Oui. . . . Tu devrais le voir quand il fait du ski. En général il tombe six ou sept fois. Oh, mais nous sommes en retard. Va sonner à sa porte. Il te donnera les skis.

6 As Marie leaves her house, she sees her neighbor, Pauline.

MARIE   Bonjour, Pauline.   Est-ce que tu es libre ce matin?

PAULINE   Je crois qu'oui.   Qu'est-ce que tu veux faire?

MARIE   Je dois aller en ville pour ma mère.   Veux-tu m'accompagner?

PAULINE   Mais il fait très froid aujourd'hui.   On vient de l'annoncer à la radio.

MARIE   Mais non.   Il ne fait pas plus froid qu'hier.   Demande à ta mère si tu peux venir avec moi.

PAULINE   Un instant.   Elle est à la cuisine. . . . Oui, je peux y aller.   Après, veux-tu venir ici?

MARIE   D'accord, si ça te plaît.

PAULINE   Il y a un bon film d'aventures à la télévision.

MARIE   C'est le genre de film que je préfère.   J'aimerais bien le voir.   Et toi, à quelle heure me rejoindras-tu?

PAULINE   Vers dix heures.   Ça va?

MARIE   Très bien.   À bientôt.

7 Henriette and Paule are, as usual, walking to school together.

HENRIETTE   Qu'il fait froid ce matin!

PAULE   Et comment!   Il fait encore plus froid qu'hier.

HENRIETTE   Veux-tu prendre l'autobus?

PAULE   Non, pas maintenant.   L'école n'est plus très loin.

HENRIETTE   Comment trouves-tu ton nouveau professeur?

PAULE   Il est assez gentil, mais il nous donne beaucoup de travail.

HENRIETTE   Le mien aussi.   Cet après-midi je vais terminer mon travail de bonne heure.

PAULE   Pourquoi?

HENRIETTE   Parce que je veux aller patiner.

PAULE   Attends-moi devant la porte de chez toi.   Je vais aller patiner avec toi.

8 Grandfather Aubert, who is fed up with taking the youngsters to the park, greets an old friend at the barber shop.

M. AUBERT   Bonjour, Georges.   Ça va?

M. BOISSARD   Très bien.   Et toi?

M. AUBERT   Pas mal.   Oh, qu'il fait froid!

M. BOISSARD	Et comment! C'est un beau jour pour les petits. Je crois que tout le monde va patiner cet après-midi. La glace doit être très épaisse. [1]
M. AUBERT	J'aime regarder les jeunes patiner.
M. BOISSARD	Moi aussi. Mais quand il fait si froid, j'aime mieux regarder la télévision. Dis, veux-tu venir la regarder avec moi?
M. AUBERT	Non, merci. Pas aujourd'hui.
M. BOISSARD	Eh bien, si tu changes d'avis, téléphone-moi.
M. AUBERT	D'accord. Tu diras bien des choses chez toi.

[1] doit être   must be

9 Mr. Brunot has lost at chess with Mr. Jourdan.   He rises slowly from the table.

M. BRUNOT	Il est déjà six heures et demie. Il faut que je parte immédiatement.
M. JOURDAN	Mais pas du tout. Vous allez dîner avec nous.
M. BRUNOT	Non, merci. Je dois rentrer; ma fille m'attend.
MME JOURDAN	Je vous en prie; dînez avec nous ce soir. Nous avons un bon repas: du poulet et des éclairs au chocolat pour dessert.
M. BRUNOT	Du poulet! J'adore ça.
MME JOURDAN	Vous pouvez téléphoner à votre fille pour lui dire que vous serez ici ce soir.
M. BRUNOT	Bon. Où est le téléphone?
MME JOURDAN	Là, près de la porte.
M. BRUNOT	. . . Voilà. C'est fait. Elle dînera avec son fiancé.
M. JOURDAN	Tiens! Elle est fiancée? Avec qui?
M. BRUNOT	Avec Marcel Arnoux. C'est l'aîné des Arnoux. Vous le connaissez?
M. JOURDAN	Certainement. Marcel est plus âgé que mon fils, n'est-ce pas?
M. BRUNOT	Oui. Je crois qu'il a au moins deux ans de plus.

*   *   *

MME JOURDAN	Eh bien, nous pouvons dîner maintenant.

TOPICS FOR REPORTS

1

Des amis vont venir chez moi, ce soir. ..... *Qui sera là?* ..... *À quelle heure vont-ils venir?* ..... *Allez-vous écouter des disques?* ..... *Qu'est-ce qu'il y aura à manger?*

2

Ma jeune cousine est très sportive. ..... *Fait-elle du ski?* ..... *Où fait-elle du ski?* ..... *Combien de fois est-elle tombée samedi dernier?* ..... *Est-ce qu'elle fait des progrès?*

3

Il fait très froid ce matin. ..... *Fait-il encore plus froid qu'hier?* ..... *L'a-t-on annoncé à la radio?* ..... *Peut-on patiner?* ..... *Est-ce que la neige tombe?* ..... *Qu'est-ce que tu aimes faire quand il fait froid?* ..... *Est-ce que l'hiver est ta saison préférée?*

4

En hiver j'aime patiner. ..... *Est-ce que c'est ton sport préféré?* ..... *As-tu déjà patiné cet hiver?* ..... *La glace est-elle assez épaisse?* ..... *Avec qui vas-tu patiner?* ..... *As-tu de bons patins?* ..... *Est-ce que tu patines bien? mal?*

5

Moi, je préfère les sports d'été. ..... *Quel est ton sport préféré?* ..... *Est-ce que tu aimes nager?* ..... *Fais-tu des promenades à bicyclette?* ..... *Est-ce que tu vas aux matchs de tennis?*

12   Shopping

1   "What are you planning to do tomorrow, Sylvianne?"
2   "You know perfectly well I have to go shopping Saturdays.
3   Do you want to come with me?"
4   "Good idea!   I just love department stores.
5   I could spend all day there."

6   "May I help you, Madam?"
7   "I'd like a sweater for my son."
8   "What color does he prefer?"
9   "He especially likes blue or green."

10   "Does this dress look well on me?"
11   "Extremely well.   You look lovely in it."
12   "Yes . . . but . . . how much is it?
13   It's probably very expensive."
14   "Not very.   It's quite reasonably priced."

15   "Did you buy a jacket, Robert?"
16   "Yes, just this morning.   Want to see it?
17   Wait!   I'll show it to you."
18   "Fine!   It's terrific!
19   I need a jacket, too.
20   But I hate to go downtown."

12   Les achats

1 —Que comptes-tu faire demain, Sylvianne?

2 —Tu sais bien que j'ai des courses à faire le samedi.

3   Veux-tu venir avec moi?

4 —Bonne idée!   J'adore les grands magasins.

5   Je pourrais y passer toute une journée.

6 —Vous désirez, Madame?

7 —Je voudrais un tricot pour mon fils.

8 —Quelle couleur préfère-t-il?

9 —Il aime surtout le bleu ou le vert.

10 —Est-ce que cette robe me va bien?

11 —Admirablement.   Vous êtes ravissante, Mademoiselle.

12 —Oui . . . mais . . . Combien coûte-t-elle?

13   Elle est sans doute très chère.

14 —Pas trop.   Elle est même assez bon marché.

15 —As-tu acheté un veston, Robert?

16 —Oui, ce matin même.   Veux-tu le voir?

17   Attends!   Je vais te le montrer.

18 —Bravo!   Il est formidable!

19   Moi aussi, j'ai besoin d'un veston.

20   Mais je déteste aller en ville.

QUESTION-ANSWER PRACTICE

1
CÉCILE   Que comptes-tu faire samedi?
CHRISTIANE   Tu sais bien que j'ai des courses à faire le samedi.

2
CHRISTIANE   Veux-tu venir avec moi?
CÉCILE   Bonne idée. J'adore les grands magasins.

3
MLLE LUNEAU   Est-ce que cette robe me va bien?
MME ARNOUX   Admirablement! Vous êtes ravissante, Mademoiselle.

4
MLLE LUNEAU   Est-elle très chère?
MME ARNOUX   Pas trop. Elle est même assez bon marché.

5
M. TISSOT   Vous désirez, Madame?
MME GOUIN   Je voudrais un tricot pour mon fils.

6
M. TISSOT   Quelle couleur préfère-t-il?
MME GOUIN   Il aime surtout le bleu.

7
FRÉDÉRIC   As-tu acheté un veston, Robert?
ROBERT   Oui, ce matin même. Je vais te le montrer.

8
MARGUERITE   Je vais en ville. Tu veux venir avec moi?
MARIE-HÉLÈNE   Bonne idée. J'ai besoin d'une robe.

9
SIMONE   As-tu acheté une robe ce matin?
MICHÈLE   Oui. Attends. Je vais te la montrer.

10
MME DUMONT   Est-ce que vous aimez aller en ville, Madame?
MME MARTIN   Non. Je déteste aller en ville.

PATTERN PRACTICE

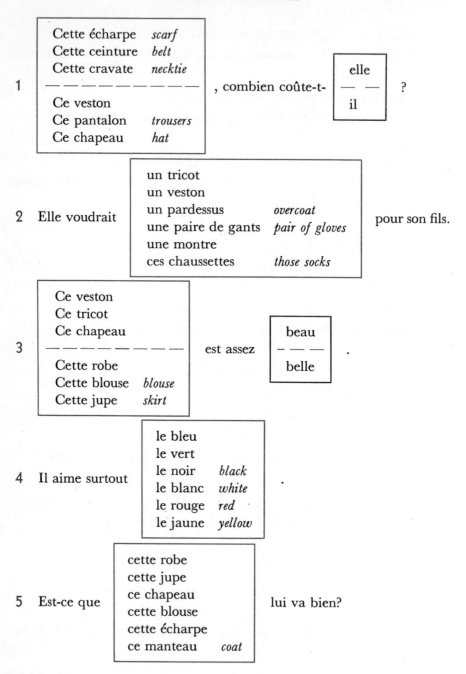

1

Cette écharpe	*scarf*
Cette ceinture	*belt*
Cette cravate	*necktie*
— — — — — — — —	
Ce veston	
Ce pantalon	*trousers*
Ce chapeau	*hat*

, combien coûte-t-

elle
— —
il

?

2 Elle voudrait

un tricot
un veston
un pardessus   *overcoat*
une paire de gants *pair of gloves*
une montre
ces chaussettes   *those socks*

pour son fils.

3

Ce veston
Ce tricot
Ce chapeau
— — — — — — —
Cette robe
Cette blouse   *blouse*
Cette jupe   *skirt*

est assez

beau
— — —
belle

.

4 Il aime surtout

le bleu
le vert
le noir   *black*
le blanc   *white*
le rouge   *red*
le jaune   *yellow*

.

5 Est-ce que

cette robe
cette jupe
ce chapeau
cette blouse
cette écharpe
ce manteau   *coat*

lui va bien?

6 Moi aussi, j'ai besoin

d'un chapeau
d'un disque
d'une montre
d'un couteau
d'un tricot
d'une ceinture *belt*

.

7

Mon stylo
Mon tricot
Mon chapeau
— — — — — —
Ma ceinture
Ma montre
Ma bague *ring*

? Attends! Je vais te

le
— —
la

montrer.

8 As-tu acheté

un veston	
un tricot	
une chemise	*shirt*
des souliers	*shoes*
des gants	*gloves*
un pardessus	*overcoat*

, Robert?

9 Que

comptes-tu
— — — — —
comptez-vous

faire demain,

Émile
Léon
Aurélie
— — — — — —
Jacques et Hélène
Madame
Monsieur

?

10 J'ai des courses à faire

le samedi
le vendredi
le jeudi
le mercredi
le mardi
le lundi

.

CONVERSATIONS

1 Monique and her mother are shopping; a saleslady is waiting on them.

LA MÈRE	Quelle robe préfères-tu?
MONIQUE	La bleue est bien belle, mais je préfère la verte. La couleur en est plus jolie.
LA MÈRE	Moi, je préfère la bleue. Elle te va admirablement.
MONIQUE	Vraiment? Je me demande si elle est bon marché.
LA MÈRE	Ça se peut.
MONIQUE	Madame, est-ce que cette robe coûte très cher?
LA VENDEUSE	Non, Mademoiselle. Pas du tout. Vous voyez. [1] . . . Elle est même assez bon marché.
MONIQUE	Très bien. Je la prends.

[1] vous voyez you see

2 A birthday is coming up, and time is getting short for the Paquins.

MME PAQUIN	C'est le dernier jour aujourd'hui.
M. PAQUIN	Le dernier jour? Oh, tu veux dire le dernier jour pour acheter quelque chose à Léon?
MME PAQUIN	Oui. C'est demain son anniversaire. C'est vraiment un jour de fête pour lui. Si on lui achetait un pardessus?
M. PAQUIN	Mais c'est très cher.
MME PAQUIN	Pas du tout. Hier on a annoncé qu'il y en avait à bon marché.
M. PAQUIN	Dans quel magasin?
MME PAQUIN	Chez Lambert.
M. PAQUIN	Où est Léon maintenant?
MME PAQUIN	Avec ses copains.
M. PAQUIN	Alors, viens chez Lambert avec moi parce que je ne sais pas quelle couleur il préfère.
MME PAQUIN	Si tu veux. Mais maintenant c'est l'heure du déjeuner et j'ai acheté un bon poisson.
M. PAQUIN	Bon. Alors nous pouvons aller en ville après le repas.

3 Françoise has "absolutely nothing" to wear; she has her mother in tow downtown.

FRANÇOISE Voici le magasin. Il y a pas mal de choses à voir ici. [1]
LA MÈRE Entrons, entrons.
FRANÇOISE Regarde, maman. Voilà les tricots que je trouve si jolis.
LA MÈRE Tu en as plus de cent à la maison. [2] . . . Mais où sont ces tricots-là?
FRANÇOISE Là. Devant les chapeaux. Oh, qu'ils sont beaux!
LA MÈRE Attends un moment. Je vais demander combien ils coûtent.
FRANÇOISE J'aimerais le bleu. Il est si beau! Oh! le vert aussi. Tu sais, on n'a jamais assez de tricots.
LA MÈRE Prends le bleu. Il est épais et très joli.
FRANÇOISE Moi, je préfère le vert.
LA MÈRE Si tu veux. Maintenant il faut rentrer immédiate-ment; ton père nous attend pour aller à la foire.

[1] pas mal de choses quite a few things   [2] à la maison   at home

4 Jules and Léon can't keep their minds on their homework.

JULES As-tu acheté un veston?
LÉON Oui. Ce matin même. Un bleu. Attends! Je vais te le montrer. . . . Comment le trouves-tu?
JULES Bravo! Il est formidable. Mais il doit être très cher. [1]
LÉON Pas trop. Il est même assez bon marché.
JULES Tu ne détestes pas aller en ville?
LÉON Si. Mais ma mère, elle, aime y aller parce qu'elle adore les grands magasins.

*   *   *

LÉON Voilà. Je viens de terminer mon travail.
JULES Moi aussi. Qu'est-ce que tu vas faire maintenant?
LÉON Il y a de bons programmes à la télévision. Si tu veux, on peut regarder un film ou un match de football.
JULES J'aimerais mieux regarder le hi-fi [2] que ton père a dans sa bibliothèque.
LÉON Bonne idée. Veux-tu un verre de lait et de la pâtisserie?
JULES Oui, s'il y en a. Tu sais que j'adore la pâtisserie.

[1] doit être   must be   [2] la chaîne de haute fidélité

5 The Bruels have just moved into their new home and Mrs. Bruel is talking to her six-year-old daughter.

MME BRUEL   Demain, c'est l'école pour toi, ma petite Isabelle. Tu vas aller à une nouvelle école.

ISABELLE   Je préfère l'autre école.

MME BRUEL   Mais c'est une jolie école tout près d'ici.

ISABELLE   Est-ce que je vais avoir un nouveau professeur?

MME BRUEL   Mais oui. Il s'appelle Monsieur Giroux. Il est très intelligent et sympathique.

ISABELLE   Et où est-ce que je vais manger?

MME BRUEL   Au réfectoire. Cette école a un grand réfectoire où tout le monde déjeune. Il y a même une carte comme dans un restaurant.

ISABELLE   Mais, en hiver, qu'est-ce que je vais faire? Quand il fait froid, je trouve que c'est bien loin.

MME BRUEL   Ne t'inquiète pas. Il y a un autobus qui passe ici.

6 Wealthy Mr. Pommier, who is going on a cruise, is buying sport clothes.

LE VENDEUR   Vous désirez, Monsieur?

M. POMMIER   J'aimerais voir quelques tricots.

LE VENDEUR   Bien, Monsieur. C'est ici. Quelle couleur préférez-vous? Nous en avons de toutes les couleurs.

M. POMMIER   Tiens! Ce tricot jaune me plaît. Est-ce qu'il coûte cher?

LE VENDEUR   Non, Monsieur. Il est bon marché.

M. POMMIER   Avez-vous des vestons ici?

LE VENDEUR   Oui, Monsieur. Nos vestons sont très beaux. Je vais vous les montrer.

M. POMMIER   Montrez-moi le bleu, s'il vous plaît.

LE VENDEUR   Voici, Monsieur.

M. POMMIER   Eh bien, je vais prendre le tricot jaune et le veston bleu.

7 Little Robert and the family maid meet his uncle at the bus stop.

ROBERT   Bonjour, mon oncle.

L'ONCLE   Bonjour, Robert. Où vas-tu?

ROBERT   Je vais en ville. Je dois faire des courses pour mes parents. Toi aussi, tu vas prendre l'autobus?

L'ONCLE	Oui, mon garçon. Moi aussi, j'ai des choses à faire en ville. As-tu assez d'argent?
ROBERT	Je crois qu'oui. J'en ai beaucoup. Regarde. . . .
L'ONCLE	Tu n'as pas plus? Prends cet argent. C'est un cadeau. Achète-toi quelque chose.
ROBERT	Oh merci, mon oncle.
LA BONNE	L'autobus est en retard. Savez-vous quelle heure il est, Monsieur?
L'ONCLE	Non. Je n'ai pas ma montre. J'ai oublié de la prendre ce matin. Tiens! voilà l'autobus qui arrive. . . . Attends un moment, Robert; tu es trop près et c'est toujours dangereux. Viens ici!

8 Before she calls her father to the phone, Sylvianne finds out what she wants to know.

SYLVIANNE	Mon oncle, quand est l'anniversaire de Michelle? J'ai oublié la date, mais j'aimerais lui faire un petit cadeau.
L'ONCLE	C'est très gentil. Son anniversaire est la semaine prochaine, le dix. Que comptes-tu lui donner?
SYLVIANNE	Je lui ai déjà acheté des disques. Quant à maman et papa, ils lui ont acheté des patins.
L'ONCLE	Vous avez bien fait. Elle adore les disques et elle aime patiner. Elle est si sportive! J'espère que toute la famille va venir le dix.
SYLVIANNE	Je crois qu'oui. Mais Philippe ne pourra pas venir avec nous. Ce jour-là il doit aller dans la montagne faire du ski avec des amis; la campagne est si belle en ce moment. Mais il va certainement nous retrouver plus tard chez toi.
L'ONCLE	J'espère qu'il ne sera pas trop fatigué. Tes parents vont bien?
SYLVIANNE	Oui, mon oncle.
L'ONCLE	Que font-ils en ce moment?
SYLVIANNE	Ils regardent la télévision.
L'ONCLE	Dis à ton père de venir à l'appareil, veux-tu?
SYLVIANNE	Un instant, s'il te plaît.

TOPICS FOR REPORTS

1

J'ai des courses à faire. ..... *Quand fais-tu tes courses?* ..... *Où dois-tu aller?* ..... *Aimes-tu les grands magasins?* ..... *Pourrais-tu y passer toute une journée?* ..... *En général, qui t'accompagne?*

2

Ma tante passe toute une journée à faire des achats. ..... *Aime-t-elle les grands magasins?* ..... *Préfère-t-elle y aller avec quelqu'un?* ..... *Est-ce que tu aimes l'accompagner?*

3

J'ai acheté une robe samedi. ..... *Pourquoi as-tu besoin d'une robe?* ..... *Quelle couleur préfères-tu?* ..... *Est-ce que cette robe te va bien?* ..... *Est-elle chère ou bon marché?*

4

J'ai acheté un veston hier. ..... *Où l'as-tu acheté?* ..... *Est-ce qu'il coûte cher?* ..... *La couleur te plaît-elle?*

5

Ma mère a fait un cadeau à ma soeur. ..... *Est-ce l'anniversaire de ta soeur?* ..... *Est-ce qu'elle lui a acheté un tricot?* ..... *Combien de tricots ta soeur a-t-elle?* ..... *Quelle couleur préfère-t-elle?* ..... *Quelle couleur préfères-tu?*

6

Demain je vais en ville. ..... *Est-ce loin de chez toi?* ..... *Prends-tu l'autobus?* ..... *Est-ce que tu aimes aller en ville?* ..... *Aimes-tu faire des achats?*

Reading and Review

(Mrs. Gallois is very helpful on a shopping expedition.)

1 M. GALLOIS ACHÈTE UN TRICOT

MME GALLOIS   Que comptes-tu faire ce matin?

M. GALLOIS   J'ai besoin d'un tricot pour aller faire du ski. Je vais en acheter un. Tu vas m'accompagner?

MME GALLOIS   Certainement. Je vais t'aider à l'acheter.

M. GALLOIS   Et toi, tu vas acheter une jolie robe.

MME GALLOIS   Oh, je n'ai pas besoin de robe. Je vais avec toi pour t'aider. Et aussi parce que c'est amusant de faire des courses.

Monsieur et Madame Gallois arrivent devant le Bon Marché. C'est un beau magasin au centre de la ville. Ils entrent dans le magasin et ils regardent les tricots.

M. GALLOIS   Ce tricot vert me plaît beaucoup.

MME GALLOIS   Du vert! À ton âge! C'est pour les jeunes, le vert.

M. GALLOIS   Ce bleu est bon marché.

MME GALLOIS   Ce bleu-là ne te va pas. Tiens! Voilà des robes de sport.

M. GALLOIS   Ce tricot-là . . .

MME GALLOIS   Que cette robe-là est jolie!

M. GALLOIS   Achète-la.

MME GALLOIS   Non. Elle est trop chère. En voici une ravissante. J'adore cette couleur.

M. GALLOIS   Achète-la.

MME GALLOIS   Attends. En voici une jaune. Non, je préfère la bleue. Elle ne coûte pas cher et le bleu me va admirablement. Je crois que je préfère la jaune.

M. GALLOIS	Achète-les toutes les deux.
MME GALLOIS	Oh non! Deux robes, c'est trop. Tu trouves que je peux acheter deux robes?
M. GALLOIS	Pourquoi pas? Nous avons assez d'argent.
MME GALLOIS	Non. Je vais prendre seulement la jaune.

Mais elle change d'avis et achète les deux robes.

Il est midi. Monsieur Gallois est trop fatigué pour acheter un tricot. Les Gallois rentrent déjeuner.

Cet après-midi, Monsieur Gallois va acheter un tricot, mais il ne va pas demander à Madame Gallois de l'accompagner.

QUESTIONS

1. Qu'est-ce que Monsieur Gallois veut acheter?
2. Pourquoi Madame Gallois va-t-elle l'accompagner?
3. Qu'est-ce que c'est que le Bon Marché?
4. Est-ce que le tricot vert plaît à Monsieur Gallois?
5. Pourquoi ne peut-il pas l'acheter?
6. Est-ce que le tricot bleu est cher?
7. Comment Madame Gallois trouve-t-elle les robes de sport?
8. Pourquoi ne veut-elle pas les acheter?
9. Pourquoi veut-elle acheter la robe bleue?
10. Qu'est-ce que Monsieur Gallois lui dit de faire?
11. Pourquoi ne veut-elle pas acheter les deux robes?
12. Est-ce qu'elle change d'avis?
13. Combien de robes achète-t-elle?
14. Quelle heure est-il?
15. Pourquoi Monsieur Gallois n'achète-t-il pas de tricot?
16. Que font Monsieur et Madame Gallois?
17. Que va faire Monsieur Gallois cet après-midi?
18. Est-ce qu'il va demander à Madame Gallois de l'accompagner?

(Émile's sister and her friend are excellent ice skaters.)

2 ÉMILE ADORE LE SKI

MONIQUE, *amie de Marie* On a annoncé à la radio que la glace est assez épaisse pour aller patiner.

MARIE, *sœur d'Émile* Je vais aller chercher nos patins. Tu viens avec nous, Émile? Tu nous ferais plaisir.

ÉMILE Mais, Marie, tu sais bien que je patine mal. Je préfère le ski. C'est un sport formidable.

MARIE C'est bon pour un garçon de ton âge mais un peu dangereux.

ÉMILE Je fais des progrès, tu sais. Tu devrais me voir. Maintenant, je ne tombe plus jamais.

MARIE Tu vas faire du ski cet après-midi?

ÉMILE Et comment! Je vais aller à la station de ski tout près d'ici.

MME CORDIER, *mère de Marie et d'Émile* Émile, quelqu'un te demande au téléphone.

ÉMILE Merci, maman. . . . Qui est à l'appareil?

NADINE Nadine. Je te téléphone parce que mon frère désire te montrer sa nouvelle télévision. Tu peux venir?

ÉMILE Mais oui. Je sais qu'il y aura de bons programmes cet après-midi. Je serai chez toi vers deux heures. . . . Marie, je vais chez Nadine. Nous allons regarder la télévision. (*Émile part.*)

MONIQUE Ton frère adore le ski.

MARIE Mais il préfère la télévision. Cela ne m'étonne pas. Nadine est fort jolie.

MONIQUE Allons patiner. Il y a beaucoup de garçons qui aiment patiner.

QUESTIONS

1. Qu'est-ce qu'on a annoncé à la radio?
2. Qu'est-ce que Marie va aller chercher?
3. Pourquoi Émile ne veut-il pas accompagner Monique et Marie?
4. Qu'est-ce qu'Émile va faire cet après-midi?
5. Pourquoi Nadine téléphone-t-elle à Émile?
6. Est-ce qu'il y aura de bons programmes à la télévision cet après-midi?
7. À quelle heure Émile sera-t-il chez Nadine?
8. Pourquoi Émile préfère-t-il la télévision au ski?

13   A party

1   "Hello, André.   You finally made it!"

2   "Sorry I'm late."

3   "That's all right.

4   The others are in the living room.

5   Shall we join them?

6   Do you want to dance or just listen to these records?

7   Henriette brought a lot of them."

8   "Where are we going to dance?"

9   "In the other room.   The ones who aren't going to dance can
    stay here."

10   "Tell me, have you seen Georges' new car?"

11   "Not yet.   Is it outside?"

12   "Yes.   He left it in front of the house.   There it is."

13   "Oh!   It's one of those new small cars.

14   I'd rather have something bigger myself."

15   "Well, Georges is crazy about it."

16   "Yvonne says she got her driver's license."

17   "Impossible!   I can't believe it."

18   "Why do you say that?"

19   "It's the third time she's taken the test."

20   "Did she really fail it twice?"

13   Une soirée

1 —Bonsoir, André.   Te voilà enfin!

2 —Je regrette d'être en retard.

3 —Ça ne fait rien.

4   Les autres sont au salon.

5   Allons les rejoindre, veux-tu?

6   Voulez-vous danser ou simplement écouter ces disques?

7   Henriette en a apporté beaucoup.

8 —Où va-t-on danser?

9 —Dans l'autre salle.   Ceux qui ne dansent pas resteront ici.

10 —Dites donc, vous avez vu la nouvelle voiture de Georges?

11 —Pas encore.   Est-elle dehors?

12 —Oui.   Il l'a laissée devant la maison.   La voilà.

13 —Oh!   C'est une de ces nouvelles petites voitures.

14   Moi, j'aimerais mieux quelque chose de plus grand.

15 —Georges, lui, en est ravi.

16 —Yvonne dit qu'elle a obtenu son permis de conduire.

17 —Pas possible!   Je ne peux pas le croire.

18 —Pourquoi dis-tu ça?

19 —C'est la troisième fois qu'elle passe l'examen.

20 —Elle a vraiment échoué deux fois à l'examen?

QUESTION-ANSWER PRACTICE

1
HENRI   Bonsoir, Jeanne.   Est-ce que je suis en retard?
JEANNE   Oui, mais ça ne fait rien.

2
HENRI   Où sont les autres?
JEANNE   Au salon.   Allons les rejoindre, veux-tu?

3
MARIE   Sais-tu qu'Yvonne a obtenu son permis de conduire?
THÉRÈSE   Je ne peux pas le croire.

4
MARIE   Pourquoi dis-tu cela?
THÉRÈSE   C'est la troisième fois qu'elle passe l'examen.

5
GUILLAUME   Qui a apporté ces disques?
JEAN-PIERRE   Henriette en a apporté beaucoup.

6
ÉDOUARD   Où va-t-on danser?
MONIQUE   Dans l'autre salle.

7
MARTHE   Dis donc, tu sais que Bernard a échoué à l'examen?
MARTIN   Pas possible!

8
M. RENAUD   Vous n'avez pas vu la nouvelle voiture de Georges?
M. JACQUET   Mais si, je l'ai vue.   Moi, j'aimerais mieux quelque chose de plus grand.

9
BERNARD   Est-ce que la voiture d'André est dehors?
OLIVIER   Oui.   Il l'a laissée devant la maison.

10
CLAIRE   Est-ce que la voiture de François est grande?
YVONNE   Non, c'est une de ces nouvelles petites voitures.

PATTERN PRACTICE

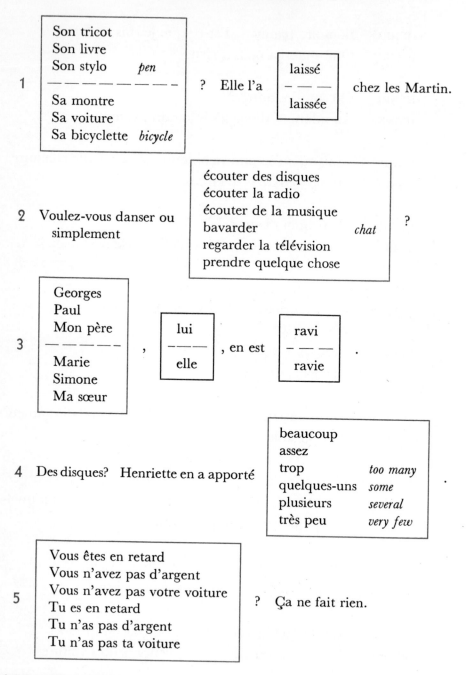

1   Son tricot
    Son livre
    Son stylo   *pen*
    — — — — — —   ?   Elle l'a   laissé
    Sa montre   — — —   chez les Martin.
    Sa voiture   laissée
    Sa bicyclette   *bicycle*

2   Voulez-vous danser ou
    simplement
                    écouter des disques
                    écouter la radio
                    écouter de la musique
                    bavarder   *chat*   ?
                    regarder la télévision
                    prendre quelque chose

3   Georges
    Paul
    Mon père
    — — — — —   ,   lui   , en est   ravi
    Marie   elle   — — —   .
    Simone   ravie
    Ma sœur

4   Des disques?   Henriette en a apporté
                    beaucoup
                    assez
                    trop   *too many*
                    quelques-uns   *some*   .
                    plusieurs   *several*
                    très peu   *very few*

5   Vous êtes en retard
    Vous n'avez pas d'argent
    Vous n'avez pas votre voiture
    Tu es en retard   ?   Ça ne fait rien.
    Tu n'as pas d'argent
    Tu n'as pas ta voiture

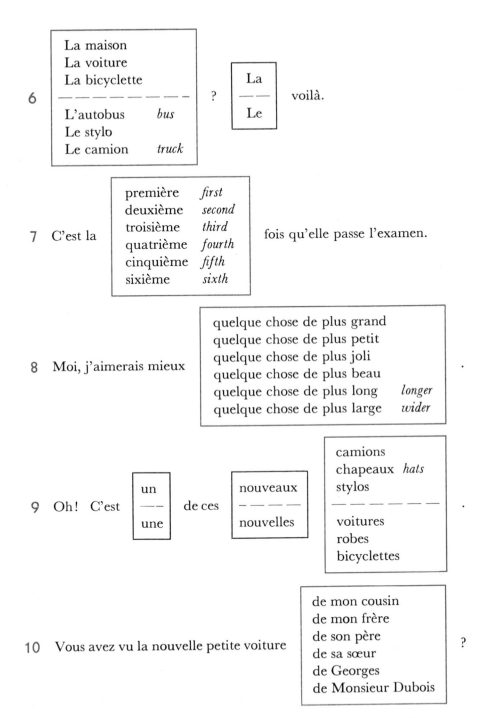

6

| La maison |
| La voiture |
| La bicyclette |
| — — — — — — |
| L'autobus *bus* |
| Le stylo |
| Le camion *truck* |

? | La / Le | voilà.

7 C'est la

première	*first*
deuxième	*second*
troisième	*third*
quatrième	*fourth*
cinquième	*fifth*
sixième	*sixth*

fois qu'elle passe l'examen.

8 Moi, j'aimerais mieux

| quelque chose de plus grand |
| quelque chose de plus petit |
| quelque chose de plus joli |
| quelque chose de plus beau |
| quelque chose de plus long | *longer* |
| quelque chose de plus large | *wider* |

.

9 Oh! C'est | un / une | de ces | nouveaux / nouvelles |

| camions |
| chapeaux *hats* |
| stylos |
| — — — — — |
| voitures |
| robes |
| bicyclettes |

.

10 Vous avez vu la nouvelle petite voiture

| de mon cousin |
| de mon frère |
| de son père |
| de sa sœur |
| de Georges |
| de Monsieur Dubois |

?

Ordinal Numbers		Nombres Ordinaux	
1st	premier, première	18th	dix-huitième
2nd	deuxième	19th	dix-neuvième
3rd	troisième	20th	vingtième
4th	quatrième	21st	vingt et unième
5th	cinquième	30th	trentième
6th	sixième	32nd	trente-deuxième
7th	septième	40th	quarantième
8th	huitième	43rd	quarante-troisième
9th	neuvième	50th	cinquantième
10th	dixième	54th	cinquante-quatrième
11th	onzième	60th	soixantième
12th	douzième	65th	soixante-cinquième
13th	treizième	70th	soixante-dixième
14th	quatorzième	71st	soixante et onzième
15th	quinzième	80th	quatre-vingtième
16th	seizième	92nd	quatre-vingt-douzième
17th	dix-septième	100th	centième

CONVERSATIONS

1 Neighbors Morel and Liaud are resting a moment from their week-end gardening.

M. LIAUD As-tu vu la nouvelle voiture de mon fils Marcel?

M. MOREL Non, je ne l'ai pas encore vue. Quel genre de voiture?

M. LIAUD C'est une de ces nouvelles petites voitures.

M. MOREL Moi, en général, je préfère quelque chose de plus grand.

M. LIAUD Mais tu n'as pas encore vu sa voiture! Elle est vraiment très bien. Viens avec moi. Elle est dans la rue, devant la maison.

2 A group from the class is going to Juliette's house to study for a test.

BERTRAND Bonsoir, Juliette.

JULIETTE Bonsoir, Bertrand. Te voilà enfin! Comment vas-tu?

BERTRAND	Très bien. Je regrette d'être en retard. Je suis allé au match de basket-ball, j'ai aidé ma mère, ma montre retarde. Vraiment, je déteste être en retard mais . . .
JULIETTE	Ça ne fait rien. Tu n'as pas besoin de t'excuser. Les autres sont dans le salon. Veux-tu les rejoindre?
BERTRAND	Est-ce que je suis le dernier? Tout le monde est déjà ici?
JULIETTE	Non, nous attendons Yvette.
BERTRAND	Avant de commencer le travail,[1] est-ce que je pourrais boire quelque chose?
JULIETTE	Mais oui, je t'en prie. Viens à la cuisine, je vais t'accompagner. Veux-tu du lait?
BERTRAND	Oui, un peu de lait, s'il te plaît.
JULIETTE	Voilà. . . . Yvette vient de me téléphoner. Elle ne peut pas venir parce que sa mère est malade.
BERTRAND	Quel dommage! . . . Allons maintenant rejoindre les autres.

[1] avant de commencer   before starting

3 Jean-Paul, who is home on furlough, has a date with Cécile.

MME VANIER	Bonsoir, Jean-Paul. Comment vas-tu?
JEAN-PAUL	Très bien, merci. Et vous?
MME VANIER	Bien, merci. Tu viens chercher Cécile?
JEAN-PAUL	Oui, Madame. Je voulais aller avec elle au cinéma. Il y a un bon film ce soir. C'est un film d'aventures. Voulez-vous y aller?
MME VANIER	Non, mon garçon. Mais tu es bien gentil. Ce soir j'ai des choses à faire. Est-ce que le service dans la marine te plaît?
JEAN-PAUL	Assez. . . . J'ai beaucoup de nouveaux amis.
MME VANIER	Ah, voici Cécile.
CÉCILE	Bonsoir, Jean-Paul.
JEAN-PAUL	Bonsoir, Cécile.
MME VANIER	N'oubliez pas d'être ici de bonne heure.
JEAN-PAUL	Ne vous inquiétez pas. Nous serons ici à onze heures juste. Au revoir, Madame.
CÉCILE	Au revoir, maman.

4 Michel and Olivier talk about their favorite topic as they go to Michel's house from a meeting.

MICHEL   Bernard dit que son père a une nouvelle voiture. Est-ce que tu l'as vue?

OLIVIER   Oui. Je l'ai vue hier devant sa maison. C'est une grande voiture noire. Ma tante a la même, seulement la sienne [1] est bleue et elle est moins jolie.

MICHEL   Moi, j'aimerais mieux quelque chose de plus petit.

OLIVIER   Moi aussi. Mais son père, lui, en est ravi.

MICHEL   J'espère que son père va lui prêter sa voiture.

OLIVIER   C'est possible. Je ne sais pas. Bernard commence déjà à bien conduire.

MICHEL   Bon! Nous sommes enfin arrivés. Dis donc, à six heures juste il y a un bon programme à la télévision. Tu veux le voir avec moi?

OLIVIER   J'aimerais bien, mais ce soir je ne peux pas. Je suis déjà en retard et ma mère m'attend. Je vais rentrer immédiatement. Au revoir et à demain.

[1] la sienne   hers

5 One class mother checks up with another.

MME CHAVANNE   Ici Madame Chavanne. Est-ce que Madame Pouzet est là?

MME POUZET   Oui, Madame. C'est elle-même à l'appareil.

MME CHAVANNE   Il y a une soirée chez vous ce soir, Madame, n'est-ce pas?

MME POUZET   Mais oui. Ma fille Claudette a une soirée pour ses amis. Est-ce que votre fille va venir?

MME CHAVANNE   Je crois qu'oui. Elle a acheté trois nouveaux disques ce matin. C'est certainement pour cette soirée.

MME POUZET   Sans doute. Et vous, qu'allez-vous faire ce soir?

MME CHAVANNE   Oh! Je crois que je vais tout simplement regarder la télévision.

MME POUZET   Mais venez ici alors, je vous en prie.

MME CHAVANNE   C'est une bonne idée. Cela me ferait plaisir.

MME POUZET   Eh bien, nous vous attendons. À quelle heure comptez-vous venir?

| MME CHAVANNE | À huit heures ou à huit heures et demie. Est-ce bien? |
| MME POUZET | Très bien. Au revoir, chère Madame. |

6 Simone sees Claire at the grocery store.

SIMONE	Bonjour, Claire.
CLAIRE	Bonjour, Simone.
SIMONE	As-tu vu ma cousine Yvonne Bardy cette semaine? Tu sais qu'elle a enfin obtenu son permis de conduire? Elle en est ravie.
CLAIRE	Enfin! Je ne peux pas le croire. C'est la troisième fois qu'elle passe l'examen. Elle a déjà échoué deux fois, la pauvre!
SIMONE	Elle adore conduire, tu sais. Elle m'a accompagnée ici dans la voiture de sa sœur.
CLAIRE	Vraiment?
SIMONE	Je déjeunais quand elle m'a donné un coup de téléphone. Elle m'a demandé si j'avais quelques courses à faire et comme maman avait besoin de fruits pour le dessert ce soir, elle est venue me chercher en voiture. Il faut aussi que j'achète du sel. Mais va donc la voir. Elle est dehors dans la voiture.
CLAIRE	Où ça?
SIMONE	Juste à côté du magasin.
CLAIRE	Bon! Je vais aller lui dire bonjour.

7 Pierre takes up with Olivier the program for tonight.

PIERRE	Je me demande si c'est ce soir que Cécile doit donner une soirée.
OLIVIER	Oui, et il faut être chez elle vers six heures.
PIERRE	Tu en es sûr? Moi, je crois que c'est demain soir.
OLIVIER	Si on lui donnait un coup de téléphone?
PIERRE	D'accord. C'est une bonne idée.
OLIVIER	Entrons dans ce magasin. Il y a un téléphone.
PIERRE	Connais-tu le numéro de Cécile? Moi, je l'ai oublié.
OLIVIER	Moi aussi.
PIERRE	. . . Ah, le voici. CARnot seize—dix-neuf.
OLIVIER	C'est bien ça. Je me le rappelle maintenant.

8 Mr. and Mrs. Cantin are having dinner at their favorite restaurant.

M. CANTIN — Eh bien, Georgette, ce repas te plaît?

MME CANTIN — Mais oui, beaucoup. Un bon menu. Je n'ai plus faim maintenant.

M. CANTIN — Moi non plus. J'ai bien dîné. Le poulet est toujours bon ici. . . . Qui est cette dame qui te regarde?

MME CANTIN — Tiens! Mais c'est Danièle Lemieux! Tu ne la connais pas?

M. CANTIN — Non, je ne crois pas. Qui est-ce?

MME CANTIN — C'est une amie. Viens, je vais te présenter. Bonsoir, Danièle. Comment vas-tu? Je voudrais te présenter mon mari. [1] Mademoiselle Lemieux.

M. CANTIN — Mademoiselle.

MME CANTIN — Où demeures-tu maintenant, Danièle?

DANIÈLE — Pas loin d'ici, rue Marceau, au quarante-deux.

M. CANTIN — Vraiment? C'est tout près de chez mon ami Monsieur Girard.

DANIÈLE — René Girard?

M. CANTIN — Oui.

DANIÈLE — Je le connais très bien. Il est amusant et sympathique.

MME CANTIN — Comment va ton frère?

DANIÈLE — Il va fort bien. Il est professeur et il a une fille de treize ans.

MME CANTIN — Danièle, viens prendre un café avec nous.

DANIÈLE — Avec plaisir. J'ai beaucoup de choses à te dire.

[1] mari husband

9 Monique and Laure have had enough window-shopping for the day.

MONIQUE — Entrons dans cette pâtisserie. Je vais prendre une glace.

LAURE — Pas moi. Il fait trop froid. Je préfère du café et de la pâtisserie. J'aimerais bien un éclair. J'adore ça.

MONIQUE — Bien. . . . Garçon! Du café, un éclair et une glace au chocolat, s'il vous plaît . . .

LE GARÇON — Oui, Mademoiselle, tout de suite.

*   *   *

LAURE	Est-ce que tu sais quel jour Marie-Claire donne une soirée la semaine prochaine?
MONIQUE	Je ne sais pas. Je crois que c'est samedi, mais je n'en suis pas sûre. Si on lui donnait un coup de téléphone?
LAURE	Bonne idée. Je vais lui téléphoner ce soir! J'ai oublié son numéro. Est-ce que tu l'as?
MONIQUE	Oui. C'est LITtré quinze—quatre-vingt-un.
LAURE	C'est ça. Je me rappelle maintenant.
MONIQUE	Cette glace est vraiment très bonne. J'en prendrais bien une autre. Veux-tu encore du café?
LAURE	Non, parce que je dois rentrer. Ma mère s'inquiète toujours quand je suis trop en retard. As-tu l'heure?
MONIQUE	Non. J'ai prêté ma montre à ma sœur. Elle a oublié de me la rendre. Eh bien, je vais rentrer aussi alors.
LAURE	Veux-tu m'accompagner chez moi? Nous pouvons prendre l'autobus avenue Royale.
MONIQUE	Avec plaisir.

10 Pierre and Olivier continue their planning for the week end.

PIERRE	Je me demande si je vais aller faire du ski demain.
OLIVIER	Mais pourquoi pas? Tous nos copains y vont.
PIERRE	Je crois qu'il n'y a pas assez de neige.
OLIVIER	Mais si! Ne t'inquiète pas. Il y en a beaucoup dans les montagnes. On l'a annoncé à la radio.
PIERRE	Tu crois? Je vais y aller alors. À quelle station allez-vous aller?
OLIVIER	À la station près du village où habite mon oncle. Nous pourrons y rester toute la journée. Est-ce que ton frère aîné va venir avec nous?
PIERRE	Oh non! Il n'aime pas beaucoup faire du ski. Il n'est pas très sportif. Il tombe toujours deux ou trois fois, le pauvre. Il va aller chez ses amis Alain et Robert Lesage.
OLIVIER	Ceux que tu m'a présentés hier?
PIERRE	Oui. Ils vont sans doute aller au cinéma.

TOPICS FOR REPORTS

1

Il y a une soirée samedi. ..... *Chez qui y a-t-il une soirée?* ..... *À quelle heure est la soirée?* ..... *Qui va t'accompagner?* ..... *Où va-t-on danser?* ..... *Que vont faire ceux qui ne dansent pas?*

2

Mon père a acheté une nouvelle voiture. ..... *Quelle couleur ton père préfère-t-il?* ..... *La nouvelle voiture est-elle petite ou grande?* ..... *Est-ce que la nouvelle voiture te plaît?* ..... *Est-ce qu'elle marche bien?* ..... *Est-ce que ton père la laisse dehors, devant la maison?*

3

Mon frère aîné a obtenu son permis de conduire. ..... *A-t-il une voiture?* ..... *Quel âge a-t-il?* ..... *Aime-t-il conduire?* ..... *Combien de fois a-t-il passé l'examen?* ..... *À quel âge peut-on passer l'examen?* ..... *Regrettes-tu d'être trop jeune pour passer l'examen?*

4

Nous allons écouter des disques. ..... *Chez qui allez-vous?* ..... *Danserez-vous?* ..... *Danserez-vous au salon ou dans une autre salle?* ..... *À quelle heure allez-vous rentrer?*

5

Tout le monde sera chez moi ce soir. ..... *Qui sera là?* ..... *Va-t-on danser?* ..... *Que feront ceux qui ne dansent pas?* ..... *Qui va apporter des disques?* ..... *Est-ce qu'il y aura quelque chose à manger? à boire?*

14   At the dance

1   "How lovely the room looks!
2   The decorations really turned out well."
3   "There aren't many people here yet."
4   "They found an excellent orchestra."
5   "I've been looking forward to this evening for a long time.
6   I'm dying to dance."

7   "Look at that pretty white dress."
8   "But what a hair-do!   How do you like it?"
9   "I never saw anything like it."

10   "Have Pauline and Gérard come yet?"
11   "I haven't seen them yet."
12   "That's strange.   I told them to come early."
13   "With whom did Guillaume come?"
14   "He told me he had invited Rachel Pinaud."

15   "There's Suzanne near the door.
16   Go over and ask her to dance."
17   "Hello, Suzanne.   Would you like to dance?"
18   "Glad to, Charles."

19   "Look!   There are the refreshments."
20   "Let's dash over and get some."

14   Au bal

1 —Quelle jolie salle!
2   La décoration est vraiment très réussie.
3 —Il n'y a pas encore beaucoup de monde.
4 —Ils ont trouvé un orchestre excellent.
5 —Il y a longtemps que j'attends cette soirée.
6   J'ai drôlement envie de danser.

7 —Regarde donc cette jolie robe blanche.
8 —Mais quelle coiffure!   Qu'en penses-tu?
9 —Je n'ai jamais rien vu de pareil.

10 —Est-ce que Pauline et Gérard sont déjà arrivés?
11 —Je ne les ai pas encore vus.
12 —C'est curieux.   Je leur ai dit de venir de bonne heure.
13 —Avec qui Guillaume est-il venu?
14 —Il m'a dit qu'il avait invité Rachel Pinaud.

15 —Voilà Suzanne près de l'entrée.
16   Va donc l'inviter à danser.
17 —Bonsoir, Suzanne.   Veux-tu danser?
18 —Oui, Charles.   Avec plaisir.

19 —Tiens!   Voilà les rafraîchissements!
20 —Allons vite nous servir.

QUESTION-ANSWER PRACTICE

1
LOUISE   La décoration est vraiment réussie, n'est-ce pas?
SIMONE   Oui.   Quelle jolie salle!

2
SOLANGE   As-tu envie de danser?
ANDRÉE   Oui.   Il y a longtemps que j'attends ce bal.

3
MARCEL   Où est Andrée?
ALAIN   La voilà près de l'entrée.   Va donc l'inviter à danser.

4
MARCEL   Bonsoir, Andrée.   Veux-tu danser?
ANDRÉE   Oui, Marcel.   Avec plaisir.

5
PAULINE   Avec qui est-ce que Rachel est venue?
GERMAINE   Elle m'a dit qu'elle avait invité Raymond Brée.

6
MME RIVAL   Est-ce qu'Henriette et Paul sont déjà arrivés?
ERNEST   Je ne les ai pas encore vus.

7
MME CARNOT   Que pensez-vous de l'orchestre?
MME SERVAN   Il est vraiment excellent.

8
NICOLE   Quelle coiffure!   Qu'en penses-tu?
ALINE   Je n'ai jamais rien vu de pareil.

9
GÉRARD   Tiens!   Voilà les rafraîchissements.   Tu en veux?
ANNETTE   Mais oui.   Allons vite nous servir.

10
ÉMILE   Est-ce que Michel et François sont arrivés?
LOUIS   Pas encore, mais je leur ai dit de venir de bonne heure.

PATTERN PRACTICE

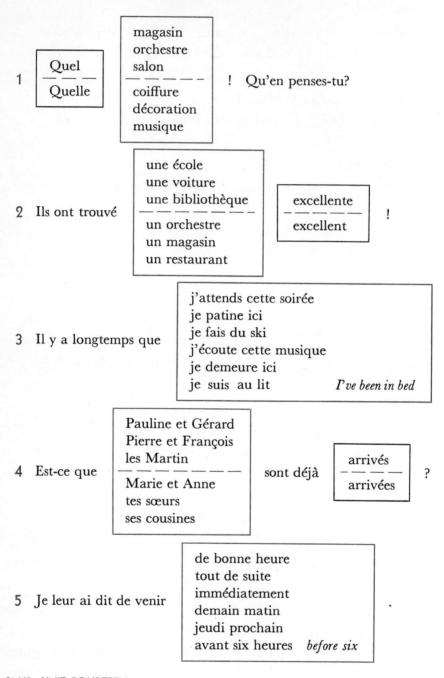

1 | Quel | magasin |
Quelle	orchestre
	salon
	coiffure
	décoration
	musique

! Qu'en penses-tu?

2 Ils ont trouvé

une école
une voiture
une bibliothèque

un orchestre
un magasin
un restaurant

excellente
excellent

!

3 Il y a longtemps que

j'attends cette soirée
je patine ici
je fais du ski
j'écoute cette musique
je demeure ici
je suis au lit   *I've been in bed*

.

4 Est-ce que

Pauline et Gérard
Pierre et François
les Martin

Marie et Anne
tes sœurs
ses cousines

sont déjà

arrivés
arrivées

?

5 Je leur ai dit de venir

de bonne heure
tout de suite
immédiatement
demain matin
jeudi prochain
avant six heures   *before six*

.

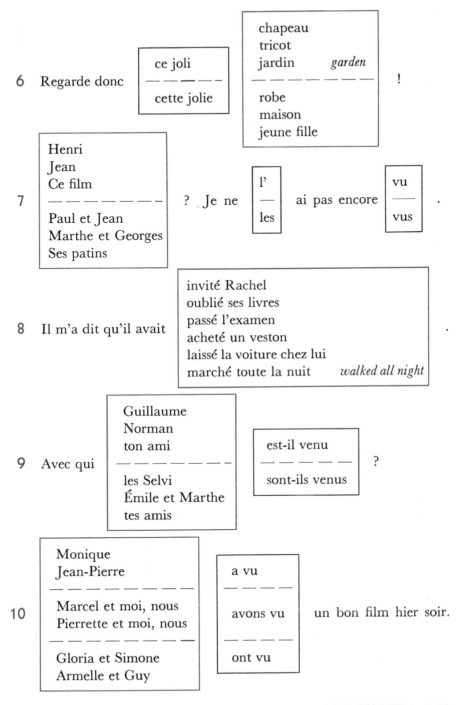

6 Regarde donc | ce joli / cette jolie | chapeau / tricot / jardin *garden* — robe / maison / jeune fille | !

7 | Henri / Jean / Ce film — Paul et Jean / Marthe et Georges / Ses patins | ? Je ne | l' / les | ai pas encore | vu / vus | .

8 Il m'a dit qu'il avait | invité Rachel / oublié ses livres / passé l'examen / acheté un veston / laissé la voiture chez lui / marché toute la nuit *walked all night* | .

9 Avec qui | Guillaume / Norman / ton ami — les Selvi / Émile et Marthe / tes amis | est-il venu / sont-ils venus | ?

10 | Monique / Jean-Pierre — Marcel et moi, nous / Pierrette et moi, nous — Gloria et Simone / Armelle et Guy | a vu / avons vu / ont vu | un bon film hier soir.

CONVERSATIONS

1 Blanche is waiting to go to the dance with Suzanne.

SUZANNE   Me voici, Blanche. Regarde ma coiffure. Qu'en penses-tu?

BLANCHE   Mais elle te va admirablement, jeune comme tu es.

SUZANNE   Moi, jeune? Mais j'ai le même âge que toi!

BLANCHE   Ah, oui, c'est vrai. . . . Et cette robe! Où l'as-tu achetée?

SUZANNE   Chez Lambert. Et elle ne m'a pas coûté cher.

BLANCHE   Je n'ai jamais rien vu de pareil.

SUZANNE   Vraiment? Ça m'étonne que tu la trouves si jolie.

2 The Gilberts are very curious about Marc's plans for the evening.

M. GILBERT   Avec qui vas-tu au bal ce soir?

MARC   J'ai invité Irène Fournier.

M. GILBERT   Elle va venir?

MARC   Oui. Je vais la chercher à huit heures.

MME GILBERT   C'est une jolie jeune fille. Ella sera ravissante en robe de bal.

M. GILBERT   À quelle heure le bal se termine-t-il?

MARC   Je ne sais pas exactement, papa.

MME GILBERT   Après le bal, n'oublie pas que sa mère va l'attendre avec impatience.

MARC   Je sais. Ne t'inquiète pas. . . . Bonsoir, la famille!

M. GILBERT   Bonne soirée, mon fils.

MARC   À demain, papa.

3 Michel is surprised to see Serge on the bus after school.

SERGE   Je rentre avec toi ce soir. Je vais dans ton quartier.

MICHEL   Tant mieux. Que vas-tu y faire?

SERGE   Je vais aller voir mes cousins Chabrol.

MICHEL   Ceux qui habitent avenue Villiers?

SERGE   Oui. J'aime bien aller dans ce quartier.

MICHEL   Oui! Et on peut patiner près de chez moi. Je vais le faire demain après-midi.

SERGE   Mais c'est dangereux.   La glace n'est pas assez épaisse en ce moment.

MICHEL   Mais si!   Veux-tu venir avec moi?

SERGE   Si tu veux.

MICHEL   Bon! Où me rejoindras-tu?

SERGE   Devant chez toi, à deux heures juste.

MICHEL   D'accord.

LE CHAUFFEUR [1]   Avenue Villiers!

MICHEL   Nous voilà arrivés.   À demain, alors.

SERGE   Au revoir, Michel.

[1] le chauffeur   driver

---

4   The Gagnys are taking a look at the Gravel's new car.

M. GAGNY   Elle est vraiment très petite, ta voiture.

M. GRAVEL   Oui, mais elle marche très bien.

MME GAGNY   J'aime sa couleur.   Elle me plaît beaucoup.

M. GAGNY   Elle est très bien.   Mais moi, j'aime mieux quelque chose de plus grand.

M. GRAVEL   Oui! mais les grandes voitures sont beaucoup trop chères.

MME GRAVEL   Moi, j'aime mieux conduire une petite voiture.   Je ne sais pas encore très bien conduire.   Je viens d'obtenir mon permis.   Et vous, Madame Gagny?   Ne savez-vous pas conduire?

MME GAGNY   Si.   Il y a longtemps que j'ai mon permis.   J'ai passé l'examen il y a trois ans. [1]

M. GAGNY   Et elle a échoué deux fois avant d'obtenir son permis.

MME GAGNY   Pourquoi ne leur dis-tu pas aussi, Armand, que maintenant nous n'avons plus de voiture?

MME GRAVEL   C'est dommage. . . . Mais c'est curieux.   Hier j'ai vu votre fille aînée dans une voiture bleue.

M. GAGNY   C'est vraiment notre voiture, Madame, mais Hélène la conduit du matin au soir.

MME GAGNY   . . . Armand, ne peux-tu pas m'acheter une jolie petite voiture comme ça?

[1] il y a trois ans   three years ago

5 Mrs. Richard, who has a family of eight, is greeted by the butcher.

LE BOUCHER	Bonjour, Madame.
MME RICHARD	Bonjour, Monsieur Boulot.
LE BOUCHER	Qu'est-ce que vous désirez ce matin, Madame?— Un beau rôti? [1] des biftecks? des poulets . . . ?
MME RICHARD	Non, pas aujourd'hui. Cette semaine nous ne sommes que trois chez nous. Les autres sont allés à la foire.
LE BOUCHER	Alors, un beau petit poulet?
MME RICHARD	Eh bien, oui, je voudrais des poulets.
LE BOUCHER	Des poulets? . . . très bien. Combien?
MME RICHARD	J'aurai assez de trois, je crois.
LE BOUCHER	C'est tout, Madame?
MME RICHARD	Je crois qu'oui. . . . Un moment, s'il vous plaît. J'aimerais un peu de veau. Je vais faire du veau aux épinards. Le grand-père Goutier adore ça.
LE BOUCHER	Très bien, Madame. Voilà. Et un bifteck? . . .
MME RICHARD	Oui. . . . des biftecks aussi; donnez-m'en trois.
LE BOUCHER	Trois petits . . . comme ça?
MME RICHARD	Non, plus grands, s'il vous plaît.
LE BOUCHER	Bien, Madame. Voilà.
MME RICHARD	Tiens! C'est bête. J'ai oublié mon argent.
LE BOUCHER	Mais ça ne fait rien, Madame. Ce n'est pas grave. Ne vous inquiétez pas. Vous me donnerez cet argent la prochaine fois.
MME RICHARD	Merci, Monsieur Boulot. À bientôt.
LE BOUCHER	Bonjour, Madame. À demain.

[1] rôti roast

6 Mr. Signoret drives up and Mr. Dumont stops the mower to greet him.

M. DUMONT	Ah, c'est ta nouvelle voiture! Elle me plaît.
M. SIGNORET	Ce nouveau modèle est vraiment excellent, n'est-ce pas?
M. DUMONT	Où l'as-tu achetée?
M. SIGNORET	Chez Desjardins. C'est près de la bibliothèque, mais je ne peux pas me rappeler le nom de la rue. Tu sais où c'est?
M. DUMONT	Ça doit être rue Travelle.

M. SIGNORET	Ah oui, c'est ça.
M. DUMONT	Est-ce qu'ils ont d'autres nouvelles voitures comme la tienne?
M. SIGNORET	Certainement, et de toutes les couleurs. Va donc les voir.
M. DUMONT	J'aimerais bien y aller, mais je n'ai pas ma voiture.
M. SIGNORET	Alors, viens avec moi. Je vais t'y conduire.
M. DUMONT	Bon. Un moment. Je vais dire à Élisabeth de ne pas m'attendre.

7 Mr. and Mrs. Anger have been househunting for months.

M. ANGER	Alors, comment la trouves-tu?
MME ANGER	Elle est vraiment jolie. Je l'aime beaucoup. Et regarde toutes ces belles plantes.
M. ANGER	Est-ce que tu aimerais l'habiter?
MME ANGER	Beaucoup. Tout le monde voudrait habiter une maison comme ça.
M. ANGER	Eh bien, si elle te plaît, nous pouvons l'acheter.
MME ANGER	Pas possible!
M. ANGER	Mais si. Il y a longtemps que je désire avoir une petite maison à la campagne.
MME ANGER	Ce serait formidable! Je vais l'annoncer à mes parents. Ils en seront ravis.
M. ANGER	Les miens aussi. Nous allons leur donner un coup de téléphone.
MME ANGER	Il y a sans doute le téléphone dans un des magasins du village. Allons-y.

*   *   *

MME ANGER	Allô, maman? C'est Rosine. Ça va?
MME SYLVAIN	Ça va bien. Et toi?
MME ANGER	Ça va très bien. Nous venons de voir une ravissante petite maison. Je crois que nous allons l'acheter.
MME SYLVAIN	J'en suis ravie. Y a-t-il un jardin?
MME ANGER	Oui, il y a un grand jardin. C'est vraiment une jolie maison de campagne et ce n'est pas très loin du village.
MME SYLVAIN	Tant mieux. Ton père n'est pas là, mais je le lui dirai quand il rentrera.

8 Mrs. Gilbert wants all the details of Marc's plans for a visit to the fair.

MME GILBERT   À quelle heure allez-vous à la foire demain, Irène et toi?

MARC   Je vais la chercher à une heure. Son cousin Étienne nous rejoindra.

MME GILBERT   Tu veux dire Étienne Percy? C'est un garçon très sympathique.

MARC   Oui, il est très bien. Nous allons sans doute dîner tous les trois dans un restaurant de la foire.

MME GILBERT   N'oublie pas que la mère d'Irène veut qu'elle rentre de bonne heure.

MARC   Maman, comment peut-on oublier cela? Mais la mère d'Irène a sans doute oublié que lundi est un jour de fête.

MME GILBERT   Ah oui! Moi aussi, je l'avais complètement oublié.

MARC   Si tu demandais à la mère d'Irène si nous pouvons rentrer plus tard demain soir?

MME GILBERT   Je veux bien. Mais il est trop tard maintenant. Dix heures viennent de sonner. Je vais lui téléphoner demain matin.

MARC   N'oublie pas, maman.

9 Mrs. Renaud is chaperoning the school dance.

MME RENAUD   Dites-moi, est-ce que Pauline et Gérard sont déjà arrivés?

UN GARÇON   Non, Madame. Je ne les ai pas encore vus. Est-ce qu'ils vont venir?

MME RENAUD   Oui. C'est curieux. Je leur ai dit d'être ici de bonne heure.

UN GARÇON   Tiens! Les voilà qui arrivent.

*   *   *

MME RENAUD   Pauline, il est dix heures et quart. Je t'avais dit d'être ici de bonne heure.

GÉRARD   Je regrette d'être en retard, Madame.

PAULINE   Que je suis fatiguée, maman! Je crois que nous avons marché toute la nuit.

MME RENAUD   Mais Gérard a une nouvelle voiture, n'est-ce pas?

PAULINE   Oui, il a sa voiture; mais il n'avait pas d'essence. [1]

----

[1] essence   gasoline

10 Antoine greets a new arrival at the dance.

ANTOINE Tiens! Bonsoir, Raymond. Tu viens d'arriver?

RAYMOND Oui. À l'instant. Et toi? Il y a longtemps que tu es là?

ANTOINE Une demi-heure. C'est curieux. Je n'ai pas encore vu Annette. Elle m'a dit qu'elle allait venir de bonne heure.

RAYMOND Oh! elle vient de me téléphoner. Elle ne pourra pas venir. Elle avait complètement oublié que c'est l'anniversaire de sa petite cousine Marie.

ANTOINE C'est dommage! Surtout pour elle qui adore danser.

RAYMOND Mais elle m'a dit que demain elle compte venir à la foire avec nous.

11 Anne and Hervé put in their appearance.

ANNE Quelle salle ravissante! Mais il y a trop de monde.

HERVÉ C'est plus amusant comme ça. Tiens! Voilà Marcel!

ANNE Bonjour, Marcel.

MARCEL Bonjour. Que ta robe est jolie, Anne!

ANNE Tu trouves? J'espère que je vais danser toute la soirée; il y a si longtemps que j'attends ce bal. Avec qui es-tu venu, Marcel?

MARCEL J'avais invité Christine Dumont, mais elle est malade. Elle ne peut pas venir. Elle m'a téléphoné cet après-midi.

ANNE J'en suis désolée.

HERVÉ J'espère que ce n'est pas grave.

MARCEL Mais non! Pas du tout. . . . Oh, regardez. Qui est cette jolie jeune fille qui vient d'arriver?

HERVÉ Où ça?

MARCEL Là, près de la porte. Elle a une robe verte.

HERVÉ Ah oui, je la vois.

ANNE Mais c'est Yvette Robinet, la sœur de Louis.

MARCEL La sœur de Louis! Ça m'étonne. Louis n'est pas fils unique?

ANNE Mais non! Yvette est sa sœur aînée. Allons lui dire bonjour, si tu veux, et je te présenterai.

MARCEL Ça me ferait très plaisir.

HERVÉ Alors, allons-y.

12 Georges sees a friend's sister and goes over to her.

GEORGES   Bonsoir, Madeleine. Veux-tu danser?

MADELEINE   Avec plaisir.

GEORGES   Je t'ai vue cet après-midi.

MADELEINE   Où?

GEORGES   Dans un grand magasin, chez Marquette.

MADELEINE   Ah, oui. J'y ai acheté une robe. Et toi, qu'est-ce que tu faisais chez Marquette?

GEORGES   Tu peux être sûre que je n'achetais pas de robe. J'ai acheté un tricot.

MADELEINE   De quelle couleur?

GEORGES   Jaune et bleu, je crois. Mais ta robe, de quelle couleur est-elle?

MADELEINE   La voici. Regarde. Comment la trouves-tu?

GEORGES   Elle est vraiment chic et elle te va admirablement.

MADELEINE   Tu es gentil de dire ça.

13 Pierrette asks her best friend, Véronique, to join her birthday celebration.

PIERRETTE   Veux-tu nous accompagner mardi, mes parents et moi, dans un bon restaurant?

VÉRONIQUE   Comment? Tu ne déjeunes pas au réfectoire mardi?

PIERRETTE   Si, je déjeune au réfectoire, mais papa veut dîner en ville parce que c'est mon anniversaire.

VÉRONIQUE   Ça me ferait plaisir d'aller avec vous. Où comptez-vous aller?

PIERRETTE   Je ne me rappelle plus. Oh, si! Je crois que c'est chez Lafitte.

VÉRONIQUE   Chez Lafitte! Je connais bien ce restaurant. Mes parents aussi aiment y aller parce que le service est très bien fait et que les repas sont excellents. Et les desserts, surtout les éclairs au chocolat, sont vraiment bons.

PIERRETTE   Bien. Je vais le dire à mes parents. Je passerai te chercher vers six heures et quart et nous rejoindrons mes parents chez Lafitte vers sept heures.

VÉRONIQUE   D'accord. C'est très gentil de m'inviter.

TOPICS FOR REPORTS

1

Il y a beaucoup de monde au bal. ..... *Comment trouves-tu la salle?* ..... *Que penses-tu de la décoration?* ..... *Que penses-tu de l'orchestre?* ..... *As-tu envie de danser?* ..... *Y a-t-il longtemps que tu attends ce bal?* ..... *Es-tu arrivé(e) de bonne heure?*

2

J'ai invité une amie. ..... *Est-ce que je la connais?* ..... *Comment s'appelle-t-elle?* ..... *Est-elle jolie?* ..... *Où habite-t-elle?* ..... *À quelle heure vas-tu aller la chercher?* ..... *À quelle heure doit-elle rentrer?*

3

On m'a fait une nouvelle coiffure pour le bal de l'école. ..... *Est-ce que ta nouvelle coiffure est très réussie?* ..... *Est-ce que ta nouvelle coiffure te plaît?* ..... *Que disent tes amies de ta nouvelle coiffure?* ..... *Qu'en pense ta mère?*

4

Je ne vais pas au bal ce soir. ..... *Es-tu fatigué(e)?* ..... *N'aimes-tu pas danser?* ..... *Est-ce que ta soeur y va?* ..... *A-t-elle une jolie robe?*

5

Je voudrais danser avec cette jeune fille. ..... *Comment s'appelle-t-elle?* ..... *Est-elle près de la porte?* ..... *Danse-t-elle bien?* ..... *Tu vas l'inviter à danser?*

6

Il y a beaucoup de rafraîchissements. ..... *Où sont les rafraîchissements?* ..... *Qu'est-ce qu'il y a comme rafraîchissements?* ..... *En veux-tu?* ..... *Veux-tu quelque chose à boire? à manger?*

15   A drive

1   "How about going to the lake?"
2   "That's a good idea.   It's so hot!"
3   "I know a fine place."
4   "Great!   What do we have to take?"
5   "Your swim suits and some sandwiches."
6   "Okay.   Let's not lose any time."

7   "What time should we leave?"
8   "We're going to leave around eleven thirty.
9   I'll come by for you and Anne.
10   Maybe Charles will take the others."

11 "Is there a grocery store on the way?"
12 "Sure.   There are several of them."
13 "I'll have to buy something."
14 "What do you need?"
15 "Let's see.   Bread, sausage, cheese . . ."
16 "No need to.   I've got enough for two."

17 "Is it muggy this afternoon!
18   I never saw such weather."
19 "But it's so nice in a car.
20   Especially in a convertible."

15   Une promenade en auto

1 —Si on allait au bord du lac?
2 —Bonne idée!   Il fait si chaud!
3 —Je connais un endroit charmant.
4 —Chic alors!   Que faut-il emporter?
5 —Vos maillots et quelques sandwichs.
6 —Entendu!   Ne perdons pas de temps.

7 —À quelle heure doit-on partir?
8 —Nous allons partir vers onze heures et demie.
9   Je viendrai vous chercher, Anne et toi.
10   Charles emmènera peut-être les autres.

11 —Y a-t-il une épicerie sur la route?
12 —Bien sûr!   Il y en a plusieurs.
13 —Il faudra que j'achète quelque chose.
14 —De quoi as-tu besoin?
15 —Voyons.   De pain, de saucisson, de fromage . . .
16 —C'est inutile!   J'en ai assez pour deux.

17 —Qu'il fait lourd cet après-midi!
18   Je n'ai jamais vu un temps pareil.
19 —Mais on est si bien en voiture!
20   Surtout en décapotable.

QUESTION-ANSWER PRACTICE

1 JEAN-PIERRE Si on allait au bord du lac cet après-midi?
  PHILIPPE Bonne idée. Il fait si chaud.

2 BENOÎT À quelle heure doit-on partir ce matin?
  ISABELLE Nous allons partir vers onze heures et demie.

3 FRANÇOISE Qu'est-ce qu'il faut emporter?
  JEAN-PAUL Vos maillots et quelques sandwichs.

4 ROBERT Y a-t-il une épicerie sur la route?
  GEORGES Bien sûr. Il y en a plusieurs.

5 MME VOLAND De quoi avez-vous besoin?
  MAURICE Voyons. De pain, de saucisson, de fromage . . .

6 DANIEL Qui va emmener les autres?
  GEORGES Antoine les emmènera.

7 LÉON Est-ce qu'il faudra acheter quelque chose?
  LUCIE Non. J'en ai assez pour deux.

8 JEAN Tu aimes les promenades en voiture?
  MARIE Oui. Surtout en décapotable.

9 M. MOREAU Qu'il fait lourd! Vous ne trouvez pas?
  M. CHAPUIS Oui. Je n'ai jamais vu un temps pareil.

10 CHARLES Qui viendra nous chercher demain?
  ROBERT Moi, je viendrai vous chercher, Hélène et toi.

PATTERN PRACTICE

1 Si on allait

| au bord du lac |
| en ville |
| à la campagne |
| au réfectoire |
| au cinéma |
| au parc   *park* |

?

2 Il fait

| si froid |
| si lourd |
| si beau   *nice* |
| si mauvais   *bad* |
| si chaud |
| si sombre   *dark* |

.

3 Y a-t-il

| une épicerie |
| une pâtisserie   *pastry shop* |
| une boucherie   *meat store* |
| une boulangerie   *bakery* |
| une confiserie   *candy shop* |
| une crémerie   *dairy store* |

sur la route?

4 J'ai besoin

| de pain |
| de fromage |
| de saucisson |
| de lait |
| de beurre   *butter* |
| de légumes   *vegetables* |

.

5 Nous allons partir vers

| neuf heures vingt |
| onze heures et demie |
| midi |
| midi et quart |
| une heure moins le quart   *12:45* |
| trois heures |

.

6   Je viendrai | te / vous | chercher, | Monique / Rodolphe / maman / ——— / Anne et toi / Paul et toi / Marie et toi | .

7   Charles emmènera peut-être | les autres / ses parents / Denise et moi / Pierre et toi / Bernard et vous / son frère | .

8   C'est inutile. J'en ai assez | pour deux / pour trois / pour vous / pour toi / pour lui / pour eux   *them* | .

9   Je n'ai jamais vu | un temps / un jour / un veston / ——— / une robe / une coiffure / une voiture | pareil / ——— / pareille | .

10   Il faudra que j'achète | quelque chose / du pain / de la viande   *meat* / des fleurs   *flowers* / une robe / un maillot | .

CONVERSATIONS

1 Louise's parents are outside in the car, waiting for her.

MME DUHAMEL   Comme il fait lourd! Je n'ai jamais vu une journée pareille.

M. DUHAMEL   Marie, où est Louise? Qu'est-ce qu'elle fait?

MME DUHAMEL   Elle va sans doute arriver dans un instant.

M. DUHAMEL   Toutes les deux, toi et elle, vous savez que je déteste attendre quelqu'un comme ça, surtout quand il fait si chaud.

MME DUHAMEL   Attends! Je vais aller la chercher.

M. DUHAMEL   Dis-lui que c'est aujourd'hui que nous allons au cinéma et pas demain. . . .

*   *   *

M. DUHAMEL   Voilà déjà un quart d'heure que nous l'attendons. Elle ne peut jamais être à l'heure. Il est inutile de partir maintenant. Le film est déjà commencé.

MME DUHAMEL   Mais non. Ne t'inquiète pas. Il n'est que six heures moins le quart. Tiens! la voilà.

M. DUHAMEL   Allons! Vite, Louise. La prochaine fois que tu seras en retard, tu resteras tout simplement à la maison.

2 Mr. Aubert tries to make his whole family happy.

M. AUBERT   Il fait si chaud! Si on allait au cinéma cet après-midi? Là, au moins, il ne fera pas si chaud.

SUZANNE   Non, papa. Je n'aime pas le film qu'on donne. Allons au parc. On y est si bien. Et Marie-Louise viendra avec nous.

JACQUES   Marie-Louise! Marie-Louise! Toujours Marie-Louise!

MME AUBERT   Jacques!

JACQUES   Allons au bord du lac, maman.

M. AUBERT   Bonne idée, n'est-ce pas, Louise?

MME AUBERT   Mais ton maillot, Albert! Ne te rappelles-tu pas? Il n'est plus très bien . . . le mien non plus.

JACQUES	Ça n'a pas d'importance. Allons au bord du lac, veux-tu?
SUZANNE	Pour toi, ça n'a pas d'importance, bien entendu; pour moi, ça en a beaucoup. Qu'est-ce qu'on va penser de nous? Moi, je préfère le cinéma.
MME AUBERT	Allons en ville, au Bon Marché. On pourra y acheter des maillots.
M. AUBERT	Vous autres, vous . . . . vous compliquez tout. Restons chez nous!

3 Paul and Émile have just left the swimming pool where they have been practicing for a meet.

PAUL	Si nous allions en ville? . . . J'ai ma voiture.
ÉMILE	Non, merci. Je vais rentrer immédiatement.
PAUL	Pourquoi? Tu es fatigué?
ÉMILE	Non, pas du tout. C'est qu'il fait si chaud dehors.
PAUL	Alors, viens au réfectoire avec moi. On prendra quelque chose.
ÉMILE	Merci bien . . . mes livres m'attendent.
PAUL	Tes livres? Je ne te crois pas. C'est la télévision qui t'attend.
ÉMILE	Non; pas de télévision chez nous. Elle ne marche plus.
PAUL	Alors, tu ne pourras pas voir le programme de huit heures. C'est bien dommage.
ÉMILE	Quel programme?
PAUL	Tu sais bien, le match de base-ball.
ÉMILE	Hm . . . . Je l'avais complètement oublié.
PAUL	Si tu veux le voir, tu n'as qu'à venir chez moi.
ÉMILE	Merci . . . . mais mon travail. . . . Vraiment, je dois rester chez moi ce soir.
PAUL	Enfin. Si tu changes d'avis, viens me voir.
ÉMILE	Bonsoir, Paul.
PAUL	À bientôt, Émile.

*   *   *

ÉMILE	(*Terminer la journée avec un bon livre? Ou voir un bon match? Voilà la question.*) . . . Paul! Attends, je t'accompagne!

4 It is Saturday afternoon. The living room at the Leclercs'. Jean is watching
TV and his father is reading when Mrs. Leclerc enters.

MME LECLERC	Jean! Où es-tu?
JEAN	Ici, maman. Que veux-tu?
MME LECLERC	Veux-tu aller à l'épicerie faire quelques courses pour moi?
JEAN	Oui, maman. Maintenant?
MME LECLERC	Tout de suite. Tu es libre, n'est-ce pas?
JEAN	Oui, maman. Je viens de terminer tout mon travail et l'épicerie n'est pas loin.
M. LECLERC	Vraiment, je ne comprends pas. [1] Tu dis que tu as terminé tout ton travail? Tu fais des courses pour ta mère? . . . Tu n'es pas malade, Jeannot?
JEAN	Non, papa. . . . Que veux-tu que j'achète, maman?
MME LECLERC	Achète du pain, du fromage, et . . . oui . . . et du saucisson.
JEAN	Très bien. C'est tout? Tu n'as pas besoin d'autre chose?
MME LECLERC	Non. C'est tout, merci. Mais vas-y tout de suite.
JEAN	D'accord, maman. Je pars immédiatement. Donne-moi de l'argent.
MME LECLERC	Voilà.

*   *   *

M. LECLERC	Un miracle! C'est vraiment un miracle! Qu'est-ce qu'il a?
MME LECLERC	Il n'y a pas de miracle, Georges. Tu as oublié? C'est bientôt son anniversaire. Il va avoir onze ans vendredi prochain! Et les patins, tu te rappelles?
M. LECLERC	Ah, c'est ça? Je comprends maintenant.

[1] je comprends I understand

5 Mrs. Simonet and Mrs. Leclerc have been downtown all morning.

MME SIMONET J'ai faim. Pas vous? Si on entrait déjeuner dans ce restaurant? Il y a un bon orchestre. C'est charmant.

MME LECLERC Bonne idée. Allons-y. . . . Que je suis fatiguée! Je déteste aller dans les grands magasins. Tiens! mais voilà Sylvie Danaud. Si on allait lui parler?

MME SIMONET Bonjour, Sylvie. Nous pouvons déjeuner avec vous?

MME DANAUD Avec plaisir. . . . Qu'est-ce que vous allez prendre? Moi, j'ai déjà demandé du poisson.

MME LECLERC Je ne sais pas. Regardons la carte. . . . Je prendrai un sandwich au poulet et un verre de lait. Ça fait un bon repas.

MME SIMONET Moi, je vais prendre du veau et un café. Garçon! . . .

* * *

MME DANAUD Dans quels magasins êtes-vous allées?

MME LECLERC Chez Marquette. J'ai acheté une jolie robe bleue pour la plus jeune de mes filles. J'ai aussi acheté des patins pour mon fils. C'est son anniversaire vendredi.

MME DANAUD C'est un beau cadeau. Et vous, Hélène, qu'avez-vous acheté?

MME SIMONET Rien. Je voulais un veston pour mon fils mais je n'ai rien trouvé. Je vais aller dans un autre magasin après le déjeuner.

MME DANAUD Allez donc chez Lambert. Il y a de très jolies choses. Je viens d'y acheter un tricot formidable pour moi-même.

MME SIMONET Bonne idée. J'espère y trouver quelque chose. Mon fils a vraiment besoin d'un nouveau veston.

MME LECLERC Je suis désolée. Je ne vais pas vous accompagner cet après-midi. Je suis vraiment trop fatiguée. Je vais prendre un dessert et rentrer immédiatement.

MME DANAUD La pâtisserie est excellente dans ce restaurant et les glaces aussi.

6 Marcel and Gaston are feeling the effects of the hot weather.

MARCEL Je n'ai jamais vu un temps pareil.

GASTON Moi non plus. Il fait si lourd! Si on allait au bord du lac?

MARCEL Ce n'est pas possible. Je n'ai pas de maillot.

GASTON Va donc au magasin. Tu pourras y trouver quelque chose.

MARCEL On ne peut pas acheter un maillot sans argent. . . . Dis-moi, Gaston, . . . tu es un bon copain. . . .

GASTON Comme toujours, tu crois que je vais te prêter de l'argent.

MARCEL Je pourrai te le rendre la semaine prochaine.

GASTON Non, non et non! Tu n'as jamais d'argent et tu n'en auras jamais.

MARCEL Mais si, j'en aurai.

GASTON Non, mon ami. Qu'as-tu fait de l'argent que je t'ai prêté la semaine dernière?

7 Professor Boulet's car is in the shop. A neighbor has offered to drive him to class.

M. BOULET Vous êtes très gentille de me conduire à l'université, Madame.

MME MASSÉ Je vous en prie, Monsieur le professeur, c'est vraiment un plaisir de vous y conduire. Je dois aller acheter quelques petites choses en ville ce matin, et j'adore conduire.

M. BOULET Y a-t-il longtemps que vous conduisez, Madame?

MME MASSÉ Non, Monsieur. Ils m'ont donné mon permis la semaine dernière.

M. BOULET Ah, oui?

MME MASSÉ C'était la cinquième fois que je passais l'examen. [1]
Je suis sûre que je n'avais vraiment pas échoué les autres fois. Seulement ils ne voulaient pas me donner le permis.

M. BOULET Eh bien, . . . vous conduisez très bien, Madame. . . .
(Pan!) [2]
Mais, qu'est-ce qu'il y a?

MME MASSÉ Il y avait quelque chose sur la route.

M. BOULET	Mais, Madame . . .
MME MASSÉ	Si vous permettez, Monsieur, je vais m'arrêter [3] quelques moments ici, à la pâtisserie Pékine.
M. BOULET	Certainement, Madame.
MME MASSÉ	J'adore les petits fours [4] de chez Pékine. Un instant, Monsieur . . .

* * *

(*En route*)

MME MASSÉ	Ils sont délicieux. Prenez-en un, Monsieur.
M. BOULET	Non, merci, Madame. Je n'ai pas faim.

(*Pan!*)

	Attention, Madame . . .
MME MASSÉ	Ce garçon-là ne devrait pas avoir un permis de conduire! . . .
M. BOULET	Mais, Madame . . .
MME MASSÉ	J'ai oublié de vous dire, Monsieur, que demain matin je ne pourrai pas venir vous chercher. J'en suis désolée.
M. BOULET	Ne vous inquiétez pas, Madame, je vous en prie. Je prendrai l'autobus.

* * *

MME MASSÉ	Eh bien, nous voilà. Nous sommes arrivés, Monsieur le professeur.
M. BOULET	Oui . . .
MME MASSÉ	Et à quelle heure est-ce que je peux venir vous chercher cet après-midi, Monsieur?
M. BOULET	Je suis désolé, Madame. J'avais complètement oublié que j'avais du travail à faire aujourd'hui après les classes.
MME MASSÉ	Mais ce serait un plaisir de vous attendre.
M. BOULET	Merci bien, Madame. Mais je ne sais pas à quelle heure je vais terminer ce travail.
MME MASSÉ	Vous êtes sûr, Monsieur?
M. BOULET	Oui, Madame, très sûr. Et merci beaucoup.
MME MASSÉ	De rien, [5] Monsieur. À bientôt. Au revoir, Monsieur.
M. BOULET	Au revoir, Madame.

[1] était was   [2] Pan! (sound of something being hit)   [3] arrêter to stop   [4] petits fours cookies or small pastries   [5] de rien you're welcome

8 Claude can't wait to take Marianne for a drive in her new car.

CLAUDE   Tu as vu notre nouvelle voiture?

MARIANNE   Oh! qu'elle est belle!   Comme elle est chic!

CLAUDE   N'est-ce pas?   J'ai toujours aimé les voitures décapotables.

MARIANNE   Moi aussi.   Ce sont les voitures que je préfère.   Je
crois que mon frère aîné va en acheter une.

CLAUDE   Je vais demander à mon père si nous pouvons faire une
petite promenade maintenant. . . . Bon.   Il est d'accord.   Allons-y.

MARIANNE   Chic alors!

*   *   *

CLAUDE   Si on allait rue Maupin voir si les garçons sont chez
eux?

MARIANNE   Bonne idée.   Mais ne sont-ils pas allés au Boulodrome [1]
ce soir?

CLAUDE   Oui, c'est vrai.

MARIANNE   Si nous allions au Boulodrome?   Peut-être qu'on pourrait les y trouver.

CLAUDE   Oui, allons-y.

*   *   *

CLAUDE   Qu'il fait chaud aujourd'hui!

MARIANNE   Mais dans cette décapotable on est si bien.   Elle est
formidable, tu ne trouves pas?

CLAUDE   Oui, et elle marche très bien.

MARIANNE   Je pourrais passer toute une journée dans une décapotable.   J'adore ça.   C'est si amusant.

CLAUDE   Mon père aime ce genre d'auto.   Quant à ma mère,
elle pense qu'il va faire trop froid l'hiver dans une
voiture comme ça.

MARIANNE   Non, je ne crois pas.   Nos amis les Chabert en ont une.
Ils en sont ravis.

CLAUDE   Voilà le Boulodrome, mais je ne vois pas la voiture de
Toni.

MARIANNE   La voilà à gauche.

CLAUDE   Et voilà les garçons qui sortent [2] du Boulodrome en ce
moment.   Klaxonne, [3] veux-tu?

[1] **Boulodrome** bowling alley   [2] **sortent** are leaving   [3] **Klaxonne** blow the horn

9 The Janviers try to get off to the picnic in their station wagon.

MME JANVIER	Jean-Claude?
JEAN-CLAUDE	Me voici.
MME JANVIER	Jeannette?
JEANNETTE	Ici, maman. Et voilà papa. Il est furieux.
M. JANVIER	Claire est toujours au téléphone.[1] Avec qui parle-t-elle toute la journée?
JEANNETTE	C'est Robert, sans doute.
JEAN-CLAUDE	Oui. «Robert,» «Robert.» Toujours «Robert.»
MME JANVIER	Écoutez, mes petits. Soyez patients! Elle viendra tout de suite.
M. JANVIER	Et Jacquot? Où est-il?
MME JANVIER	Jacquot! . . . Où est Jacquot?
JEAN-CLAUDE	Il est allé à la cuisine, boire un verre de lait.
JEANNETTE	Tu veux dire écouter ce que Claire dit à Robert.
JEAN-CLAUDE	Je vais le chercher, papa?
M. JANVIER	Non, je vais le chercher moi-même. Ne bougez pas![2] . . .
JACQUOT	Pourquoi ne partons-nous pas? Où est papa?
MME JANVIER	Il est allé te chercher.
JEAN-CLAUDE	Et il est furieux.
JEANNETTE	Et Claire, qu'est ce qu'elle fait?
JACQUOT	Elle parle toujours au téléphone. «Robert,» . . . «mon petit Robert.» . . . Ouf!
MME JANVIER	C'est assez, Jacquot. Voilà Claire qui arrive.
JACQUOT	Et papa. Où est-il?
CLAIRE	Papa? Il est assis devant la télévision et il dit qu'il ne bougera pas.
MME JANVIER	Le pauvre!
TOUS	Papa! En route!

[1] toujours still   [2] Ne bougez pas! Don't move!

10 Simon and Joseph are talking as they have an afternoon snack at the Burger-Q.

SIMON   Qu'est-ce que tu vas faire demain?

JOSEPH   Demain, dimanche? La même chose qu'aujourd'hui, samedi—rester chez moi avec mes petits cousins Paul et Robert.

SIMON   Ils sont toujours chez toi?

JOSEPH   Toujours! Ma tante va rester encore une semaine. Et toi, tu vas au bord du lac?

SIMON   Non, pas du tout. Demain, on fait une promenade en famille. On va aller chez mon oncle Émile.

JOSEPH   C'est lui qui habite à la campagne?

SIMON   Oui. Il veut montrer à la famille la nouvelle voiture qu'il a achetée pour sa fille.

JOSEPH   Une voiture? Si seulement on m'en donnait une à moi!

SIMON   C'est une décapotable.

JOSEPH   Et tu vas la conduire?

SIMON   Moi? Jamais! Tu sais comment sont les jeunes filles!

11 Philippe, who is a regular at the cafeteria, sees Adolphe on line.

PHILIPPE   Toi au réfectoire! Tu n'as pas tes sandwichs aujourd'hui?

ADOLPHE   Je les ai oubliés dans l'autobus ce matin.

PHILIPPE   Tant mieux pour le chauffeur!

ADOLPHE   Mais pour moi c'est moins bien. Je n'avais pas d'argent non plus.

PHILIPPE   Alors, qu'est-ce que tu as fait?

ADOLPHE   Des amis—Georges, Claude et Jean-Pierre—m'ont prêté tout ce qu'ils avaient. Et me voici.

*   *   *

ADOLPHE   Tu ne prends pas de veau? C'est bon, tu sais!

PHILIPPE   Non. Comme tous les jeudis, il y a du veau. Je n'aime pas le veau.

ADOLPHE   Moi, je l'aime beaucoup et je vais en prendre. . . . Et du poisson! Tu n'en prends pas?

PHILIPPE   Non. Je crois que non.

ADOLPHE   Moi, si. . . . Tiens, du poulet. . . . Hmm. . . . Tu ne veux pas de poulet?

PHILIPPE   Non plus. Je vais tout simplement prendre du lait et
             de la pâtisserie.
ADOLPHE   De la pâtisserie? Je l'avais complètement oubliée.
             Voyons! . . . ça fait combien? Veau . . . poisson . . .
             poulet . . . et deux sandwichs. . . . Tiens, je n'ai pas
             assez d'argent pour acheter de la pâtisserie. Tu ne
             veux pas m'en prêter un peu plus?
PHILIPPE   Si j'en ai . . . voilà. . . . Maintenant je sais pourquoi ta
             mère te donne toujours des sandwichs.

TOPICS FOR REPORTS

1

Nous allons au bord du lac cet après-midi. ..... *Vers quelle heure va-t-on partir?* ..... *Qui vient te chercher en auto?* ..... *Vas-tu emporter ton maillot?* ..... *Qui sera là?* ..... *Combien de temps pourras-tu y passer?*

2

J'aime passer une si belle journée à la campagne. ..... *Y vas-tu en autobus ou en voiture?* ..... *Vas-tu emporter des sandwichs?* ..... *Préfères-tu des sandwichs au poulet ou des sandwichs au fromage?* ..... *Qu'est-ce que tu vas emporter à boire?* ..... *À quelle heure dois-tu rentrer?*

3

Je connais un endroit charmant. ..... *Est-ce loin d'ici?* ..... *Aime- rais-tu y aller?* ..... *Comment pouvons-nous y aller?* ..... *Qui a une voiture?* ..... *Viendra-t-il(elle) de bonne heure?* ..... *Emmènera-t-il(elle) tous les copains?*

4

Je suis en retard. ..... *Quelle heure as-tu?* ..... *As-tu un rendez-vous?* ..... *Vas-tu retrouver quelqu'un?* ..... *À quelle heure rentreras-tu?*

5

Mon frère va faire une promenade en auto. ..... *À quelle heure va-t- il partir?* ..... *Qui emmènera-t-il?* ..... *Où va-t-il?* ..... *As-tu envie de l'accom- pagner?*

6

Qu'il fait lourd aujourd'hui! ..... *As-tu jamais vu un temps pareil?* ..... *Aimes-tu aller à la campagne quand il fait si chaud?* ..... *Est-ce que tu aimerais aller au bord du lac?* ..... *Aimes-tu les voitures décapotables?* ..... *Vers quelle heure aimerais-tu rentrer?*

16   Activities

1   "We had a meeting after class.
2   Why didn't you come?
3   We missed you."
4   "I didn't even think about it."

5   "I went to a big tennis match yesterday."
6   "Who was playing?"
7   "An American team and a Canadian one.
8   It was a close match."
9   "Where was it played?"
10 "In the park, on the municipal courts."

11 "I wish I could go on the trip with the class."
12 "Then you're not going to be with us?"
13 "Can't make it.   It comes on the same day as the rehearsal."
14 "Too bad!   You'll have to come some other time."

15 "Let's go to the opening of the bowling alley tomorrow.
16 Have you ever gone bowling?"
17 "Sure, but it's awfully expensive."
18 "You could come along with us anyway."
19 "Not tomorrow.   I'm supposed to go bicycle riding with Paul."
20 "Well, if you can, come later."

16 Activités

1 —Nous avons eu une réunion après la classe.

2   Pourquoi n'es-tu pas venu?

3   Tu nous as manqué.

4 —Je n'y ai pas pensé.

5 —J'ai assisté à un grand match de tennis hier.

6 —Qui est-ce qui jouait?

7 —Une équipe américaine contre une équipe canadienne.

8   La partie a été très disputée.

9 —Où a-t-elle eu lieu?

10 —Dans le parc, sur le court municipal.

11 —J'aimerais aller en excursion avec la classe.

12 —Alors tu ne seras pas des nôtres?

13 —Impossible! Ça tombe le même jour que la répétition.

14 —Dommage! Tu viendras une autre fois.

15 —Allons demain à l'ouverture du «Boulodrome».

16   As-tu déjà joué aux boules?

17 —Bien sûr, mais ça coûte si cher.

18 —Tu pourrais nous accompagner quand même.

19 —Pas demain. Je dois faire une promenade à bicyclette avec Paul.

20 —Eh bien, si c'est possible, viens plus tard.

QUESTION-ANSWER PRACTICE

1   GEORGETTE   Tu viendras à la réunion après la classe?
  GERMAINE   Si c'est possible.

2   JEAN-CLAUDE   As-tu assisté au match de tennis hier?
  MARIE-ANNE   Oui. La partie a été très disputée.

3   ALBERT   Où a-t-elle eu lieu?
  MICHEL   Dans le parc, sur le court municipal.

4   GASTON   Qui est-ce qui jouait?
  ROBERT   Une équipe américaine contre une équipe canadienne.

5   FRÉDÉRIC   Est-ce que tu vas nous accompagner aujourd'hui?
  GEORGES   Pas aujourd'hui. Mais je viendrai une autre fois.

6   CHRISTINE   Pourquoi n'es-tu pas venue à la réunion?
  BLANCHE   Je n'y ai pas pensé!

7   M. MARTY   Alors tu ne seras pas des nôtres demain?
  M. MAY   Impossible! L'excursion tombe le même jour que la répétition.

8   EUGÈNE   Si on allait demain à l'ouverture du Boulodrome?
  HUBERT   Pas demain. Je dois faire une promenade à bicyclette avec Bernard.

9   M. BOIVERT   Avez-vous déjà joué aux boules?
  M. LATOUR   Oui, mais ça coûte si cher.

10   ÉLISE   Est-ce que tu pourrais nous accompagner dimanche?
  MARTHE   Pas dimanche. Je dois aller en excursion avec la classe.

PATTERN PRACTICE

1

Tu		as	
————	nous	————	manqué hier,
Vous		avez	

Georges
Yvonne
Gérard
— — — — — —
Paul et Jeanne
Anne et Solange
Monsieur

2 J'ai assisté à

un match de tennis	
une partie de football	
une conférence	*lecture*
un concert	*concert*
la réunion	
une soirée	

hier soir.

3 On jouait contre une équipe

canadienne	
française	*French*
italienne	*Italian*
anglaise	*English*
allemande	*German*
australienne	*Australian*

4 Ça tombe

le même matin
le même soir
le même après-midi
le même jour
la même semaine
à la même heure

que la répétition.

5 J'aimerais

aller en excursion demain	
assister au match de tennis	
aller à la bibliothèque	
voir sa nouvelle voiture	
écouter ses disques	
manger des saucisses	*frankfurters*

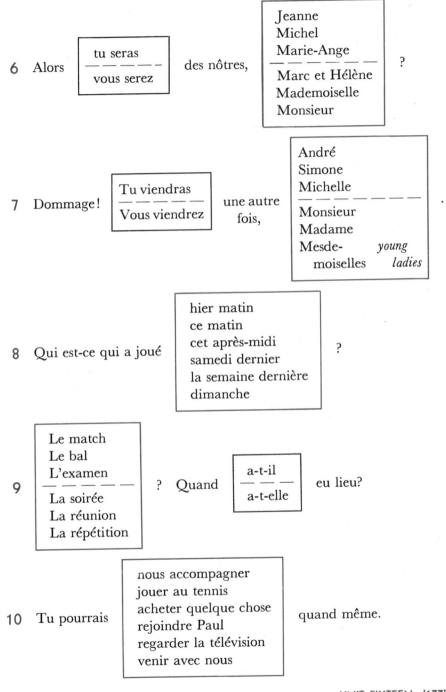

6 Alors | tu seras / vous serez | des nôtres, | Jeanne / Michel / Marie-Ange / Marc et Hélène / Mademoiselle / Monsieur | ?

7 Dommage! | Tu viendras / Vous viendrez | une autre fois, | André / Simone / Michelle / Monsieur / Madame / Mesde- moiselles *young ladies* | .

8 Qui est-ce qui a joué | hier matin / ce matin / cet après-midi / samedi dernier / la semaine dernière / dimanche | ?

9 | Le match / Le bal / L'examen / La soirée / La réunion / La répétition | ? Quand | a-t-il / a-t-elle | eu lieu?

10 Tu pourrais | nous accompagner / jouer au tennis / acheter quelque chose / rejoindre Paul / regarder la télévision / venir avec nous | quand même.

CONVERSATIONS

1 Roger is having breakfast with the family.

MME MORAUD	Ce match, où a-t-il eu lieu?
ROGER	Au Boulodrome, maman.
M. MORAUD	Qui est-ce qui a joué?
ROGER	Tu ne le savais pas, papa? C'est nous qui avons joué contre l'équipe du «Club anglais».
ROSALIE	Papa, demande-lui qui a gagné [1] le match!
ROGER	Maman! Rosalie sait bien qu'ils l'ont gagné.
M. MORAUD	Ah . . . ce café, Georgette, je ne l'aime pas du tout. Où l'as-tu acheté?
MME MORAUD	À l'épicerie Gobelins comme toujours. . . . C'est le même café, Timothée.
M. MORAUD	N'en parlons plus.
ROGER	C'est Georges Chevalier qui nous a manqué hier soir. La prochaine fois. . . .
ROSALIE	Oui, la prochaine fois, la prochaine fois . . .
MME MORAUD	Rosalie! . . . C'est dommage, Roger. Mais vous gagnerez une autre fois!
M. MORAUD	Il faut que je parte. Je vais être en retard.
ROGER	Attends, papa . . .
M. MORAUD	Qu'est-ce qu'il y a maintenant?
ROGER	Est-ce que tu pourrais me prêter la voiture cet après-midi?
M. MORAUD	Pour quoi faire?
ROGER	Pour aller chez le professeur Bonnard.
M. MORAUD	Pourquoi cela? Tu le vois toute la journée à l'école.
ROGER	Mais . . .
ROSALIE	La voiture? Tu te rappelles la dernière fois, Roger?
M. MORAUD	C'est assez, Rosalie. . . . Non, Roger, absolument pas. C'est impossible. Au revoir.
ROSALIE	Au revoir, papa.
MME MORAUD	À ce soir, Timothée.

[1] gagner   to win

2 It's about time for classes to start. His friends are talking as Roger approaches.

PIERRE Tu sais où demeure le professeur, n'est-ce pas, Raoul?

RAOUL Moi? Non, pas du tout. Mais Roger, lui, connaît bien la route. C'est près du lac, je crois.

PIERRE Voilà Roger qui vient. Demande-le-lui, veux-tu?

RAOUL Dis-moi, Roger. Le professeur demeure sur la route de la station de ski?

ROGER Pas du tout. C'est sur une autre route. Je t'ai montré l'endroit l'autre jour, tu te rappelles?

RAOUL Je me rappelle que c'est assez loin. Tu as ta voiture?

ROGER Non, papa ne pouvait pas me la prêter aujourd'hui. J'en suis désolé.

RAOUL Alors, qu'est-ce qu'on va faire?

PIERRE Vous viendrez avec nous.

ROGER Merci bien. À quelle heure partirons-nous?

PIERRE Pour arriver à quatre heures et demie? Je viendrai vous chercher à quatre heures juste devant le réfectoire.

RAOUL D'accord, et merci bien.

3 Two other boys from Roger's class are having lunch at the cafeteria.

ÉMILE Je n'ai pas très faim.

PAUL Moi non plus. Mais il faut manger.

ÉMILE Pourquoi dis-tu ça?

PAUL Tu ne te rappelles pas? Nous allons chez le professeur Bonnard cet après-midi et . . .

ÉMILE Eh bien . . . ?

PAUL on ne pourra rien prendre après les classes. Tu sais que nous prenons toujours quelque chose vers trois heures et demie. Il faudra partir tout de suite parce que toi et moi, nous allons avec M. Bonnard.

ÉMILE C'est vrai. Je n'y avais pas pensé. Alors, que comptes-tu manger?

PAUL Il faut manger beaucoup. Quelques sandwichs au fromage, du veau et des saucisses. Qu'en penses-tu?

ÉMILE Pas de légumes?

PAUL Je crois que non. . . . Mais peut-être de la pâtisserie.

ÉMILE D'accord. Ce sera assez, je crois.

PAUL Et aussi du lait. Allons-y.

4 Roger meets Marie-Louise after lunch.

MARIE-LOUISE Cet après-midi, il y a une répétition de l'orchestre à quatre heures et quart.

ROGER C'est bête. Je l'avais complètement oublié. Ça me fait deux réunions à la même heure. Il y a une réunion des garçons de ma classe à quatre heures et demie chez M. Bonnard.

MARIE-LOUISE À quelle réunion vas-tu aller, alors?

ROGER Je n'en sais rien. J'aimerais aller à la répétition de l'orchestre. Mais je n'ai pas envie de dire à mon professeur que je ne peux pas assister à la réunion de ma classe.

MARIE-LOUISE Que tu es bête! Tu sais bien qu'il est très gentil. Va donc le lui dire tout de suite. Ne tarde pas.

ROGER Tu crois qu'il ne dira rien?

MARIE-LOUISE Mais non.

5 Roger sees Professor Bonnard after class.

M. BONNARD Alors, vous ne serez pas des nôtres, Roger?

ROGER J'en suis désolé, Monsieur, mais c'est la dernière répétition avant le concert de vendredi, et . . .

M. BONNARD Je comprends, je comprends. . . . C'est dommage. Mais vous viendrez chez moi une autre fois, Roger.

ROGER Merci, Monsieur. À demain, Monsieur.

M. BONNARD À demain, Roger.

6 Pierre and Raoul are waiting outside the cafeteria. Time is passing and tempers are rising.

PIERRE Quel orchestre! . . . Quelle heure est-il?

RAOUL Il est quatre heures et quart.

PIERRE Cette fois Roger est en retard d'un quart d'heure.

RAOUL Je me demande où il est.

PIERRE Si nous y allions sans lui?

RAOUL Oui, partons.

PIERRE Mais, connais-tu la route?

RAOUL Est-ce que M. Bonnard demeure près du lac ou près de la station de ski? Je ne me rappelle pas ce qu'a dit Roger.

PIERRE   Ça n'a pas d'importance.   Partons.   Nous demanderons
à quelqu'un en route.

RAOUL   Oui, allons-y.

7   Only two boys have shown up at the professor's house on the mountainside.

MME BONNARD   Encore une saucisse, Émile!   Servez-vous.   Vous
ne mangez presque rien.

ÉMILE   Merci, Madame.   Elles sont bien bonnes, mais
j'en ai déjà mangé quatre.

MME BONNARD   Prenez donc un sandwich au fromage.

ÉMILE   Merci, Madame.   Merci beaucoup.

PAUL   Mais où sont les autres?   Je ne comprends vraiment pas.   Il est déjà cinq heures et quart.   Si
Émile et moi nous allions les chercher?   Qu'en
dites-vous, Monsieur?

M. BONNARD   Non, ne vous inquiétez pas.   Et s'ils n'arrivent
pas, tant mieux.   Vous pourrez manger tout ce
que vous voulez.   Encore une saucisse, mon
garçon?   Tenez.   Servez-vous; c'est bon, hein?

MME BONNARD   Et il y a du lait!   Je l'avais complètement oublié!

ÉMILE   Ne vous inquiétez pas, Madame, je vous en prie.

8   A night has passed.   Pierre and Raoul are giving Roger a hard time.

PIERRE   Marie-Louise ne m'avait rien dit, rien du tout.   Je ne
l'avais pas vue de la journée.

ROGER   J'en suis désolé.   Et tu ne connaissais pas la route!

PIERRE   Il était six heures juste quand nous sommes arrivés chez
Monsieur Bonnard.

RAOUL   Et il n'y avait plus rien à manger.   Émile et Paul avaient
déjà tout mangé.

ROGER   Où sont-ils aujourd'hui?   Je ne les ai pas vus.

PIERRE   On m'a dit qu'ils étaient malades, tous les deux. [1]

RAOUL   Ils sont rentrés avec nous, et je crois qu'ils étaient déjà
bien malades.

ROGER   Pourquoi dis-tu ça?

RAOUL   Ils ne parlaient que de saucisses, de fromage et de veau.

PIERRE   Et de lait aussi.

     [1]   étaient   were

9 Marie-Louise gets a call from a friend.

MARIE-LOUISE Qui est à l'appareil?

ALBERTINE Albertine. Dis-moi, Roger est-il toujours furieux? [1]

MARIE-LOUISE Oui, il ne me parle plus.

ALBERTINE C'est dommage. Mais les garçons sont comme ça. Écoute. C'est aujourd'hui mercredi. Nous allons au cinéma ce soir. Veux-tu être des nôtres?

MARIE-LOUISE Impossible. Ma mère est malade. Ce n'est pas grave, mais c'est moi qui dois faire tout le travail de la maison.

ALBERTINE À sept heures du soir, il n'y a plus beaucoup de travail à faire.

MARIE-LOUISE Tu oublies mes deux petits frères. Il faut que je leur donne leur [2] repas ce soir.

ALBERTINE C'est dommage. Tu vas nous manquer.

MARIE-LOUISE Je le regrette. Ce sera pour une autre fois.

ALBERTINE Je t'invite alors pour mercredi prochain.

MARIE-LOUISE N'oublie pas surtout. Tu sais que j'adore le cinéma.

[1] toujours still   [2] leur their

10 Marthe and Arlette are talking, instead of studying, in the study hall.

MARTHE As-tu vu la nouvelle coiffure de Marie-Louise?

ARLETTE Oui. Elle ne lui va pas très bien. Mais, que penses-tu de sa robe?

MARTHE Assez bien, mais quelle couleur! Tu ne trouves pas que c'est horrible?

ARLETTE Oh oui, alors. Sais-tu que Marie-Louise ne va pas au bal?

MARTHE Ah oui? Elle n'y va pas avec Roger?

ARLETTE Non; on dit qu'ils ne sont plus amis.

MARTHE Quel dommage! Et toi, que penses-tu de Roger?

ARLETTE Il est très sympathique, . . . et beau.

MARTHE Si on l'invitait à écouter des disques chez moi cet après-midi?

ARLETTE Pourquoi pas? Jean-Albert sera là aussi?

MARTHE Oui, je vais au bal avec lui.

ARLETTE	Ah, tu vas avoir une bonne soirée. . . . Alors, tu vas inviter Roger après le déjeuner?
LE PROFESSEUR	Mesdemoiselles! . . .
ARLETTE	Pardon, Monsieur.
LE PROFESSEUR	Vous êtes ici pour le travail.
MARTHE	Oui, Monsieur.

11 Mrs. Gauthier thinks her son has already left for school.

MME GAUTHIER	Comment, Paul? Tu es encore ici! Mais neuf heures ont déjà sonné.
PAUL	Pas possible! C'est curieux. Je n'arrive pas à trouver le livre que François m'a prêté la semaine dernière.
MME GAUTHIER	Mais tu n'en as pas besoin maintenant. Il faut que tu partes immédiatement; tu vas être en retard pour l'école.
PAUL	Je sais, mais hier François m'a demandé son livre.
MME GAUTHIER	Écoute! Tu lui diras que tu vas le lui donner demain. Je vais chercher dans la maison. Quel genre de livre est-ce?
PAUL	Un grand livre vert. Oh! je me rappelle maintenant! Je l'ai laissé au restaurant où j'ai déjeuné hier avec mon copain Raoul.
MME GAUTHIER	Ça ne m'étonne pas. Tu oublies toujours quelque chose. Donne-moi l'adresse du restaurant. Je vais téléphoner pour dire que tu passeras prendre le livre ce soir. Maintenant, pars vite.
PAUL	Merci, maman. À ce soir.

12 Mrs. Mireault, who is plump and nervous, consults her doctor before meeting Mrs. Lemaire on a shopping trip.

LE MÉDECIN   Et les pâtisseries?

MME MIREAULT   J'en mange très peu, Monsieur le docteur. Ne me dites pas que . . .

LE MÉDECIN   Bien, Madame. Et le café, vous buvez [1] du café?

MME MIREAULT   Un peu, Monsieur. Il y a longtemps que j'en bois et cela ne m'a jamais fait de mal.

LE MÉDECIN   Comment le buvez-vous, Madame?

MME MIREAULT   Comment?

LE MÉDECIN   Avec du lait, ou noir?

MME MIREAULT   Ah, je vous comprends. C'est très gentil, Monsieur. Avec du lait, s'il vous plaît, et beaucoup de sucre.

LE MÉDECIN   Pardon, Madame. Vous ne comprenez pas. Je n'ai pas de café ici. Je vous demande seulement comment vous buvez le café.

MME MIREAULT   Ah, pardon, Monsieur, j'avais oublié où j'étais.

LE MÉDECIN   Vous buvez beaucoup de café?

MME MIREAULT   Non, Monsieur, seulement deux ou trois fois dans la journée.

LE MÉDECIN   Bon. Vous le buvez au petit déjeuner?

MME MIREAULT   Bien sûr, Monsieur.

LE MÉDECIN   Et dans la journée?

MME MIREAULT   . . . quand je parle au téléphone, oui . . .

LE MÉDECIN   Avec le déjeuner?

MME MIREAULT   Oui, Monsieur.

LE MÉDECIN   Et l'après-midi?

MME MIREAULT   Seulement quand je suis chez des amies . . . ou quand je fais des courses en ville . . . ou quand je suis bien fatiguée . . .

LE MÉDECIN   Et avec le dîner, n'est-ce pas?

MME MIREAULT   Oui, Monsieur.

LE MÉDECIN   Et plus tard, après le dîner?

MME MIREAULT   . . . oui, quand je regarde la télévision . . .

LE MÉDECIN   Alors, . . .

*   *   *

(Au restaurant «Au Bon Café»)

MME LEMAIRE	Ah, c'est bon, ce café!
MME MIREAULT	Et la pâtisserie. . . . ce n'est pas mal.
MME LEMAIRE	Dis-moi, qu'est-ce que le médecin t'a dit?
MME MIREAULT	Tu ne vas pas le croire! Il m'a dit que je bois trop de café.
MME LEMAIRE	Trop de café? Mais tu n'en bois pas beaucoup. Qu'est-ce que tu vas faire, alors?
MME MIREAULT	Je vais aller voir un autre médecin, voilà tout. Un peu de café n'a jamais fait de mal.

¹ vous buvez   you drink

13   A stranger asks Jean-Paul for directions.

L'ÉTRANGER	Sais-tu où demeure Monsieur René Dufour?
JEAN-PAUL	Oui, Monsieur. C'est tout près d'ici, au trente-deux, la jolie maison blanche. Vous connaissez Monsieur Dufour?
L'ÉTRANGER	Très bien. C'est un de mes bons amis et je suis venu passer quelques heures avec lui.
JEAN-PAUL	Tiens! Monsieur Dufour est mon oncle.
L'ÉTRANGER	Pas possible! Comment t'appelles-tu?
JEAN-PAUL	Je m'appelle Jean-Paul Dufour.
L'ÉTRANGER	Mais alors, tu dois être le fils de Philippe Dufour?
JEAN-PAUL	Oui, Monsieur. Et vous, comment vous appelez-vous?
L'ÉTRANGER	Je m'appelle Marc Lemieux.
JEAN-PAUL	Vous êtes le Capitaine Lemieux? C'est vous qui êtes dans la marine, n'est-ce pas?
L'ÉTRANGER	Mais oui, et il y a longtemps que je connais ton père. Est-ce qu'il est à la maison maintenant?
JEAN-PAUL	Non, il n'est pas là. Il est en ville.
L'ÉTRANGER	C'est dommage. Tu diras bien des choses chez toi.
JEAN-PAUL	Mais oui, Monsieur.
L'ÉTRANGER	Au revoir, Jean-Paul.
JEAN-PAUL	Au revoir, Monsieur le capitaine.

14 Anne has plans and news as she greets her friend Claire.

ANNE   Tu veux jouer au tennis demain?

CLAIRE Je suis désolée. Je ne suis pas libre. Qui va jouer avec toi?

ANNE   Jean-Claude et Alain. Pourquoi ne peux-tu pas jouer avec nous?

CLAIRE Parce que je dois faire une promenade à bicyclette avec Armelle. Mais le tennis est plus amusant qu'une promenade à bicyclette. Je vais téléphoner à Armelle que je ne peux pas l'accompagner demain.

ANNE   C'est inutile. Elle n'est pas chez elle.

CLAIRE Pas possible! Comment sais-tu cela?

ANNE   Je l'ai vue cet après-midi. Elle m'a dit qu'elle allait passer quelque temps chez sa cousine. Elle est partie pour trois jours.

CLAIRE Elle a sans doute oublié notre promenade. Tant mieux! J'en suis ravie. Je pourrai donc jouer au tennis avec vous demain.

ANNE   Et la prochaine fois qu'Armelle t'invite, demande-lui si elle ne va pas passer trois jours chez sa cousine.

15 Marcel puts down a huge basket as Rita greets him at the door.

MARCEL Bonjour, Rita.

RITA Enfin, te voilà. Mais dis donc, tu as apporté tout un magasin.

MARCEL Mais non, ce ne sont que des rafraîchissements: du saucisson, du fromage, du lait, de la glace et des fruits. Crois-tu qu'il y en aura assez?

RITA Assez? Pour nous trois? Bien sûr. Il y en a même trop! Mais assieds-toi.

MARCEL Merci. Tu dis nous trois? Tu veux dire quatre, n'est-ce pas?

RITA Non. Bernadette vient de me téléphoner qu'elle ne peut pas venir. Sa mère est malade et il faut qu'elle reste avec ses deux petites sœurs pour leur donner à déjeuner.

MARCEL Et Hervé?

RITA Tiens! Le voilà. En retard comme toujours.

HERVÉ Bonjour!

RITA Et ta voiture, où est-elle?

HERVÉ Chez moi. Je ne sais pas ce qu'il y a, mais elle ne marche pas.

RITA Qu'est-ce que nous allons faire alors?

MARCEL Eh bien, on va servir les rafraîchissements ici. Qu'en penses-tu?

RITA Et moi qui voulais tant aller au bord du lac! Le parc est vraiment si beau; c'est un endroit charmant.

HERVÉ Ne t'inquiète pas, Rita. Tu dois connaître une jeune fille charmante qui a une voiture.

RITA Eh bien, il y a Rosine.

MARCEL Oh non, pas Rosine.

HERVÉ Et sa voiture est trop petite.

RITA Alors, il y a Suzanne . . . qu'en penses-tu? Elle n'est pas jolie, mais . . .

MARCEL Mais elle a une grande décapotable.

HERVÉ Ah oui, c'est vrai; elle est très sympathique. Téléphone-lui, Rita, tout de suite.

RITA Est-ce qu'on invite Robert?

MARCEL Robert? Jamais! Il mange trop!

16 Several friends discuss going to the new bowling alley.

JEAN   Qu'en dites-vous? Si on allait jouer aux boules?

PAUL   C'est une bonne idée. Avez-vous vu le nouveau Boulodrome? La décoration est vraiment réussie.

HENRI   Oui, je l'ai vu. Cet endroit est très bien, mais ça coûte
cher pour y jouer.

JEAN   J'ai assez d'argent pour t'en prêter, si tu veux.

HENRI   Non, merci. Mais je n'aime pas jouer aux boules parce
que ça coûte trop cher. J'aimerais mieux aller chez
Antoine écouter ses disques.

JEAN   Alors, allons chez lui.

PAUL   Ceux qui préfèrent jouer aux boules, venez avec moi.
Les autres, allez chez Antoine. Nous vous rejoindrons
dans deux heures.

JEAN   As-tu ta montre?

PAUL   Non. Mais je demanderai l'heure. Bonsoir.

TOPICS FOR REPORTS

1

Je ne suis pas allé(e) à la réunion cet après-midi. ..... *Pourquoi n'y es-tu pas allé(e)?* ..... *Est-ce que la répétition a eu lieu à la même heure?* ..... *Combien de réunions as-tu eues à la même heure?* ..... *Est-ce que tu as manqué à tes amis?*

2

Je compte assister demain à la réunion. ..... *Chez qui aura-t-elle lieu?* ..... *Qui sera là?* ..... *Va-t-on avoir des rafraîchissements?* ..... *Quand aura lieu la prochaine réunion?*

3

Je joue dans l'orchestre de l'école. ..... *Combien de garçons et de filles y a-t-il dans l'orchestre?* ..... *Quel jour de la semaine, et à quelle heure, la répétition a-t-elle lieu?* ..... *Est-ce que tu vas toujours à la répétition?*

4

Demain, c'est l'ouverture du Boulodrome. ..... *As-tu déjà joué aux boules?* ..... *Est-ce que cela coûte cher?* ..... *Peux-tu nous accompagner?* ..... *Qu'est-ce que tu comptes faire après?*

5

La classe est allée en excursion au bord du lac samedi dernier. ..... *Est-on allé en autobus ou en voiture?* ..... *À quelle heure y est-on arrivé?* ..... *Est-ce qu'on a déjeuné au lac?* ..... *À quelle heure est-on rentré?*

6

Ça me plaît beaucoup d'assister à un match de football. ..... *Y a-t-il un match cette semaine?* ..... *Où aura-t-il lieu?* ..... *Qui est-ce qui va jouer?* ..... *Quelle équipe préfères-tu?*

IV
Reading and Review

(Juliette likes to show off her graduation present.)

1 JULIETTE ET SA VOITURE

Ma cousine Juliette vient d'obtenir son permis de conduire. Mon oncle lui a acheté une petite voiture décapotable. Moi, j'aimerais quelque chose de plus grand mais Juliette en est ravie. Ce matin, elle m'a téléphoné:

—Ma petite Jeanne, je viendrai vous chercher à une heure, Josée et toi. Nous irons à la campagne, près du lac.

J'ai dit:

—Bonne idée. Il fait lourd et on est toujours bien en voiture, surtout en décapotable. Que faudra-t-il emporter?

—Vos maillots, quelque chose à manger et quelque chose à boire.

Josée et moi, nous sommes allées dans une épicerie et nous avons acheté du pain, du saucisson, du jambon, du fromage, de la pâtisserie, des fruits. Un menu formidable. Puis nous avons fait du café. Nous n'avons pas oublié le sel et les couteaux.

Il est une heure et nous attendons toujours Juliette. Il fait très chaud. Il est une heure et demie. Il est deux heures moins le quart. Nous attendons Juliette. Nous sommes inquiètes, Josée et moi. Juliette a échoué deux fois à l'examen avant d'obtenir son permis de conduire.

Enfin, voilà Juliette. Dans sa voiture, il y a déjà Hubert et sa sœur, Mathieu, Gérard et Nathalie.

—Je suis en retard et j'en suis désolée, dit Juliette. Mais, tout le monde adore ma belle voiture.

Je dis:

—Je vois ça. Mais tu as trop d'amis et ta voiture est trop petite.

—Alors, vous ne serez pas des nôtres?

Josée dit:

—Non, non, cent fois non. Emmène tes amis. Nous restons ici. Bonsoir.

Juliette et ses amis partent. Je dis:

—Si on allait faire une promenade à bicyclette?

—Oh non. Je n'en ai pas du tout envie. Il fait trop chaud. Je n'ai jamais vu un temps pareil.

—Alors, qu'est-ce que nous allons faire?

—Manger, ma petite, manger. Mmmm . . . toutes ces choses délicieuses.

—Oui. Allons manger.

—La campagne, ce sera pour une autre fois.

QUESTIONS

1. Qu'est-ce que Juliette vient d'obtenir?
2. Qu'est-ce que son père lui a acheté?
3. Est-ce que Jeanne aime les petites voitures?
4. À quelle heure Juliette viendra-t-elle chercher Josée et sa cousine?
5. Pourquoi est-ce une bonne idée de faire une promenade en voiture ce jour-là?
6. Qu'est-ce que Juliette demande à sa cousine d'emporter?
7. Où Jeanne et Josée sont-elles allées?
8. Qu'est-ce qu'elles ont acheté?
9. Qu'est-ce qu'elles n'ont pas oublié?
10. Pourquoi les deux jeunes filles sont-elles inquiètes?
11. À quelle heure arrive Juliette?
12. Qui sont les amis de Juliette dans la voiture?
13. Pourquoi Juliette est-elle en retard?
14. Pourquoi Jeanne ne veut-elle pas faire une promenade dans la décapotable de Juliette?
15. Qu'est-ce que Juliette demande à sa cousine et à Josée?
16. Qu'est-ce que Josée dit à Juliette?
17. Que font Juliette et ses amis?
18. Pourquoi Jeanne n'a-t-elle pas envie de faire une promenade à bicyclette?
19. Que font Jeanne et Josée?

2 TOUJOURS EN RETARD

Antoine a deux copains: Luc et Simon. Luc et Simon se connaissent mais ce ne sont pas de très bons amis.

Ce soir, il y a un bal dans la ville. C'est un bal très réussi: les décorations sont très belles; les rafraîchissements très bons. Et on a trouvé un excellent orchestre.

En ce moment, Luc est devant les rafraîchissements. Antoine est près de l'entrée. Il attend Simon qui est en retard. Enfin, Simon entre dans la salle. Antoine lui dit:

—Tu es en retard comme toujours. Tu nous as manqué.

—J'en suis désolé, mais j'ai aidé mon père tout l'après-midi. Tiens, qui est cette jeune fille?

—Tu veux dire la jeune fille près de cette dame âgée?

—Oui. Elle est drôlement jolie. C'est la première fois que je la vois.

—Elle habite dans une petite ville près d'ici. Elle s'appelle Noëlle Reboux.

—Tu la connais bien?

—Mais oui. Elle est charmante, intelligente, sportive. . . .

—Et surtout ravissante. Tu veux me présenter?

—Tu sais qu'elle . . .

—Je sais que j'ai envie de danser avec elle, de l'emmener prendre un rafraîchissement. Viens.

—Pas si vite. Il faut que. . . .

—Elle me regarde. Sans doute, elle me trouve sympathique. Oh, la voilà qui vient vers nous. . . . Mademoiselle, je suis un ami d'Antoine. Je me présente: Simon Girard. Je sais votre nom: Noëlle Reboux. Noëlle! Quel joli nom! Il vous va admirablement. Quelle ravissante coiffure! Il y a longtemps que je désire danser avec vous. Vous voulez danser?

—Non, merci. Antoine. . . .

—Alors, est-ce que je peux aller vous chercher une glace?

—Non, merci. Antoine, tu n'as pas vu Luc?

—Mais si. Ah, le voilà.

Luc donne une glace à Noëlle et dit:

—Il y a tant de monde que je ne pouvais plus te retrouver. Tiens, Simon? Tu connais ma fiancée?

1. Comment s'appellent les deux copains d'Antoine?
2. Est-ce que Luc et Simon se connaissent?
3. Comment est le bal?
4. Où est Luc en ce moment?
5. Pourquoi Antoine est-il près de l'entrée?
6. Qu'est-ce qu'Antoine dit à Simon?
7. Pourquoi Simon est-il en retard?
8. Pourquoi Simon demande-t-il à Antoine le nom de la jeune fille qui est près d'une dame âgée?
9. Pourquoi est-ce la première fois qu'il voit Noëlle?
10. Qu'est-ce qu'Antoine pense de Noëlle?
11. Pourquoi Simon veut-il être présenté à Noëlle?
12. Est-ce Simon ou Antoine que Noëlle regarde?
13. Pourquoi Noëlle vient-elle vers Simon et Antoine?
14. Comment Simon se présente-t-il?
15. Est-ce que Noëlle veut danser avec Simon?
16. Qu'est-ce qu'elle demande à Antoine?
17. Qui donne une glace à Noëlle?
18. Qui est Noëlle?

17 Minor catastrophes

1 "Have you read the evening paper?"
2 "Not yet. What's new?"
3 "There's a story about an automobile accident.
4 'Two people slightly injured . . .'
5 Do you recognize the boy in this picture?"
6 "Sure! That's Janine Godin's brother."
7 "It says he broke his arm."

8 "Hello, Armand. How are things this morning?"
9 "Terrible."
10 "Why? What's the matter?"
11 "I've got an awful cold. I'm afraid it's the flu."
12 "I hope not. Did you go to the doctor?"
13 "No, but I'm on my way there right now."

14 "I'm going for some aspirin."
15 "Do you have a headache?"
16 "No. When I got up, I had a terrible toothache."
17 "Didn't you go to the dentist?"
18 "He couldn't see me this morning.
19 But I've got an appointment with him at four."
20 "Cheer up! It'll be better soon."

17 Petits malheurs

1 —Avez-vous lu le journal de ce soir?

2 —Pas encore. Qu'est-ce qu'il y a de nouveau?

3 —On y parle d'un accident d'automobile.

4 «Deux personnes légèrement blessées . . .»

5 Vous reconnaissez le garçon sur cette photo?

6 —Mais oui! C'est le frère de Janine Godin.

7 —On dit qu'il s'est cassé le bras.

8 —Bonjour, Armand. Ça va ce matin?

9 —Ça ne va pas du tout.

10 —Pourquoi? Qu'est-ce qu'il y a?

11 —J'ai un rhume abominable. J'ai peur que ce soit la grippe.

12 —J'espère que non. Es-tu allé chez le médecin?

13 —Non, mais j'y vais de ce pas.

14 —Je vais chercher de l'aspirine.

15 —As-tu mal à la tête?

16 —Non. Quand je me suis levé, j'avais très mal aux dents.

17 —Tu n'es pas allé chez le dentiste?

18 —Il ne pouvait pas me recevoir ce matin.

19 Mais j'ai un rendez-vous avec lui à quatre heures.

20 —Courage! Ça ira bientôt mieux.

QUESTION-ANSWER PRACTICE

1
M. TAILLARD   Avez-vous lu le journal de ce soir?
M. FONTAINE   Non. Pas encore.

2
M. FONTAINE   Qu'est-ce qu'il y a de nouveau?
M. TAILLARD   On y parle d'un accident d'automobile.

3
MARIE-HÉLÈNE   Vous reconnaissez la jeune fille sur cette photo?
MME BERTRAND   Mais oui!   C'est la soeur de Claire Morel.

4
RICHARD   Bonsoir, Anne.   Comment vas-tu?
ANNE   J'ai un rhume abominable.

5
YVETTE   Pourquoi vas-tu chercher de l'aspirine?
JEANNE   J'ai très mal aux dents.

6
YVETTE   Tu n'es pas allée chez le dentiste?
JEANNE   Non.   Il ne pouvait pas me recevoir ce matin.

7
MME MATHIEU   À quelle heure vas-tu chez le dentiste?
M. MATHIEU   J'ai un rendez-vous avec lui à quatre heures.

8
M. VANIER   Bonjour, Armand.   Ça va ce matin?
ARMAND   Ça ne va pas du tout.

9
LUCILLE   Qu'est-ce qu'il y a, Louise?   As-tu mal à la tête?
LOUISE   Oui.   J'ai peur que ce soit la grippe.

10
LUCILLE   Es-tu allée chez le médecin?
LOUISE   Non, mais j'y vais de ce pas.

PATTERN PRACTICE

1 On dit qu'il s'est cassé

le bras	
la jambe	*leg*
le doigt	*finger*
le cou	*neck*
le nez	*nose*
l'épaule	*shoulder*

.

2 J'ai peur que ce soit

la grippe	
un mauvais rhume	*bad cold*
une pneumonie	*pneumonia*
la varicelle	*chicken pox*
la rougeole	*measles*
les oreillons	*mumps*

.

3 Vous reconnaissez

le garçon	
le monsieur	
la jeune fille	
les personnes	
les enfants	*children*
l'élève	*student*

sur cette photo?

4 Avez-vous lu

le journal de ce soir	
cette revue	*magazine*
cet article-ci	*this (particular) article*
ce livre	
cette pièce	*play*
ce conte	*short story*

?

5 J'ai un rendez-vous avec lui à

deux heures et quart	
quatre heures	
quatre heures dix	
six heures et demie	
huit heures moins cinq	*7:55*
neuf heures moins le quart	*8:45*

.

6   Il ne peut pas me recevoir

| ce matin |
| cet après-midi |
| ce soir |
| aujourd'hui |
| avant cinq heures   *before 5:00* |
| mardi après-midi |

.

7   Tu n'es pas allé(e)

chez le dentiste	
chez le médecin	
chez le notaire	*notary*
chez l'avocat	*lawyer*
chez le spécialiste	*specialist*
chez le commissaire de police	*police captain*

?

8   J'y vais

| de ce pas |
| tout de suite |
| immédiatement |
| dans un instant |
| maintenant |
| dans un moment |

.   Vous voulez m'accompagner?

9   C'est

le frère de Janine	
la sœur de Paul	
la mère de mon meilleur ami	*best friend*
le père de Michel	
la tante de François	
l'oncle de Françoise	

.

10   Qu'est-ce qu'il y a?   Avez-vous

mal aux dents	*teeth*
mal à la gorge	*throat*
mal à la tête	*head*
mal aux pieds	*feet*
mal aux yeux	*eyes*
mal à l'oreille	*ear*

?

Compass Points	Les Quatre Points Cardinaux
north	nord
south	sud
east	est
west	ouest

Traffic Signs	Signalisation
Do not sound horn	Signaux sonores interdits
No thoroughfare	Sens interdit
No parking	Stationnement interdit
Speed limit (25 M.P.H.)	Limite de vitesse (40 kilomètres à l'heure)
Danger	Danger
One-way street	Sens unique
Road slippery when wet	Chaussée glissante
No left (right) turn	Virage à gauche (à droite) interdit
Stop	Stop

Warnings	Avertissements
No smoking	Défense de fumer
No trespassing	Défense d'entrer
Post no bills	Défense d'afficher
Beware of the dog	Chien méchant

CONVERSATIONS

1   Jeanne drops into her brother's room where he is recovering from chicken pox.

JEANNE   Tu sais que toute ta classe est allée en excursion dans la
montagne hier?

ROBERT   Tu dois croire que je suis bien bête.

JEANNE   Pourquoi dis-tu ça?

ROBERT   Parce que c'est vrai.   Comment oublier l'excursion
quand je ne pensais qu'à cela?

JEANNE   Marie-Louise n'est pas allée non plus.   Elle aussi a la
varicelle.

ROBERT   Je me demande si Jean-Paul y est allé.

JEANNE   Certainement.   C'est lui qui m'a dit que l'excursion
avait si bien réussi.

ROBERT   J'ai envie de lui téléphoner pour demander où ils sont
allés, s'il y avait de la neige, s'il a fait froid.

JEANNE   Pourquoi veux-tu lui demander tout ça?

ROBERT   Parce que je veux savoir [1] si j'ai manqué quelque chose
d'amusant.

[1]   savoir   to know

2   Aurélie is in misery at the office.

AURÉLIE   Que j'ai mal aux dents!   Je vais chercher de l'aspirine
tout de suite.

CLAIRE   Si tu veux, je peux t'en donner.

AURÉLIE   Oh, merci, tu es très gentille.

CLAIRE   Es-tu allée chez le dentiste?

AURÉLIE   Pas encore.   Mais j'ai un rendez-vous avec lui à quatre
heures.

CLAIRE   Est-ce que c'est loin d'ici?

AURÉLIE   Attends, j'ai son adresse: trente-quatre, rue de la
République.

CLAIRE   C'est assez loin.

AURÉLIE   Oui.   Je vais prendre l'autobus à trois heures et demie.

CLAIRE   Courage, Aurélie.   Ça ira bientôt mieux.

AURÉLIE   Je l'espère bien.

3 Rosalie is waiting for the bus as Miss Lanvin and Mrs. Boivert approach.

MLLE LANVIN   Tu connais cette jeune fille-là, Hermione?

MME BOIVERT   Je ne crois pas.

MLLE LANVIN   C'est Rosalie, tu sais, la quatrième fille des Lefèvre.

MME BOIVERT   Ah, oui.

MLLE LANVIN   Elle est charmante, cette petite.   Seulement elle parle beaucoup—pour une jeune fille.

*   *   *

MLLE LANVIN   Toute la famille va bien, Rosalie?

ROSALIE   Oui, Mademoiselle.

MLLE LANVIN   Tu vas en ville faire des courses pour ta mère?

ROSALIE   Oui, Mademoiselle.

MLLE LANVIN   C'est pour le dîner que tu fais des courses?

ROSALIE   Oui, Mademoiselle.

MLLE LANVIN   Tu attends l'autobus?   Il y a longtemps que tu l'attends?

ROSALIE   Oui, Mademoiselle.   Non, Mademoiselle.

MLLE LANVIN   S'il ne vient pas bientôt, tu pourras prendre ta bicyclette, tu ne crois pas?

ROSALIE   Si, Mademoiselle.

MLLE LANVIN   Tiens, ma petite.   Voilà l'autobus.   Tu n'auras pas besoin de prendre ta bicyclette.   Va, ne perds pas de temps et n'oublie pas les courses de ta maman.

ROSALIE   Oui, Mademoiselle.   Non, Mademoiselle.

*   *   *

MLLE LANVIN   N'est-ce pas que ces jeunes filles d'aujourd'hui parlent trop, Hermione?

4 Mr. Mercier calls his boss to let him know that he will not be able to come to work Monday.

M. MERCIER   Allô!   ÉTOile dix-sept—dix-neuf?

M. POUGET   Oui, qui est à l'appareil?

M. MERCIER   Ici Monsieur Mercier.   Monsieur Pouget est là?

M. POUGET   Oui.   C'est Pouget qui parle.

M. MERCIER	Ah, bonjour, Monsieur. Je m'excuse de vous téléphoner le dimanche, mais . . .
M. POUGET	Oui, Monsieur Mercier, c'est tout naturel de vous excuser. Mais, rappelez-vous quand même que pour moi le dimanche est comme tous les jours de la semaine. Je travaille![1] Je travaille toujours! Dix-huit heures par jour![2]
M. MERCIER	Oui, Monsieur. C'est admirable, Monsieur. Mais je vous téléphone parce que . . .
M. POUGET	Vous voyez, Mercier, je vais vous dire quelque chose. Vous, vous ne montrez pas assez d'enthousiasme dans votre travail. Vous arrivez toujours à neuf heures juste ou même un peu après, et vous partez toujours à cinq heures juste ou même un peu avant.
M. MERCIER	Mais, Monsieur, . . .
M. POUGET	Croyez-vous que vous allez faire des progrès comme ça? Vous ne travaillez pas assez, mon cher Mercier.
M. MERCIER	Mais c'est pour ça que je téléphone, Monsieur Pouget —j'allais vous dire que je ne pourrais travailler que dans six semaines. Le médecin m'a dit que . . .
M. POUGET	QUOI! Six semaines! Ce n'est pas sérieux, Monsieur?
M. MERCIER	Si, Monsieur. Le médecin me l'a dit—six semaines sans travailler—je me suis cassé le bras, et . . .
M. POUGET	Le bras? Vous vous êtes cassé le bras! Mais mon cher Mercier, c'est impossible!
M. MERCIER	Non, Monsieur. J'ai eu un accident d'automobile, Monsieur . . . je me suis cassé le bras et les deux jambes, aussi . . .
M. POUGET	Tiens, tiens . . . le bras et les jambes. Et vous allez rester six semaines sans travailler? Mais . . . Après une semaine, vous pourriez peut-être travailler chez vous, ne croyez-vous pas, Monsieur Mercier . . . on vous apportera du travail. Qu'en dites-vous, Monsieur Mercier? . . . Monsieur Mercier? . . . Répondez donc, Mercier! . . . mais où est-il passé?[3]

---

[1] je travaille   I work   [2] par jour   per day   [3] passé   gone

5 Mrs. Olivier is fond of her neighbor's six-year old.

MME OLIVIER	Janine, où est ta maman?
JANINE	Elle est dans la cuisine. Je vais aller la chercher.

*   *   *

MME OLIVIER	Bonjour, Madame. Je voudrais bien emmener Janine avec moi. Je compte faire des achats et faire une petite promenade dans le parc.
MME LECLERC	Janine, est-ce que tu veux accompagner Madame Olivier?
JANINE	Oui, maman! Elle m'achète toujours une glace.
MME LECLERC	Ces enfants! Ne dis pas cela. Ce n'est pas gentil.
JANINE	Pardon, Madame.
MME LECLERC	Vous savez qu'elle adore les glaces.
MME OLIVIER	Et moi, j'aime beaucoup lui en offrir. [1]
MME LECLERC	À quelle heure voulez-vous partir?
MME OLIVIER	Vers deux heures et demie, ou plus tard. Ça n'a pas d'importance.
MME LECLERC	Elle sera devant votre maison à deux heures et demie juste.
JANINE	Moi aussi, j'ai une montre. Regardez . . .
MME OLIVIER	Tiens. Quelle heure est-il?
JANINE	Huit heures, Madame.
MME LECLERC	Il est toujours huit heures à sa montre.
MME OLIVIER	Bien. . . . Alors, à plus tard, Janine.
JANINE	Au revoir, Madame.

*   *   *

JANINE	Maman, n'est-il pas encore deux heures et demie?

[1] offrir   to offer

6 Pierre, the school's star halfback, is ill; the coach and two players have called to see him.

MME PLON	Asseyez-vous, Messieurs, asseyez-vous. Vous êtes très gentils de venir le voir. . . . Ça fait trois jours qu'il est malade.
M. DUREAU	Et comment va-t-il ce matin, Madame? Mieux, j'espère.
MME PLON	Il mange très peu. Ah, le pauvre petit, j'ai peur que ce soit très grave. Le docteur Chabeau est avec lui en ce moment. Quand il est rentré de la campagne, où il était allé voir son oncle, il n'allait pas bien du tout.
M. DUREAU	Si vous permettez, Madame, nous attendrons. Peut-être que ça ne sera qu'un mauvais rhume. Il y en a beaucoup ce printemps-ci.
MME PLON	Un rhume? Ah non, Monsieur. C'est beaucoup plus grave. J'ai peur que ce soit la grippe ou une pneumonie. Ah, voilà le médecin. . . . Alors, docteur?
LE MÉDECIN	Ne vous inquiétez pas, Madame. Je lui ai donné de l'aspirine, et vous pouvez lui donner un comprimé [1] toutes les trois heures.
MME PLON	Bien, docteur.
LE MÉDECIN	Et ne lui donnez pas beaucoup à manger,—des fruits et du lait chaud, voilà tout.
MME PLON	Oui, docteur.
LE MÉDECIN	J'espère que ça ira bientôt mieux, Madame, mais il doit rester au moins dix jours à la maison.
M. DUREAU	Dix jours! Mais qu'est-ce qu'il a?
LE MÉDECIN	Vous ne le saviez pas? Tout simplement: la varicelle.
MME PLON	Ah oui, . . . de ses petits cousins. Je l'avais complète-ment oublié.
HENRI	La varicelle? Je ne l'ai jamais eue.
HONORÉ	Moi non plus.
M. DUREAU	Et moi non plus. Au revoir, Madame. Bien des choses à Pierre.
MME PLON	Merci, Monsieur. Au revoir, Messieurs.
M. DUREAU	À bientôt, docteur.

[1] comprimé   tablet (medicinal)

7 Pauline is shocked as she reads "The Evening News."

PAULINE   Oh, maman, regarde cette photo!   Un accident.   Voilà
          un garçon de notre école.
LA MÈRE   Tu le connais?
PAULINE   Oui, très bien.   Il est dans ma classe.
LA MÈRE   Est-il blessé?
PAULINE   Oui, il s'est cassé le bras.
LA MÈRE   Comment s'appelle-t-il?
PAULINE   Dominique Lebon.
LA MÈRE   Et les Lebon, où demeurent-ils?
PAULINE   Je ne sais pas. . . . Ah, si, . . . soixante, rue de l'Est.
LA MÈRE   N'a-t-il pas une sœur plus âgée?
PAULINE   Non, maman, il est fils unique.

8 Mrs. Mathieu, a member of a group studying requests for more classrooms,
is making a tour of the school building.

MME MATHIEU   Plus de trente dans une classe, Mademoiselle?
               Pourquoi ne mettez-vous [1] pas moins d'élèves
               dans une classe?
MLLE LEBEL   Mais, Madame, on voudrait bien.   Mais nous n'a-
               vons pas assez de salles.
MME MATHIEU   Pas assez de salles?   Et cette salle-là, alors?
MLLE LEBEL   C'est la bibliothèque, Madame.
MME MATHIEU   On pourrait peut-être mettre une classe dans la
               bibliothèque?
MLLE LEBEL   Bien sûr, Madame.   Il y en a déjà trois.   Voulez-
               vous voir la bibliothèque?
MME MATHIEU   Merci, je n'ai pas beaucoup de temps.   Allons voir
               le réfectoire.
MLLE LEBEL   Certainement, Madame.   Mais, c'est assez loin.
               Par ici, [2] s'il vous plaît. . . . Vous savez qu'au
               réfectoire on leur donne toujours un excellent
               menu et que ça ne coûte pas cher.
MME MATHIEU   Vous voulez dire, Mademoiselle, que ça ne coûte
               rien aux élèves.   Mais à nous, ça nous coûte
               beaucoup.
MLLE LEBEL   Oui, Madame, mais c'est vraiment très bon et très
               bon marché.
MME MATHIEU   Allons voir.   Vous avez six cents élèves dans

l'école, n'est-ce pas? Le réfectoire doit donc être très grand. Que faites-vous de ce grand réfectoire avant et après le déjeuner?

MLLE LEBEL Madame, tous les élèves ne vont pas au réfectoire en même temps. Quelques élèves prennent leur repas à onze heures et demie, d'autres à midi, et d'autres à une heure.

MME MATHIEU Mais, combien de personnes peuvent [3] prendre leur repas en même temps dans ce réfectoire?

MLLE LEBEL Plus de cent quatre-vingts. Mais seulement cent vingt prennent leur repas en même temps.

MME MATHIEU Ah! pas plus de cent vingt, eh? . . .

MLLE LEBEL Nous y voilà, Madame. Voulez-vous entrer?

MME MATHIEU Merci, un instant, seulement.

MLLE LEBEL La décoration est vraiment bien, n'est-ce pas, Madame?

MME MATHIEU Eh? La décoration? . . . oui, très bien. Mais, Mademoiselle, il y a plus de cent vingt élèves ici! Et quel tintamarre! [4]

MLLE LEBEL Oui, Madame, ce sont les cent vingt qui déjeunent et aussi les quatre classes qui restent ici toute la journée.

MME MATHIEU Mais comment peut-on travailler avec tout ce tintamarre de couteaux et de verres?

MLLE LEBEL On fait de son mieux, voilà tout. Quelques élèves déjeunent; les autres font leurs devoirs. [5]

MME MATHIEU Mais, c'est impossible!

MLLE LEBEL Absolument, Madame.

MME MATHIEU Merci beaucoup, Mademoiselle; mais il faut que je parte.

MLLE LEBEL Ne voulez-vous pas voir la salle de gymnastique, Madame? Elle est là, tout à côté.

MME MATHIEU La salle de gymnastique? Oui. . . . Mais, il y a aussi des classes dans la salle de gymnastique?

MLLE LEBEL Oui, Madame, il y en a trois. Entrons, si vous voulez.

MME MATHIEU Non, merci. Ce sera pour une autre fois.

---

[1] mettre to put   [2] par ici this way   [3] peuvent can
[4] tintamarre uproar, noise   [5] font leurs devoirs do their homework

9 Georges, Robert, Pierre and Armand are in the basement playroom at Armand's house. His parents have already left for the early movie.

GEORGES Qu'est-ce qu'on va faire ce soir?

PIERRE Si on allait au cinéma?

GEORGES Quel film donne-t-on?

ROBERT Un film d'aventures. Il est très bon, mais je l'ai déjà vu.

ARMAND Moi aussi.

PIERRE Alors, pas de cinéma pour nous.

GEORGES Si on allait jouer aux boules?

ARMAND C'est une bonne idée! Au nouveau Boulodrome!

ROBERT Non, non! C'est trop loin. Comment y aller? La voiture ne marche pas, tu le sais.

ARMAND C'est vrai.

PIERRE On pourrait toujours y aller à pied.

ROBERT Pas moi. J'ai fait deux heures de base-ball cet après-midi, et je suis bien fatigué.

GEORGES Qu'est-ce qu'il y a à la télévision ce soir?

ARMAND Quelle heure est-il?

GEORGES Il vient de sonner sept heures.

ROBERT Donne-moi le programme de ce soir.

ARMAND Le voici.

ROBERT Sept heures. . . . Hmm. . . . «Quel temps fait-il?» avec le Tonton Albert.

ARMAND Il n'y a pas autre chose? Je sais bien le temps qu'il fait.

ROBERT Sept heures et demie. . . . Bon . . . ! «Dans la neige du Nord» avec Robert Desmenil, Andrée Souverain et Fifi Maurois.

PIERRE Ah, Fifi! Chic alors!

ARMAND Allons voir si ce Tonton Albert a terminé. . . . Écoute: . . . présentation de la Compagnie BONPOURTOUS. Et n'oubliez pas que votre meilleur ami c'est toujours

BONPOURTOUS. En hiver, quand il y a de la glace dans les rues et que vous avez mal à la gorge, . . . en été quand vous avez fait une longue promenade et que vous avez mal à la tête ou aux yeux,—prenez toujours BONPOURTOUS. Et maintenant, voici de nouveau le Tonton Albert.

«Quel temps fera-t-il demain?   Il fera plus chaud, plus lourd . . .»

ROBERT   Assez! Assez! Je t'en prie.

ARMAND   Si on prenait quelque chose avant le film?

GEORGES   Bonne idée.

PIERRE   Excellente.

ROBERT   D'accord.

ARMAND   Allons à la cuisine, alors.

*   *   *

GEORGES   Où sont tes parents?

ARMAND   Au cinéma.   Nous pouvons prendre tout ce que nous voulons.   Allons voir ce qu'il y a à manger. . . . Ah, du lait.

ROBERT   Bon, c'est pour moi, ça.

ARMAND   Voilà . . . du fromage. Il est bon. Prends-le, Georges. . . . et voilà des éclairs au chocolat . . . et des fruits. On va faire des sandwichs.

PIERRE   Et le pain? Où est le pain?

ARMAND   Le voilà.

ROBERT   Un couteau pour le fromage?

ARMAND   Voici.

GEORGES   Des verres pour le lait?

ARMAND   Les voilà. . . . Bon, allons donc voir ce film. On peut revenir plus tard si on a faim. [1]

---

[1]   revenir   come back

10 Micheline rounds the corner and almost runs into Robert and Jean-Pierre.

JEAN-PIERRE	Ah, te voilà. Je te trouve enfin.
MICHELINE	Qu'est-ce qu'il y a, Jean-Pierre?
ROBERT	Allons! La décoration de la salle de fête nous attend.
MICHELINE	Eh bien, je suis désolée, mais je ne peux pas vous aider ce soir.
ROBERT	Eh bien, tu vas nous manquer, Micheline. Surtout parce qu'il y a beaucoup de travail à faire.
MICHELINE	Je sais bien, mais je ne pourrais pas beaucoup vous aider. Je ne vais pas bien du tout—j'ai un rhume abominable et je vais rentrer tout de suite. Bon courage!

*   *   *

JEAN-PIERRE	Écoute, qu'est-ce qu'on peut faire avec une jeune fille comme ça?
ROBERT	Ça alors, tu peux le demander. Elle est toujours malade.
JEAN-PIERRE	Aujourd'hui c'est un rhume, l'autre jour c'était la grippe. Elle doit prendre rendez-vous avec le médecin tous les jours, tu ne crois pas?
ROBERT	Et elle prend toujours de l'aspirine. Je me demande si elle mange autre chose!
JEAN-PIERRE	Et tu sais, elle est surtout malade quand il y a du travail à faire!

11 Roger has come by to study (?) with Rodolphe.

ROGER	J'ai assisté au match de tennis, hier.
RODOLPHE	Que je suis bête! Je n'ai pas pensé à y aller.
ROGER	Mais on l'a annoncé à la radio.
RODOLPHE	Je n'écoute jamais la radio.
ROGER	La partie a été très disputée.
RODOLPHE	Qui est-ce qui jouait?
ROGER	Une équipe américaine contre une équipe canadienne.
RODOLPHE	Où le match a-t-il eu lieu?
ROGER	Sur le court municipal. J'ai trouvé la partie très intéressante.

RODOLPHE	Qu'est-ce que tu as fait après le match?
ROGER	Je suis allé à la bibliothèque pour rendre des livres.
RODOLPHE	As-tu vu quelqu'un que tu connais?
ROGER	Mais oui. J'y ai trouvé Paul Auclair.
RODOLPHE	Paul Auclair à la bibliothèque? Ça m'étonne.
ROGER	Il n'était pas là pour travailler, mais pour parler à ses amis.
RODOLPHE	Comment va-t-il, Paul?
ROGER	Il va très bien. Il vient d'obtenir son permis de conduire, et son père lui a donné une voiture. Tu devrais la voir: une décapotable bleue.
RODOLPHE	Une décapotable! Non! Pas possible!
ROGER	Je vais le rejoindre à deux heures et nous allons faire une promenade.
RODOLPHE	Est-ce que je peux vous accompagner?
ROGER	Je vais le lui demander. Il dira certainement oui.

TOPICS FOR REPORTS

1

On parle dans le journal d'un accident d'automobile. ..... *As-tu vu une photo de l'accident? ..... Connais-tu ces personnes? ..... Est-ce qu'une des voitures est plus petite que l'autre? ..... Qui a été blessé? ..... Qu'est-ce qu'il (elle) s'est cassé? ..... Est-ce que c'est grave?*

2

J'ai très mal à la tête ce matin. ..... *À quelle heure t'es-tu levé(e)? ..... Es-tu allé(e) chercher de l'aspirine? ..... As-tu un rhume? ..... As-tu peur que ce soit la grippe? ..... Vas-tu aller chez le médecin ou préfères-tu rentrer?*

3

Regarde cette photo de ma petite cousine. ..... *Comment s'appelle-t-elle? ..... Quel âge a-t-elle? ..... Qu'est-ce qu'elle aime manger? ..... Mange-t-elle beaucoup? ..... Ses frères et ses sœurs, mangent-ils beaucoup aussi? ..... Est-elle amusante? ..... Est-elle intelligente?*

4

Mon ami(e) est malade. ..... *Y a-t-il longtemps que ton ami(e) est malade? ..... Qu'est-ce qu'il (elle) a? ..... Est-ce que c'est grave? ..... Va-t-il (elle) mieux maintenant?*

5

Quand je me suis levé(e), j'avais très mal aux dents. ..... *Quand a-t-il commencé? ..... À quelle heure vas-tu chez le dentiste? ..... Comment s'appelle-t-il? ..... Est-ce que son bureau est loin d'ici? ..... Veux-tu que quelqu'un t'accompagne?*

18 A holiday

1 "Listen! Do you hear the music?"

2 "You can hear it much better now."

3 "The parade will go by us soon."

4 "Look how excited those children are.

5 It's a big event for them."

6 "You're right. Everybody loves a band.

7 I took some pictures of last year's parade.

8 Unfortunately they're not at all clear."

9 "Oh, I remember. The weather was bad that day.

10 But you should do much better this afternoon."

11 "Tell me what you plan to do today."

12 "I've got to go to my grandparents'."

13 "Are you going to stay there all day?"

14 "Yes, the whole family will be there.

15 After lunch we're all going to the airport.

16 My Aunt Lucienne is coming in from England."

17 "By the way, Pierrette, have you had a call from Bernard?"

18 "Yes, he asked me to go with him to Monique's."

19 "Jacques and I are invited too."

20 "That makes it even better. We'll have lots of fun."

18   Jour de fête

1 —Écoute! Entends-tu la musique?

2 —On l'entend bien mieux maintenant.

3 —Le défilé va bientôt passer devant nous.

4 —Regarde comme ces enfants sont impatients.

5   Pour eux, c'est tout un événement!

6 —Tu as raison. Tout le monde adore les fanfares.

7   J'ai pris des photos du défilé de l'an dernier.

8   Malheureusement, elles sont loin d'être nettes.

9 —Ah, je me rappelle. Il faisait mauvais temps ce jour-là.

10   Mais tu devrais mieux réussir cet après-midi.

11 —Dis-moi ce que tu comptes faire aujourd'hui.

12 —Il faut que j'aille chez mes grands-parents.

13 —Tu vas y rester toute la journée?

14 —Oui, toute la famille sera là.

15   Après le déjeuner, nous irons tous à l'aéroport.

16   Ma tante Lucienne arrive d'Angleterre.

17 —À propos, Pierrette, as-tu reçu un coup de téléphone de Bernard?

18 —Oui, il m'a demandé de l'accompagner chez Monique.

19 —Jacques et moi, nous sommes aussi invités.

20 —Tant mieux. On s'amusera bien.

QUESTION-ANSWER PRACTICE

1
GISÈLE Écoute! Entends-tu la musique?
MARIE-ANNE On l'entend bien mieux maintenant.

2
MARIE-ANNE Ces enfants sont très impatients, n'est-ce pas?
GISÈLE Oui. Pour eux, c'est tout un événement.

3
RICHARD Tu n'aimes pas les fanfares?
ÉDOUARD Mais si. Tout le monde adore les fanfares.

4
M. AUCLAIR Avez-vous pris des photos du défilé de l'an dernier?
M. PERRIN Oui, mais malheureusement elles sont loin d'être nettes.

5
M. AUCLAIR Il faisait mauvais temps, n'est-ce pas?
M. PERRIN Oui. Je devrais mieux réussir cet après-midi.

6
GEORGES Qu'est-ce que tu comptes faire aujourd'hui?
MARIE Il faut que j'aille chez mes grands-parents.

7
M. DOUCETTE Vous allez tous à l'aéroport après le déjeuner?
THÉRÈSE Oui, ma tante arrive d'Angleterre.

8
PAULETTE Est-ce que tu vas rester chez tes grands-parents toute la journée?
SIMONE Oui, toute la famille sera là.

9
GEORGES Est-ce que tu seras chez Bernard demain soir?
BENOÎT Oui. Pauline et moi, nous sommes invités.

10
SYLVIE As-tu reçu un coup de téléphone d'André?
PAULINE Oui, il m'a demandé de l'accompagner chez Arlette.

PATTERN PRACTICE

1 | Tu devrais | mieux réussir | mon enfant
   | ─ ─ ─ ─ ─ | cet après-midi, | papa
   | Vous devriez | | Paul
   | | | ─ ─ ─ ─ ─ ─ ─ ─ .
   | | | Monsieur
   | | | Hervé et Jacques
   | | | Madame

2 Ma tante arrive

   de France
   d'Angleterre
   de Belgique   *Belgium*
   d'Italie   *Italy*
   d'Allemagne   *Germany*
   d'Irlande   *Ireland*

3 Mon père
   Tout le monde
   Toute la famille
   ─ ─ ─ ─ ─ ─   sera
   Tous les garçons   ─ ─ ─   là demain.
   Mes parents   seront
   Toutes nos amies

4 Il faut que j'aille

   chez mes grands-parents
   chez mes cousins
   chez mes amis
   chez Simone
   chez le dentiste
   chez mon cousin

5 Ah, je me rappelle.   Il faisait

   mauvais
   beau
   chaud
   froid   ce jour-là.
   du vent   *windy*
   du soleil   *sunny*

6 Nous irons tous

à l'aéroport
au bal
au parc
au bord de la mer *seashore*
à la première *opening night*
à la répétition

.

7 Dis-moi ce que

tu comptes
tu vas
tu veux
tu désires
tu peux
tu dois

faire aujourd'hui.

8

Jacques et moi
Marie et moi
Les garçons et moi
Mes parents et moi
Irène et moi
Les enfants et moi

, nous sommes aussi invité(e)s.

9

Pour eux
Pour moi
Pour elle
Pour toi
Pour nous
Pour lui

, c'est tout un événement.

10

Tu as
— — — —
Vous avez

raison,

maman
Marie
André
— — — —
Monsieur
Anne et Marthe
Mademoiselle

.

CONVERSATIONS

1 Victor and Alfred are at the parade.

VICTOR Alors, tu ne vas pas prendre des photos du défilé?

ALFRED Non, je préfère prendre des photos des personnes qui le regardent.

VICTOR Vois-tu le petit frère d'Edmond, là-bas? Comme il est impatient! On voit qu'il adore les fanfares.

ALFRED Oui, pour lui c'est tout un événement. Tiens, je vais prendre une photo de lui. Appelle-le, veux-tu?

VICTOR Jean-Paul! Jean-Paul! Regarde-moi! . . . Ah, il ne veut pas me regarder.

ALFRED Il ne peut pas te voir. Il y a trop de monde.

VICTOR Jean-Paul! Enfin . . . le voilà. Prends-la vite!

ALFRED C'est fait! Elle sera très bonne, j'en suis sûr.

VICTOR Écoute la fanfare. Le défilé va bientôt passer.

2 Janine and Pierrette are on the phone.

JANINE À propos, Pierrette, as-tu reçu un coup de téléphone de Bernard?

PIERRETTE Oui, il vient de me téléphoner. Nous allons chez Monique.

JANINE Pour écouter des disques? J'y vais aussi avec Jean.

PIERRETTE On s'amusera, tu crois?

JANINE Peut-être, mais il faudra regarder toutes les photos qu'elle a prises cet hiver!

PIERRETTE Si nous apportions les nôtres pour les montrer aussi?

3 On a wintry morning, Mrs. Grincette is infuriated to discover one of her boarders in the kitchen.

MME GRINCETTE Qu'est-ce que vous faites dans ma cuisine, Monsieur?

M. LAJOIE Un peu de café chaud, Madame. Il fait plus froid dans cette maison que dans une station de ski.

MME GRINCETTE	Vous trouvez, Monsieur? . . .
M. LAJOIE	Regardez, Madame: deux tricots, . . . deux vestons. . . . On a besoin de tout cela ici. Je me suis levé avec un rhume abominable, et je me demande même si j'ai la grippe.
MME GRINCETTE	C'est curieux. Les autres ne m'ont rien dit.
M. LAJOIE	Madame, c'est qu'ils ont peur de se lever ce matin.

4 Over breakfast with the family, Mr. Bruneau makes plans for a big day.

M. BRUNEAU	Ah, mes enfants, c'est un jour de fête pour la famille, pour toute la famille.
MME BRUNEAU	Oui, Georges, et que penses-tu faire?
M. BRUNEAU	Moi? Ça n'a pas d'importance ce que moi, je veux faire. Qu'allons-nous faire tous? Tu sais bien, Violette, que c'est un événement pour les enfants, un jour de fête.
MME BRUNEAU	Eh bien, . . .
M. BRUNEAU	Qu'en pensez-vous? Nous irons tous voir le défilé, écouter la fanfare. . . . Plus tard nous irons faire un pique-nique au bord du lac. Et après une journée délicieuse en famille, nous rentrerons tous chez nous.
MME BRUNEAU	C'est très bien, Georges, mais . . .
PHILIPPE	Mais, papa, je comptais . . .
ANTOINETTE	Maman m'a déjà dit que je pouvais faire une promenade avec Louis dans sa nouvelle décapotable . . .
PHILIPPE	. . . je comptais aller avec des copains voir le défilé et faire un pique-nique avec eux. Maman m'a déjà donné du saucisson . . .
MONETTE	Papa, Jeannette m'attend déjà. Nous allons prendre des photos pour le journal de l'école. J'y vais de ce pas.
M. BRUNEAU	Quelle famille! Quelle famille! Et toi, Violette, que penses-tu faire?
MME BRUNEAU	Si on restait chez nous? Je suis si fatiguée!

5 Mr. Lavallière is interviewing the school's star athlete on Channel Eleven's
"Meet Your Youth."

M. LAVALLIÈRE	Et voici le capitaine de l'équipe de football, Guy Martel. . . . Dites-nous, Guy, quels autres sports faites-vous?
GUY	Du tennis, Monsieur.
M. LAVALLIÈRE	Alors, parlons un peu de tennis, voulez-vous?
GUY	Oui, Monsieur.
M. LAVALLIÈRE	C'est mon sport préféré. Vous l'aimez beaucoup, je crois?
GUY	Non, Monsieur.
M. LAVALLIÈRE	Non? . . . Votre équipe joue samedi prochain, je crois?
GUY	Oui, Monsieur.
M. LAVALLIÈRE	Ils vont jouer contre une équipe formidable que j'ai déjà vue jouer plusieurs fois. Ce sera une partie très disputée, n'est-ce pas?
GUY	Peut-être, Monsieur.
M. LAVALLIÈRE	Qui va gagner ce match? [1]
GUY	Qui sait, Monsieur?
M. LAVALLIÈRE	Et, . . . le capitaine de l'équipe, qui est-ce?
GUY	C'est moi, Monsieur.
M. LAVALLIÈRE	Ah, c'est vous! À quel âge avez-vous commencé à jouer au tennis?
GUY	Je ne me rappelle pas, Monsieur.
M. LAVALLIÈRE	C'est très intéressant. . . . Et vous aimez aussi patiner, n'est-ce pas?
GUY	Oui, Monsieur.
M. LAVALLIÈRE	Vous avez beaucoup patiné l'hiver dernier?
GUY	Non, Monsieur.
M. LAVALLIÈRE	Pourquoi pas?
GUY	Il faisait trop chaud, Monsieur.
M. LAVALLIÈRE	Ah oui, je me rappelle. Nous n'avons patiné que cinq ou six fois de tout l'hiver.
GUY	Sept fois, Monsieur.
M. LAVALLIÈRE	Oui, sept fois. . . . Alors, Guy, qui est capitaine de votre équipe de . . . ?
GUY	C'est moi, Monsieur.

[1] gagner to win

M. LAVALLIÈRE	Capitaine de trois équipes, eh? Et vous faites du ski?
GUY	Un peu, Monsieur.
M. LAVALLIÈRE	Et le capitaine de votre équipe de ski, . . . ne me le dites pas, . . . c'est vous?
GUY	Oui, Monsieur.
M. LAVALLIÈRE	Alors, Guy Martel, vous jouez au football, vous jouez au tennis, vous patinez, vous faites du ski, —maintenant, dites-nous, quel sport préférez-vous?
GUY	Le basket, Monsieur.
M. LAVALLIÈRE	Le basket! Et vous êtes capitaine de l'équipe de basket-ball aussi!!
GUY	Non, Monsieur.
M. LAVALLIÈRE	Mais vous jouez aussi au basket?
GUY	Non, Monsieur, je ne suis pas assez grand, Monsieur.
M. LAVALLIÈRE	Quel dommage! Si vous pouviez jouer au basket, vous seriez sans doute le capitaine de l'équipe.
GUY	Peut-être, Monsieur. Qui sait?

6 Mr. Huand, who has just left his store, sees Mr. Desaix watching the unusual crowds on the boulevard.

M. HUAND	Dis-moi, Pierre, pourquoi y a-t-il tant de monde dans la rue?
M. DESAIX	Tu ne savais pas que le président arrive aujourd'hui? Tout le monde attend pour voir le défilé.
M. HUAND	Ah oui, c'est vrai, j'ai vu l'article du journal. Le défilé va donc passer par ici?
M. DESAIX	Tiens, tu entends? La musique commence déjà. Il y aura la fanfare, et des voitures de toutes les couleurs. Viens ici. On peut voir tout d'ici.
M. HUAND	Je crois que non, merci. Je vais rentrer vite.
M. DESAIX	Pourquoi? Tu n'aimes pas les défilés?
M. HUAND	Si, mais on voit bien mieux les défilés à la télévision, tu ne crois pas?

7 The annual fair is always a big event. Mrs. Guichard and Mrs. Tissot are discussing it.

MME GUICHARD C'est l'ouverture de la foire samedi. Tu as envie, toi, d'aller au bal français?

MME TISSOT Oui, j'ai envie de danser.

MME GUICHARD Eh bien. Il y aura deux orchestres: l'un va jouer de la musique canadienne; l'autre de la musique française. Il y aura sans doute beaucoup de monde.

MME TISSOT Nous y avons assisté l'an dernier avec les Auger et j'ai beaucoup aimé la musique canadienne. C'est le genre de musique que j'aime.

MME GUICHARD Vous vous êtes bien amusés avec les Auger?

MME TISSOT Mais oui. Ils sont très amusants. Pourrez-vous nous accompagner, Hercule et toi?

MME GUICHARD Certainement. C'est samedi mon anniversaire et comme il adore danser, nous irons au bal.

MME TISSOT Il va te faire un beau cadeau, j'espère.

MME GUICHARD Il va m'acheter une robe.

MME TISSOT Tu sais quelle robe il va t'acheter?

MME GUICHARD Mais oui, nous sommes allés en ville, hier, tous les deux. Je lui ai montré une robe blanche et verte et il m'a dit qu'elle m'allait très bien.

MME TISSOT Ce n'est pas mon anniversaire, mais il faudra quand même qu'Armand m'achète une robe. Ce bal, c'est tout un événement pour moi.

8 A hit-and-run driver has crashed into Pierre on a one-way street. A passer-by has come to Pierre's assistance.

PIERRE Sens unique! Sens unique! Il allait dans le sens interdit! . . . Oh. J'ai besoin d'un médecin. . . . Appelez-moi un médecin, s'il vous plaît.

M. AVELINE Ne vous inquiétez pas, Monsieur; l'ambulance arrive tout de suite.

PIERRE Merci . . . merci. . . . Mais . . . je ne peux pas me lever!

M. AVELINE Restez là! Ne vous levez pas, Monsieur.

PIERRE Aie! Ma tête! Ma pauvre tête! . . . Mon bras! Est-ce que je suis blessé? Dites-le-moi.

M. AVELINE Monsieur, vous êtes légèrement blessé à la tête, et

	vous vous êtes peut-être cassé le bras. Je crois bien que c'est tout.
PIERRE	Et ces dents? Regardez! . . . deux . . . trois. . . . Et ça fait mal!
M. AVELINE	Courage, Monsieur, courage!
PIERRE	Et ma jolie petite voiture? . . . elle n'est plus bonne à rien?
M. AVELINE	Ah non, Monsieur.
PIERRE	Si on l'emportait chez mon oncle?
M. AVELINE	Oui, oui. Ne vous inquiétez plus, je vous en prie. . . . Enfin, voilà la police!

*   *   *

L'AGENT	Votre nom, Monsieur?
PIERRE	Pierre Duval.
L'AGENT	Votre adresse?
PIERRE	Je demeure chez mon oncle, Pierre Jacquard.
L'AGENT	Où demeure-t-il?
PIERRE	Vingt-quatre, rue Lafayette.
L'AGENT	Est-ce que c'est près de la grande épicerie Martin?
PIERRE	Oui, c'est tout à côté. Vous lui direz que je suis blessé?
L'AGENT	Oui, Monsieur. . . . Comment l'accident est-il arrivé? [1]
PIERRE	Voilà . . .
M. AVELINE	Moi, j'ai tout vu. Cette voiture bleue est arrivée à toute vitesse dans le sens interdit.
L'AGENT	Laissez-le parler, Monsieur, s'il vous plaît.
PIERRE	Je me rappelle que je suis tombé . . . tombé de la voiture. Après cela, je ne me rappelle plus rien.
L'AGENT	Et l'autre voiture, allait-elle très vite, Monsieur . . . ?
M. AVELINE	Aveline, Robert Aveline, Monsieur. Oui, elle allait trop vite.
PIERRE	Cette voiture bleue, . . . où est-elle?
L'AGENT	Je n'en sais rien, Monsieur, mais nous la trouverons.
M. AVELINE	Enfin, . . . voici l'ambulance qui arrive.
L'AGENT	Courage, Monsieur.
PIERRE	Merci, Messieurs, merci bien.

---

[1] arriver   to happen

9 Théodore isn't looking forward to the week end.

EUGÈNE   Que comptes-tu faire demain?

THÉODORE   Il faut que j'aille chez mes grands-parents vers midi.

EUGÈNE   Est-ce que tu vas y rester tout l'après-midi?

THÉODORE   Oui, même toute la journée. Et moi qui comptais aller au bord du lac dans l'après-midi.

EUGÈNE   Si tu pouvais rentrer plus tôt,[1] j'aimerais aller au bord du lac avec toi.

THÉODORE   Impossible. Toute la famille sera chez mes grands-parents. Après le déjeuner nous irons tous à l'aéroport.

EUGÈNE   Pourquoi cela?

THÉODORE   Ma tante et mon oncle arrivent d'Europe.

EUGÈNE   Pourquoi faut-il que tu ailles avec eux?

THÉODORE   Tu sais bien, pour les grands-parents, c'est tout un événement.

[1]   plus tôt   earlier

10 It will be a busy morning, so Gervais takes a taxi.

LE CHAUFFEUR   Monsieur?

GERVAIS   À la bibliothèque, s'il vous plaît.

LE CHAUFFEUR   Bien, Monsieur.

*   *   *

LE CHAUFFEUR   Voilà la bibliothèque, Monsieur.

GERVAIS   Merci. Attendez un instant, je vous prie. Il faut que j'aille rendre des livres. Et après nous irons à l'aéroport.

*   *   *

LE CHAUFFEUR   Vous voilà enfin, Monsieur. Je me demandais si vous alliez me laisser là.

GERVAIS   Mais non, j'ai regardé quelques livres et j'ai complètement oublié où j'étais. Tout à coup,[1] je me suis rappelé que vous m'attendiez. Quelle heure est-il maintenant? J'ai oublié ma montre.

LE CHAUFFEUR	Il est trois heures vingt, Monsieur.
GERVAIS	Pas possible! Je vais être en retard! Je dois retrouver mon oncle à l'aéroport. Allons-y tout de suite!

(En route)

GERVAIS (*à lui-même*)	*Tiens. Ça va me coûter cher. Le chauffeur m'a attendu si longtemps. Je n'aurai peut-être pas assez d'argent. . . . Mais, où est mon argent? Je l'ai sans doute laissé à la maison.*
LE CHAUFFEUR	Nous y voilà, Monsieur.
GERVAIS	Voyons . . .
LE CHAUFFEUR	Vous cherchez quelque chose, Monsieur? . . . Vous allez me dire que vous ne pouvez pas trouver votre argent, n'est-ce pas?
GERVAIS	Ah, je crois que j'ai laissé mon argent chez moi.
LE CHAUFFEUR	Ça, je m'y attendais. Je vais appeler un agent! [2]
GERVAIS	Non, non, n'appelez pas un agent! Attendons mon oncle, s'il vous plaît.
LE CHAUFFEUR	Votre oncle? Est-ce que vous croyez que je vais vous attendre toute la journée?
GERVAIS	Je suis vraiment désolé, mais qu'est-ce que je peux faire?
LE CHAUFFEUR	Voyons. Quel âge avez-vous?
GERVAIS	Seize ans, Monsieur.
LE CHAUFFEUR	Le même âge que mon petit cousin Georges. . . . Voyons. . . . Si vous me donniez votre veston et votre tricot . . . ?
GERVAIS	Mon veston? Mon tricot? Oh, Monsieur!
LE CHAUFFEUR	Ou bien, j'appelle un agent.
GERVAIS	Non, Monsieur. . . . Prenez-les. . . . Les voilà.

*   *   *

GERVAIS	Que va penser l'oncle Gustave? Me voilà sans argent, sans tricot et même sans veston!

---

[1] tout à coup suddenly   [2] agent policeman

11 Georgette is showing Henri her photo album.

HENRI Et cette photo?

GEORGETTE C'est la photo de mon cousin Jacques qui est dans la marine.

HENRI C'est lui qui doit venir bientôt?

GEORGETTE Oui, il vient samedi prochain.

HENRI J'aimerais bien lui parler. Je voudrais lui demander comment il trouve la marine.

GEORGETTE Pourquoi? Veux-tu entrer dans la marine?

HENRI J'ai mon service militaire à faire et je ne sais pas si je devrais servir dans la marine.

GEORGETTE Je le lui dirai. Et je te téléphonerai quand il sera libre.

HENRI Merci.

12 Two near-sighted ladies bump into each other at the post office.

MME VERCORS Bonjour, Marie. Il y a longtemps que je ne t'ai pas vue. Comment vas-tu?

MME DUFOUR Très bien, merci, . . . et toi?

MME VERCORS Bien, merci. Et ta famille, comment vont tes filles?

MME DUFOUR Mes filles? Tu ne te rappelles pas? Je n'ai que des garçons,—quatre garçons!

MME VERCORS Ah, pardon. Je l'avais oublié.

MME DUFOUR Et toi, tu habites toujours dans le centre de la ville, rue Verdun?

MME VERCORS Mais, Marie, je n'ai jamais habité ce quartier-là. Je demeure toujours à Marsanne, un petit village pas loin d'ici.

MME DUFOUR Oh, pardon, Christine . . .

MME VERCORS Christine? Voyons. Moi, je m'appelle Madeleine. Je me suis toujours appelée Madeleine. N'es-tu pas Marie Desgranges?

MME DUFOUR Pas du tout, Madame, je m'appelle Marie Dufour.

MME VERCORS Ah, pardon, Madame. Permettez-moi de me présenter. Je suis Madeleine Vercors.

MME DUFOUR   Enchantée, Madame. [1]
MME VERCORS Eh bien, Madame Dufour, il faut que je rentre.
             Au revoir, Madame.
MME DUFOUR   Au revoir, Madame.

    [1] enchantée delighted (to meet you)

TOPICS FOR REPORTS

1

J'adore les fanfares. ..... *Iras-tu voir le défilé samedi prochain?* ..... *Est-ce qu'il y aura beaucoup de monde?* ..... *D'où est-ce que le défilé part?* ..... *Vas-tu emmener ton petit frère (ta petite sœur)?* ..... *Est-ce tout un événement pour lui (pour elle)?*

2

Nous allons tous chez mes grands-parents. ..... *Est-ce qu'ils habitent loin de chez vous?* ..... *De qui est-ce l'anniversaire?* ..... *Combien de temps vas-tu y rester?* ..... *Est-ce que tes petits cousins sont aussi invités?* ..... *S'amusera-t-on bien?*

3

J'aime beaucoup prendre des photos. ..... *Préfères-tu prendre des photos de tes amis ou de ta famille?* ..... *Aimes-tu prendre des photos d'enfants?* ..... *Tes photos sont-elles réussies?* ..... *Comptes-tu prendre des photos samedi?*

4

J'ai téléphoné à un ami (une amie) hier soir. ..... *Comment s'appelle-t-il (elle)?* ..... *Quel est son numéro de téléphone?* ..... *À quelle heure est-ce que tu as téléphoné?* ..... *As-tu parlé longtemps?* ..... *Comment va-t-il (elle)?* ..... *Comment va sa famille?*

5

Je vais faire une promenade à bicyclette samedi prochain. ..... *Qui est-ce qui va t'accompagner?* ..... *Où vas-tu aller?* ..... *Y a-t-il longtemps que tu as ta bicyclette?* ..... *Aimes-tu les excursions à bicyclette?*

19   In a big city

1   "What a traffic jam!   What a mob!"
2   "Yes.   Everyone's going home from work."
3   "Driving at this hour makes me nervous."
4   "Watch the red light!"
5   "I see it.   Of course I intend to stop."

6   "Excuse me, sir.   Can you tell me where the post office is?"
7   "Yes, sir.   It's opposite the city hall."
8   "Is it too far to walk?"
9   "No, indeed.   Turn left at the corner.
10   Then go straight ahead and you'll see it."
11   "Thank you, sir.   Goodbye."

12   "Did you ask the conductor where this bus goes?"
13   "He said it goes to the zoo."
14   "Good.   I've always wanted to see it."
15   "Well, we can spend all afternoon there."

16   "Do you see that big building over there?"
17   "You mean the one at the end of the street?"
18   "Yes.   My uncle's office is on the seventh floor."
19   "Can we go up and see him?"
20   "Sure!   He'll be glad to see us."

19   Dans une grande ville

1 —Quel embouteillage!   Que de monde!

2 —Oui, c'est la sortie des bureaux.

3 —Ce qui m'énerve c'est de conduire à cette heure-ci.

4 —Fais attention au feu rouge!

5 —Je le vois et j'ai bien l'intention de m'arrêter.

6 —Pardon, Monsieur.   Pouvez-vous m'indiquer le bureau de poste?

7 —Oui, Monsieur.   Il est en face de l'hôtel de ville.

8 —Est-ce que c'est trop loin pour y aller à pied?

9 —Pas du tout.   Tournez à gauche, au coin de la rue.

10   Puis, continuez tout droit et vous le verrez.

11 —Je vous remercie; au revoir, Monsieur.

12 —As-tu demandé au receveur où allait cet autobus?

13 —Il m'a dit qu'il allait jusqu'au zoo.

14 —Bon!   J'ai toujours voulu aller le voir.

15 —Eh bien!   On pourra y rester tout l'après-midi.

16 —Vois-tu ce grand bâtiment, là-bas?

17 —Tu veux dire celui qui est au bout de la rue?

18 —Oui.   C'est au septième que mon oncle a son bureau.

19 —Pourrions-nous monter le voir?

20 —Bien sûr!   Il sera très content de nous recevoir.

QUESTION-ANSWER PRACTICE

1
MME THIBAULT   Quel embouteillage! C'est la sortie des bureaux, n'est-ce pas?
MME MICHAUD   Oui, c'est ce qui m'énerve.

2
MME TAINE   Vois-tu le feu rouge?
M. TAINE   Oui. Je le vois et j'ai bien l'intention de m'arrêter.

3
M. BIRON   Pardon, Mademoiselle. Pouvez-vous m'indiquer le bureau de poste?
MLLE BECQ   Oui, Monsieur. Il est en face de l'hôtel de ville.

4
M. BIRON   Est-ce que c'est trop loin pour y aller à pied?
MLLE BECQ   Pas du tout. Tournez à gauche, au coin de la rue.

5
MME ARNOUX   Où est l'hôtel de ville, s'il vous plaît?
MME PEYROT   Continuez tout droit, Madame, et vous le verrez.

6
JANINE   As-tu demandé au receveur où allait cet autobus?
PIERRETTE   Il m'a dit qu'il allait jusqu'au zoo.

7
RITA   Veux-tu aller au Jardin des plantes?
ANGÈLE   Oui. J'ai toujours voulu aller le voir.

8
PAUL   Vois-tu ce grand bâtiment, là-bas?
ROBERT   Celui qui est au bout de la rue? Mais oui, je le vois.

9
JEANNETTE   Pourrions-nous monter voir ton oncle?
CHARLES   Bien sûr! Il sera très content de nous recevoir.

10
JEANNETTE   Où a-t-il son bureau?
CHARLES   Au septième.

PATTERN PRACTICE

1 On m'a dit que
   cet autobus allait

> jusqu'au zoo
> jusqu'au Jardin des plantes
> jusqu'à la bibliothèque
> jusqu'au musée   *museum*
> jusqu'au stade   *stadium*
> jusqu'aux grands magasins

2 Ce qui m'énerve c'est de conduire

> à cette heure-ci
> le soir
> le dimanche
> lentement   *slowly*
> en ville
> sur cette route

3
> Fais
> — — —
> Faites

attention au feu rouge,

> papa
> Pauline
> Bertrand
> — — — — — —
> Monsieur
> Mademoiselle
> Madame

4 Le grand bâtiment?
   Tu veux dire celui qui est

> au bout de la rue
> près du restaurant
> au coin de la rue
> en face du bureau de poste
> à gauche   *on the left*
> à droite   *on the right*

?

5 Pourrions-nous

> monter le voir
> vous accompagner
> faire cela
> regarder la télévision
> aller au zoo
> y rester

?

6 Est-ce que c'est
trop loin pour y aller

| à pied |
| à bicyclette |
| aujourd'hui |
| maintenant |
| en une heure |
| en une demi-heure   *half an hour* |

?

7

| Le bureau de poste |
| L'hôtel Trianon   *Trianon Hotel* |
| L'aéroport |
| — — — — — — |
| La gare   *railroad station* |
| L'école |
| La banque   *bank* |

?   Continuez tout
droit et vous

| le |
| — |
| la |

verrez.

8 J'ai toujours voulu

| aller le voir |
| aller au bord de la mer   *seashore* |
| aller à l'hôtel de ville |
| aller dans une grande ville |
| assister à un match de tennis |
| voir ce gratte-ciel   *skyscraper* |

.

9 C'est

| au premier |
| au deuxième |
| au troisième |
| au septième |
| au huitième |
| au neuvième |

que mon oncle a son bureau.

10

| Peux-tu |
| — — — — — |
| Pouvez-vous |

m'indiquer
le bureau de poste,

| Nicolas |
| Michel |
| Claire |
| — — — — — |
| Mademoiselle |
| Madame |
| Monsieur |

?

CONVERSATIONS

1 Claire and her mother are waiting at the airport.

CLAIRE   Je me demande si tante Lucienne va vraiment arriver d'Angleterre aujourd'hui.

MME BRÉE   Elle doit arriver à midi vingt.

CLAIRE   Ouf! je n'aime pas attendre. Tu ne veux pas prendre quelque chose, maman?

MME BRÉE   Mais, il nous reste si peu de temps. Il est déjà midi cinq.

CLAIRE   Elle ne va pas arriver à l'heure, tu peux en être sûre. Prenons quelque chose maintenant, veux-tu?

MME BRÉE   Eh bien, où desires-tu aller?

CLAIRE   Il y a un petit restaurant là-bas. Allons-y tout de suite.

MME BRÉE   Vite alors. Je vais prendre un café et toi, tu prendras ce que tu voudras. Il ne faut pas manquer tante Lucienne. Elle sera désolée si elle ne trouve personne. [1]

    [1] personne   no one, nobody

2 Mrs. Moraud is visiting the city, and having trouble with directions.

MME MORAUD   Pardon, Monsieur. Pouvez-vous m'indiquer le bureau de poste?

L'AGENT   Tournez à gauche au coin de cette rue; puis continuez tout droit.

MME MORAUD   À droite, Monsieur?

L'AGENT   Non, Madame, à gauche. Ce n'est pas très loin.

MME MORAUD   Pardon, je ne comprends pas. Vous dites que je tourne à gauche . . .

L'AGENT   Venez, venez avec moi, Madame. Nous le verrons bientôt.

MME MORAUD   Je m'excuse de vous déranger, [1] Monsieur.

L'AGENT   Pas du tout, Madame. Le voilà en face de l'hôtel de ville.

MME MORAUD   Merci, Monsieur.

L'AGENT   Au revoir, Madame.

    [1] déranger   to bother, disturb

3 Louis and André have what threatens to be a dull day ahead of them.

LOUIS   Dis-moi ce que tu comptes faire aujourd'hui.

ANDRÉ   Il n'y a rien d'amusant à faire malheureusement.

LOUIS   Tiens! voilà Bernard qui arrive à toute vitesse.

BERNARD Écoutez, vous autres. Savez-vous qu'il y a un défilé en ville?

LOUIS   Non, c'est vrai?

BERNARD Oui. Il va partir de la rue de la Victoire et aller jusqu'à la rue Lafayette.

ANDRÉ   Alors, on y va? Moi, j'aimerais bien.

LOUIS   C'est entendu. Mais attendez . . . c'est assez loin d'ici.

BERNARD Ne t'inquiète pas. J'ai une idée. Louis, tu as une bicyclette, n'est-ce pas? Je prêterai la mienne à André . . . et moi, je vais prendre la bicyclette de mon frère.

ANDRÉ   D'accord. Partons!

BERNARD Ne perdons pas de temps. Le défilé va partir bientôt.

4 Mr. Blanc and his wife have just finished lunch.

M. BLANC   As-tu envie de venir en ville avec moi?

MME BLANC   Tu vas en ville tout de suite?

M. BLANC   Mais oui! Mon rendez-vous avec le dentiste est à trois heures.

MME BLANC   Je l'avais complètement oublié. Sais-tu combien de temps tu y seras?

M. BLANC   Une heure ou une heure et demie, je crois. La dernière fois, j'y suis resté juste une heure. [1] As-tu des courses à faire?

MME BLANC   Non. J'ai fait tous mes achats hier. Je n'ai besoin de rien. . . . Si j'allais passer une heure chez mes parents? Qu'en penses-tu?

M. BLANC   Bonne idée! Je pourrai te rejoindre après mon rendez-vous.

MME BLANC   Entendu. Je vais donner un coup de téléphone à maman immédiatement.

M. BLANC   Dis-lui bien des choses.

[1] juste exactly

5 Albert and Gaston, who live in the suburbs, are waiting for a bus to the city.

ALBERT   À quelle heure passe l'autobus?

GASTON   Vers neuf heures et quart.   Il n'est que neuf heures cinq, tu sais.

ALBERT   As-tu assez d'argent?

GASTON   Mais oui.   Ma mère m'en a donné et ma tante Claire aussi.

ALBERT   Pourras-tu m'en prêter si je n'en ai pas assez?

GASTON   Bien sûr.   Si tu as besoin d'argent, tu n'as qu'à me le dire . . . j'en ai assez, je crois.

ALBERT   Merci beaucoup.

GASTON   Où désires-tu aller ce matin?

ALBERT   Je voudrais bien aller au zoo.   Tu l'as déjà vu?

GASTON   Oui, au moins deux ou trois fois.   Mais il est très beau et cela m'a amusé de le visiter. . . . Ça ne coûte rien, non plus.   Allons-y.

ALBERT   On m'a dit qu'il y a un bon restaurant dans le zoo.   Si on y déjeunait?

GASTON   Si tu veux. . . . Et puis?

ALBERT   Si on allait au cinéma?   Moi, j'adore les films.   Qu'en penses-tu?

GASTON   Voyons? . . . Qu'est-ce qu'on donne aujourd'hui?

ALBERT   Un film d'aventures.   Ne veux-tu pas le voir?

GASTON   Si . . . mais . . . tu crois que j'aurai assez d'argent?

6 Dorothy has her camera with her on the annual school boatride.

HENRI   Qu'est-ce que tu vas faire avec ça, Dorothée?

DOROTHÉE   Tu vois bien que je compte prendre des photos.

ARMELLE   Alors, tu peux prendre une photo de moi.

HENRI   Tu ne te rappelles pas les photos que Dorothée a prises l'an dernier?   Tout y était vague, les personnes et les choses.

DOROTHÉE   Peut-être, mais il faisait mauvais temps ce jour-là.

ARMELLE   Oui, voilà pourquoi ces photos sont loin d'être nettes.

HENRI   Tu devrais mieux réussir cet après-midi.

DOROTHÉE   Je l'espère.

7 Jean speaks of summer plans to his mother; his little brother joins in.

JEAN   J'ai lu dans le journal de ce matin qu'il y a du travail chez Grangenois.

LE PETIT FRÈRE   Qu'est-ce que c'est, Grangenois?

JEAN   C'est un grand magasin où on peut acheter beaucoup de choses.

LA MÈRE   Vas-tu y aller?

JEAN   Mais oui. Je vais y aller à bicyclette.

LA MÈRE   Fais attention aux voitures. Elles vont très vite en ville.

JEAN   Oui, oui. Ne t'inquiète pas.

8 With a holiday in the offing, young Mrs. Lefèvre calls her mother.

MME LEFÈVRE   Bonjour, maman. Ça va?

MME PERROT   Bonjour, Annette. Ça va assez bien, merci. Comment vont les enfants?

MME LEFÈVRE   Très bien, merci. Qu'est-ce que vous comptez faire demain?

MME PERROT   Pas grand-chose.¹ Ton père a un rhume, mais ce n'est pas grave.

MME LEFÈVRE   Tant mieux. Je voulais vous demander si vous pourriez être des nôtres demain. C'est un jour de fête et vous pourrez passer la journée avec nous.

MME PERROT   Oh, tu es bien gentille, Annette. Ton père sera ravi et moi aussi. Est-ce que tu viendras nous chercher?

MME LEFÈVRE   J'en ai déjà parlé à Pierre. Il ira vous chercher vers onze heures.

MME PERROT   J'ai beaucoup de petites choses pour vous tous. J'ai acheté quelques petits cadeaux. Je les apporterai demain. Tu diras aux enfants que je ne les oublie pas.

MME LEFÈVRE   Oui, maman. Au revoir. À demain.

MME PERROT   Au revoir, Annette. À demain.

¹ pas grand-chose   not much

9   Mr. Michaud and his wife are sightseeing in the capital.

MME MICHAUD   Que de monde!   Quel embouteillage!

M. MICHAUD   Il est cinq heures et quart.   C'est la sortie des bureaux.

MME MICHAUD   Est-ce que ça t'énerve de conduire?

M. MICHAUD   Pas du tout.   C'est comme chez nous.
        (*Coin-coin!*) [1]

MME MICHAUD   Tu n'as pas vu le signal «Signaux Sonores Interdits»?

M. MICHAUD   Ah, non.   Je ne l'ai pas vu.

MME MICHAUD   Et ce feu rouge!   Fais attention!

M. MICHAUD   Je le vois et j'ai bien l'intention de m'arrêter. . . .
        Peut-être voudrais-tu conduire, Georgette?

MME MICHAUD   Mais non, Henri.   Tu conduis mieux que moi.

M. MICHAUD   Eh bien, où veux-tu que je te conduise maintenant?

MME MICHAUD   Au «Bon Marché», s'il te plaît.   Il y a quelques petites choses que je voudrais y acheter.

M. MICHAUD   Fort bien.   J'achèterai un journal et je t'attendrai dans la voiture.

MME MICHAUD   Mais, n'oublie pas, le stationnement est interdit à toutes heures dans ce quartier de la ville.

M. MICHAUD   Mais que vais-je faire alors pour t'attendre? . . .
        Quelle horrible ville!

[1]   Coin-coin!   Honk, honk!

10   Jeanne-Marie is driving her aunt to the city.

MME MARCHAND   Fais attention au feu rouge, Jeanne-Marie!

JEANNE-MARIE   Oui, tante Hélène.

MME MARCHAND   Quel embouteillage, que de monde!   C'est toujours comme ça le samedi.   Voilà un coin dangereux.   Les voitures vont trop vite, et c'est ce qui m'énerve.

JEANNE-MARIE   Ne vous inquiétez pas, ma tante.   L'agent va arrêter les voitures. . . . Où voulez-vous aller?

MME MARCHAND   J'aimerais aller voir ton oncle Armand.   Il est à son bureau aujourd'hui.

JEANNE-MARIE   Comment!   Il travaille le samedi?

MME MARCHAND	Non, pas toujours.
JEANNE-MARIE	Où est son bureau?
MME MARCHAND	C'est au coin de la rue. Nous allons le voir maintenant.
JEANNE-MARIE	Mais pourra-t-il nous recevoir?
MME MARCHAND	Certainement. Il sera très content de nous voir.
JEANNE-MARIE	J'espère que nous allons déjeuner avec lui; il est si amusant!
MME MARCHAND	Il va sans doute nous emmener dans un petit restaurant qu'il connaît très bien.
JEANNE-MARIE	Ça me ferait grand plaisir.

11 Philippe takes his cousin René to see the city.

PHILIPPE	Viens. Montons dans l'autobus. Je vais te montrer la grande ville.
RENÉ	Bravo! Il y a longtemps que je veux voir ses grands bâtiments et ses magasins. [1]

* * *

RENÉ	Que de bâtiments et que de monde! Ça, à gauche, c'est le parc?
PHILIPPE	Oui. Tu vois ce bâtiment là-bas, à droite, en face du parc?
RENÉ	Tu veux dire celui qui est au bout de la rue?
PHILIPPE	Oui. C'est au neuvième que l'oncle Victor y a son bureau.
RENÉ	Pourrions-nous monter le voir?
PHILIPPE	Bien sûr. Il sera content de nous recevoir.
RENÉ	Et ces garçons-là? Vont-ils jouer au tennis dans le parc?
PHILIPPE	Oui. . . . Regarde. C'est le court municipal. Nous y jouons souvent au tennis. [2] . . . Bon. Nous voici arrivés.

* * *

PHILIPPE	Montons voir l'oncle Victor. Plus tard, si nous avons assez de temps, nous pourrons aller jouer aux boules au nouveau boulodrome. C'est tout près.
RENÉ	Chic alors!

[1] ses its   [2] souvent often

12 Lucien and Philippe have been sightseeing in a big city.

LUCIEN   Il faudra bientôt rejoindre Daniel et Félix au restaurant. Si on y allait maintenant?

PHILIPPE   Oui, si tu veux, allons-y. Il n'est pas encore l'heure, mais on peut y aller à pied.

LUCIEN   Tu es sûr que tu sais où se trouve ce restaurant? [1] Nous pourrions demander à cette dame de nous l'indiquer.

PHILIPPE   Pas du tout. Je sais fort bien comment le trouver. Il est près de la gare.

LUCIEN   Moi, je crois qu'il se trouve dans le quartier de l'hôtel de ville.

PHILIPPE   Mais non.

                     *   *   *

LUCIEN   Tiens! voilà la gare; où est le restaurant?

PHILIPPE   Je ne le vois pas, mais on va le trouver. C'est dans ce quartier.

LUCIEN   Demande donc à ce monsieur.

PHILIPPE   (*au monsieur*) Pardon, Monsieur. Pouvez-vous m'indiquer le restaurant «Chez Pierrot», s'il vous plaît?

LE MONSIEUR   Avec plaisir, Monsieur. Tournez à droite, au coin de la rue, et continuez tout droit. Quand vous serez devant l'hôtel de ville, tournez à gauche, et vous trouverez le restaurant dans une toute petite rue. C'est «la rue Grande».

LUCIEN   Tiens! dans le quartier de l'hôtel de ville? Merci bien, Monsieur! . . . Tu vois, Philippe?

[1] se trouver   to be located

13 Céline and Colette meet on the way to the bus stop one morning.

CÉLINE   Tiens, c'est toi? Tu prends aussi l'autobus?

COLETTE   Eh bien. Je n'en suis pas sûre. Je veux aller dans le quartier de l'hôtel de ville. Sais-tu si cet autobus y va?

CÉLINE   Je n'en sais rien. Demande-le au receveur. Il doit le savoir.

COLETTE	Pardon, Monsieur. Est-ce que cet autobus va jusqu'à l'hôtel de ville?
LE RECEVEUR	Oui, Mademoiselle, nous y serons dans un quart d'heure.
COLETTE	Merci, Monsieur. . . . Céline, je vais monter avec toi.

*   *   *

COLETTE	Tu es libre ce matin?
CÉLINE	Non, pas tout de suite. Je fais quelques courses pour ma mère, et puis j'ai rendez-vous chez le dentiste.
COLETTE	Écoute donc. On pourrait se retrouver dans le quartier des grands magasins. Il y a plusieurs cinémas et je connais un bon petit restaurant où nous pourrions déjeuner.
CÉLINE	Ce serait magnifique, mais je ne peux pas. Il faut que je rentre à cinq heures. Ma mère ne veut pas que je reste en ville trop tard.
COLETTE	Mais écoute, nous serons rentrées bien avant cinq heures.
CÉLINE	Avec tout ce que tu veux faire, [1] on ne sera pas rentré avant minuit.

[1] tout ce que   everything that

TOPICS FOR REPORTS

1

Mon père va en auto à son bureau. ..... *À quelle heure faut-il qu'il parte le matin?* ..... *Est-ce que c'est trop loin pour y aller à pied?* ..... *Aime-t-il conduire?* ..... *Est-ce que les embouteillages l'énervent?* ..... *Sa voiture est-elle grande ou petite?*

2

J'aimerais aller au bureau de poste. ..... *Sais-tu où il est?* ..... *À quelle heure voudrais-tu y aller?* ..... *As-tu le temps d'y aller?* ..... *Est-ce trop loin pour y aller à pied?*

3

Où va cet autobus? ..... *As-tu demandé au receveur où il allait?* ..... *Qu'est-ce qu'il t'a dit?* ..... *Voudrais-tu aller au zoo?* ..... *As-tu toujours voulu aller le voir?* ..... *Pourra-t-on y rester tout l'après-midi?*

4

Mon frère va en ville tous les jours. ..... *À quelle heure se lève-t-il le matin?* ..... *À quelle heure déjeune-t-il?* ..... *Va-t-il à son bureau en auto ou prend-il l'autobus?* ..... *À quelle heure est-ce qu'il y arrive?* ..... *À quelle heure rentre-t-il?* ..... *Le soir, est-ce qu'il aime mieux regarder la télévision ou aller jouer aux boules?*

5

Il faut que j'aille faire des courses demain. ..... *De quoi as-tu besoin?* ..... *Iras-tu dans les grands magasins?* ..... *Iras-tu en autobus, en voiture, ou à pied?* ..... *À quelle heure faudra-t-il que tu rentres?*

6

Mon oncle va à l'hôtel de ville. ..... *Où se trouve-t-il?* ..... *Est-ce qu'il y va à pied?* ..... *Pourquoi y va-t-il?* ..... *Connaît-il quelqu'un?* ..... *Est-ce qu'il y va de temps en temps?* ..... *A-t-il un bureau dans ce bâtiment?*

20 Vacation

1 "What do you intend to do this summer?"
2 "My brother and I are going to a camp at the shore."
3 "Will you stay there all summer?"
4 "No, we'll be back in a month."

5 "I can't wait for vacation."
6 "Neither can I. I have a lot of things to do."
7 "I hear you're going to work at the pool."
8 "That's right, and I'll earn a good bit of money."
9 "Do you know that I'm taking a trip with my uncle?"
10 "Boy, are you lucky! You'll have a good time with him."

11 "The Vincents are leaving for the country."
12 "I know. They invited me to join them in July."
13 "Are you going to accept their invitation?"
14 "Of course! You always have a good time at their house."

15 "When will you go to see your grandparents?"
16 "Next month. The whole family is going."
17 "Will you take the train?"
18 "No, we'll take the plane.
19 And maybe we'll come back by bus.
20 My father says that's really the way to see the country."

20   Les vacances

1 —Qu'avez-vous l'intention de faire cet été?

2 —Mon frère et moi, nous irons dans un camp au bord de la mer.

3 —Est-ce que vous y passerez tout l'été?

4 —Non, nous serons de retour dans un mois.

5 —J'attends les vacances avec impatience.

6 —Moi aussi.   J'ai un tas de choses à faire.

7 —On me dit que tu vas travailler à la piscine.

8 —C'est juste, et je gagnerai pas mal d'argent.

9 —Sais-tu que je vais faire un voyage avec mon oncle?

10 —Ah, tu as de la chance!   Tu t'amuseras bien avec lui.

11 —Les Vincent partent pour la campagne.

12 —Je le sais.   Ils m'ont invité à les rejoindre au mois de juillet.

13 —Accepteras-tu leur invitation?

14 —Naturellement!   On s'amuse toujours chez eux.

15 —Quand irez-vous voir vos grands-parents?

16 —Le mois prochain.   Toute la famille y va.

17 —Est-ce que vous prendrez le train?

18 —Non, nous prendrons l'avion.

19   Et nous reviendrons peut-être en car.

20   Mon père dit que c'est ainsi qu'on voit bien le pays.

QUESTION-ANSWER PRACTICE

1

M. GAGNY   Qu'avez-vous l'intention de faire cet été?

MARCEL   Mon frère et moi, nous irons dans un camp au bord de la mer.

2

M. GAGNY   Est-ce que vous y passerez tout l'été?

MARCEL   Non, nous serons de retour dans un mois.

3

MME SIMONET   Avez-vous beaucoup de choses à faire cet été?

MME THIERRY   Oui. J'ai un tas de choses à faire.

4

LUCIEN   Tu vas travailler à la piscine, n'est-ce pas?

ALBERT   Oui. Je gagnerai pas mal d'argent.

5

EDMOND   Sais-tu que je vais faire un voyage avec Henri Boissac?

HERVÉ   Ah, tu as de la chance! Tu t'amuseras bien avec lui.

6

ANDRÉ   Quand est-ce que tu iras chez les Martin?

PAULINE   Ils m'ont invitée à les rejoindre au mois de juillet.

7

ANDRÉ   Accepteras-tu leur invitation?

PAULINE   Naturellement! On s'amuse toujours chez eux.

8

ANNETTE   Quand irez-vous voir vos grands-parents?

LUCIE   Le mois prochain. Toute la famille y va.

9

ANNETTE   Est-ce que vous prendrez l'avion?

LUCIE   Non, nous prendrons le train. Et nous reviendrons en car.

10

ANNETTE   Pourquoi reviendrez-vous en car?

LUCIE   Mon père dit que c'est ainsi qu'on voit bien le pays.

PATTERN PRACTICE

1 Qu'avez-vous l'intention de faire

cet été	
cet hiver	
en automne	*this fall*
au printemps	*this spring*
demain soir	
ce matin	

?

2 Nous reviendrons

en car	
en avion	
en bateau	*by boat*
à bicyclette	
à pied	
par le train	*by train*

.

3 On me dit que

tu vas travailler à la piscine
tu vas faire une promenade à bicyclette
tu vas faire du ski cet hiver
tu vas aller à un lac canadien
tu vas aller au bord de la mer
tu vas prendre des photos aujourd'hui

.

4 Moi aussi, j'ai

un tas de choses	
des devoirs	*homework*
des courses	
bien des choses	*many things*
pas mal de choses	*quite a few things*
beaucoup de travail	

à faire.

5

Thérèse
Henri
Ma tante
— — — — —
Les Vincent
Les enfants
Mes cousins

part
— — — —
partent

pour la campagne la semaine
prochaine.

6 Ils m'ont invité(e) à les rejoindre

au mois de juillet	*July*
au mois d'août	*August*
au mois de septembre	*September*
au mois d'avril	*April*
au mois de juin	*June*
au mois de janvier	*January*

.

7 Quand irez-vous voir

vos grands-parents
vos cousins
vos amis
votre grand-mère
votre cousine
votre tante

?

8 On s'amuse toujours

chez toi
chez lui
chez elle
chez vous
chez eux
chez elles

.

9

Simone
Marthe
Papa
— — — — — —
Madame Duclos
Monsieur Rémy
Georges et Gérard

,

accepteras-tu
— — — — — —
accepterez-vous

leur invitation?

10

Mon frère
Anne
— — — — — —
Mon frère et moi,
Anne et moi,
— — — — — —
Mes cousins
Anne et Pierre

ira
— — — —
nous irons
— — — —
iront

dans un camp au bord de la mer.

CONVERSATIONS

1 Mrs. Mathieu is having lunch with Mrs. Richard.

MME MATHIEU Qu'avez-vous l'intention de faire cet été?

MME RICHARD Vous savez, n'est-ce pas, que les Vidal vont faire un grand voyage? Eh bien, Armand et moi, nous allons faire le même voyage.

MME MATHIEU Que vous avez de la chance! Quand partez-vous tous?

MME RICHARD Mais nous ne partons pas par le même train.

MME MATHIEU Et pourquoi cela?

MME RICHARD Parce qu'ils ne savent pas que nous partons aussi! Nous allons leur dire «au revoir» à la gare [1] à trois heures; puis nous prendrons le train deux heures plus tard pour aller au même endroit.

MME MATHIEU C'est une surprise que vous leur faites?

MME RICHARD Oui.

MME MATHIEU Alors, vous verrez les Vidal là-bas?

MME RICHARD Oh, oui. J'y compte bien. On pourra faire des excursions tous les quatre.

[1] gare station

2 Marcelle wants to know all about Simone's plans.

MARCELLE Quand irez-vous voir vos grands-parents?

SIMONE Le mois prochain.

MARCELLE Comment irez-vous, . . . en auto?

SIMONE Non, nous prendrons l'avion.

MARCELLE Chic alors! Et vous serez partis longtemps?

SIMONE Non, nous serons de retour dans trois semaines.

MARCELLE Toute la famille y va?

SIMONE Oui, toute la famille, . . . Moi, j'aurais mieux aimé rester ici mais je dois y aller. [1]

MARCELLE Comment? Vous ne voulez pas voir vos grands-parents? Il ne faut pas dire cela.

SIMONE Ce n'est pas ça. Vous savez que j'adore mes grands-parents. . . . Mais toutes mes amies restent ici.

[1] J'aurais mieux aimé I would have preferred

3 Mrs. Labbé has to pick up her new driver's license.

MME LABBÉ   Pouvez-vous m'indiquer l'hôtel de ville?

L'AGENT   Oui, Madame. Il est en face du bureau de poste.

MME LABBÉ   Est-ce trop loin pour y aller à pied?

L'AGENT   Non, Madame. C'est tout près d'ici. Tournez à gauche, au coin de la rue. Puis continuez tout droit jusqu'à l'épicerie Pierrette. Là, vous tournez à droite et allez jusqu'à la gare, puis, continuez tout droit. Quand vous serez dans le quartier des grands magasins, vous verrez un petit parc. C'est tout à côté.

MME LABBÉ   (*Tout à côté? ? ? Hmm. . . . Je vais peut-être prendre un taxi.*) Merci, Monsieur.

L'AGENT   De rien, [1] Madame.

---

[1] De rien   Not at all

4 Mr. Radier discusses vacation plans with Mr. Durand.

M. RADIER   Nous avons l'intention d'aller à la montagne pour nos vacances. Voulez-vous nous accompagner?

M. DURAND   Vraiment? À quel endroit?

M. RADIER   Assez loin. Nous y allons par le train. Il faudra voyager six heures pour y arriver. [1] Mais quel endroit charmant! Il n'y a pas trop de monde et on y est si bien. Notre famille adore cet endroit.

M. DURAND   Combien de semaines y passerez-vous?

M. RADIER   Au moins quinze jours. Nous serons de retour la dernière semaine du mois.

M. DURAND   Vous avez de la chance. J'aimerais bien vous accompagner mais ce n'est pas possible. J'ai un tas de choses à faire ici. Peut-être que l'année prochaine je pourrai faire le voyage avec vous.

M. RADIER   Ça nous ferait grand plaisir. Alors, l'année prochaine vous serez des nôtres. C'est entendu.

M. DURAND   D'accord! Je n'ai pas l'intention de rester deux ans de suite sans prendre de vacances. [2]

---

[1] voyager   to travel   [2] deux ans de suite   two years in a row

5 Jacques dashes over to Bernard's house with an exciting proposal.

JACQUES — Écoute, Bernard, j'ai quelque chose de formidable à te dire!

BERNARD — Ah, oui? Dis vite!

JACQUES — Eh bien, tu sais, je t'avais dit que mon oncle doit faire un voyage cet été?

BERNARD — Oui. Et alors?

JACQUES — Eh bien . . . il a décidé de ne pas prendre l'avion.

BERNARD — Et c'est ça que tu avais à me dire?

JACQUES — Attends donc. Il a décidé de prendre la voiture, mais il n'aime pas beaucoup conduire.

BERNARD — Et il t'emmène comme chauffeur?

JACQUES — Oui, c'est ça.

BERNARD — Ça alors, tu as de la chance!

JACQUES — Attends, donc! . . . il veut que j'emmène un copain qui prendra ma place de temps en temps. Bernard, veux-tu . . . ?

BERNARD — Moi? Écoute, tu n'as même pas besoin de me le demander! Bien sûr que je veux! Quelle chance, alors!

JACQUES — N'est-ce pas? On partira vers le nord la semaine prochaine,[1] puis, au mois de juillet, nous serons dans les montagnes de l'ouest.

BERNARD — Ça va être formidable! Je vais aller demander la permission à mes parents.

JACQUES — Vont-ils te laisser partir?

BERNARD — Oh, je le crois.

JACQUES — Alors, plus tard nous pourrions aller retrouver mon oncle à son bureau. Il sera content de te connaître.

BERNARD — D'accord. Où est son bureau?

JACQUES — C'est au cinquième du grand bâtiment en face du bureau de poste.

BERNARD — Alors, je t'y retrouve à cinq heures?

JACQUES — D'accord. Ce seront des vacances magnifiques.

BERNARD — Tu peux le dire!

[1] vers le nord for (toward) the north

6 Claire and Nadine are also discussing vacations.

CLAIRE Mes grands-parents m'ont invitée à passer tout l'été chez eux.

NADINE Accepteras-tu leur invitation?

CLAIRE Naturellement! Ils ont une maison au bord de la mer. J'attends les vacances avec impatience.

NADINE Ah, tu as de la chance! Tu vas bien t'amuser.

CLAIRE Et toi, qu'as-tu l'intention de faire cet été?

NADINE Ma sœur et moi, nous irons dans un camp à la campagne.

CLAIRE Moi aussi, j'aimerais aller à la campagne. . . . Si on m'invitait à aller passer quelques jours avec toi?

NADINE Et si on m'invitait, moi, à passer quelques jours au bord de la mer avec toi? . . .

CLAIRE Pourquoi pas? Nous verrons.

7 Lisette gets a call and a pleasant surprise.

LISETTE Oui, ici Lisette. Qui est à l'appareil?

LA TANTE C'est ta tante Bernadette. Comment vas-tu, Lise?

LISETTE Très bien, merci. Et vous, ma tante?

LA TANTE Bien, merci. Et tes parents?

LISETTE Ils vont très bien aussi.

LA TANTE Dis-moi ce que tu as l'intention de faire cet été.

LISETTE Je ne sais pas encore, ma tante. Pourquoi?

LA TANTE Eh bien, je voudrais t'inviter à passer les vacances ici avec nous.

LISETTE Vraiment? J'aimerais beaucoup ça! Quelle chance! Voulez-vous que j'en parle à maman?

LA TANTE Non, Lise. Je vais le lui demander moi-même. Veux-tu dire à ta mère de venir au téléphone?

LISETTE Bien sûr, ma tante. . . . Maman? Tante Bernadette te demande au téléphone.

LA MÈRE Très bien, Lise. Dis-lui d'attendre un instant . . .

LISETTE Un moment, s'il vous plaît, ma tante. Maman ne tardera pas.

LA TANTE Très bien, Lise.

LISETTE Tiens! La voilà! . . .

8 Gérard is at Louis' house.

GÉRARD   Je vais travailler à la piscine cet été.

LOUIS   Je le sais. François me l'a dit. Tu t'y amuseras bien, sans doute. Tu vas aussi gagner pas mal d'argent?

GÉRARD   Je l'espère.

LOUIS   Travailleras-tu toute la journée?

GÉRARD   Non. Seulement tous les matins et le samedi après-midi. Et toi, tu vas rester ici?

LOUIS   Je vais rester en ville au mois de juillet. En général, nous partons pour la campagne au mois d'août.

GÉRARD   Tiens! Vous avez une maison à la campagne?

LOUIS   Mon oncle et ma tante en ont une au bord d'un lac. Ils nous ont invités à passer quelques semaines chez eux.

GÉRARD   Est-ce qu'il y aura de tes amis dans la région?

LOUIS   Les Jacquier ont aussi une maison là-bas.

GÉRARD   Tu as de la chance, toi. Louise Jacquier est très sympathique.

LOUIS   Oui, ces vacances vont passer vite.

9 Young Mrs. Lalonde has been hoping to have a word with Mrs. Laroche at the Grolier's party.

MME LALONDE   Ça va bien, Madame?

MME LAROCHE   Assez bien, merci, et vous?

MME LALONDE   Si vous me le permettez, Madame, je voudrais vous demander un grand service.

MME LAROCHE   Si c'est possible, . . . avec plaisir, Madame.

MME LALONDE   Eh bien, voilà. Demain, je dois recevoir toute ma famille: mes parents, mon frère, mes deux sœurs et tous leurs enfants . . .

MME LAROCHE   Et il vous faut quelques petites choses,—des couteaux, des verres, des . . . Mais ce sera avec grand plaisir, Madame . . .

MME LALONDE   Merci beaucoup, Madame, mais j'ai tout cela. Voilà, ils auront faim quand ils arriveront chez moi. Je voudrais leur faire un bon repas.

MME LAROCHE   Ah, je comprends. Vous voulez savoir quoi leur donner,—du veau? du poulet? ou quoi encore? Eh bien, je vous dirai: donnez-leur du poisson!

MME LALONDE	Oui, Madame, tout le monde adore le poisson dans ma famille, et je vais leur en donner. Mais ce n'est pas cela!
MME LAROCHE	Alors, quoi? Dites-le-moi!
MME LALONDE	Est-ce que la personne qui travaille chez vous pourrait venir chez moi? J'aurai grand besoin de quelqu'un pour m'aider à faire la cuisine quand toute ma famille sera chez moi.
MME LAROCHE	Madame Vigier? Vous prêter Madame Vigier? Ce n'est pas possible. D'ailleurs,[1] elle n'est pas libre demain. Elle doit aller chez son frère qui est malade.
MME LALONDE	C'est bien dommage. Alors, je n'ai pas de chance et elle non plus.
MME LAROCHE	J'en suis désolée, vous savez.
MME LALONDE	Eh bien, n'en parlons plus. . . . Quelle jolie robe bleue! Vraiment, Madame, vous êtes ravissante ce soir.
MME LAROCHE	Vous trouvez? Vraiment? Mais la couleur? Elle ne me plaît pas beaucoup.
MME LALONDE	Elle vous va admirablement. Je me demande où vous avez acheté cette robe.
MME LAROCHE	Chez Lambert, . . . rue Royale, vous savez . . .
MME LALONDE	Certainement; elle vous a sans doute coûté cher.
MME LAROCHE	Pas du tout. Elle était très bon marché.
MME LALONDE	Je ne peux pas le croire.
MME LAROCHE	Comme vous êtes aimable.[2] Voyons. À propos de Madame Vigier. Je crois que son frère n'a que la grippe. Je vais lui demander si elle peut aller voir son frère après demain et aller vous aider demain.
MME LALONDE	Que vous êtes gentille de me rendre ce service, Madame! Si Madame Vigier peut venir m'aider, dites-lui de me téléphoner à ce numéro: CARnot zéro-zéro—cinquante.

[1] D'ailleurs   besides
[2] aimable   sweet

10 Mrs. Desfontaines has a full evening of entertainment planned for her dinner guests. The Desfontaines and the Jarriaults have just gotten up from the table.

MME DESFONTAINES	Si je vous montrais les photos de notre voyage? J'en ai de très belles, n'est-ce pas, Gérard?
M. DESFONTAINES	Oui, Madeleine.
MME JARRIAULT	Ça nous ferait grand plaisir, n'est-ce pas, Arsène?
M. JARRIAULT	Mais oui.

*   *   *

MME DESFONTAINES	Tu peux commencer, Gérard. . . . Voici la première vue ¹ que j'ai prise. Vous voyez, c'est au bord du lac. Tu te rappelles, Gérard?
M. DESFONTAINES	Oui, Madeleine.
MME JARRIAULT	Et qui est ce monsieur? On ne voit que ses pieds.
MME DESFONTAINES	Mais c'est Gérard! Gérard au bord du lac. Le lac était si beau ce jour-là.
MME JARRIAULT	On le voit bien.
MME DESFONTAINES	Et voici la petite maison au bord de la mer où nous avons passé une semaine. Il faisait mauvais.—C'est pour ça qu'on ne voit pas très bien. Vous voyez là, à droite? C'est notre voiture.
MME JARRIAULT	Ça doit être très joli, quand il fait beau.
MME DESFONTAINES	Oh oui, Madame. Il a fait beau le dernier jour, et c'était magnifique, mais. . . . Continue, Gérard. . . . Et voici le bureau de poste, dans une petite ville de montagne. Ce n'est pas très net, mais . . .
M. JARRIAULT	(À *Madame Jarriault:* Net! On n'y voit rien du tout!)
MME JARRIAULT	(À *Monsieur Jarriault:* Arsène, je t'en prie . . .)

MME DESFONTAINES	Tout à côté, il y avait un petit restaurant— mais on ne le voit pas ici—tu te rappelles, Gérard, ce petit restaurant où nous avons mangé ce bon poulet?
M. DESFONTAINES	Oui, Madeleine.
MME DESFONTAINES	Et puis, voici un receveur d'autobus . . .

(*Trois heures plus tard*)

MME DESFONTAINES	Et voilà nos amis devant l'hôtel de ville. Comment s'appelaient-ils, Gérard? Tu te rappelles leur nom?
M. DESFONTAINES	Non, Madeleine.
MME DESFONTAINES	On ne les voit pas très bien, parce qu'une voiture a passé devant. Lui était très sympathique, mais elle, je ne l'aimais pas beaucoup. Et . . . Gérard! Qu'est-ce qu'il y a? Continue. . . . Et cette vue . . .
MME JARRIAULT	(*À Monsieur Jarriault:* Arsène, réveille-toi.[2])
M. JARRIAULT	mmmf . . . Quoi? Où suis-je? . . . Ah oui, très nette . . .
MME DESFONTAINES	. . . je ne sais pas exactement ce que c'est . . .
M. JARRIAULT	Je m'excuse, Madame . . . je suis désolé, mais il est tard, et ma mère est restée avec les enfants. Il nous faut vraiment partir.
MME DESFONTAINES	Mais il reste encore les trois dernières semaines du voyage.
MME JARRIAULT	J'aurais tant voulu voir les autres vues.[3] Enfin, ce sera pour une autre fois. Cela nous a fait grand plaisir de les voir. . . . Vous nous excuserez, Madame?

---

[1] vue (projection) slide   [2] réveille-toi wake up
[3] J'aurais tant voulu voir I would have so much liked to see

11 Only after learning that the children are away from home does Miss Larmoyante go by to see her old friend Mrs. Poirier.

MME POIRIER	Entre donc, Pauline. Il y a si longtemps que je ne t'ai pas vue. Quelle surprise de recevoir ton coup de téléphone. . . . Excuse cette robe, je t'en prie; je viens de la cuisine.
MLLE LARMOYANTE	Bonjour, Hélène. Comme toujours, à la cuisine! Et il fait si chaud aujourd'hui!
MME POIRIER	Tu sais, quand on a une famille comme la mienne . . .
MLLE LARMOYANTE	Il fait bien lourd, et on annonce à la radio qu'il va faire ce temps-là encore deux jours.
MME POIRIER	Ah, Pauline, c'est un vrai jour d'été, voilà tout. . . . Mais passons au salon. Nous y serons mieux. . . .
	(*Au salon*)
MME POIRIER	Je suis vraiment désolée que tu arrives quand je suis seule. Comme je te l'ai dit au téléphone, André et nos filles sont allés chez les grands-parents au bord du lac.
MLLE LARMOYANTE	Moi aussi, j'en suis désolée. Et tes garçons? Tu m'as dit qu'ils sont tous dans un camp à la campagne. Comment vont-ils?
MME POIRIER	Très bien, merci. Mais, tu sais, Pierre—tu te rappelles, c'est l'aîné—vient de me téléphoner qu'ils reviennent tous les trois cet après-midi. J'espère donc que tu pourras les voir.
MLLE LARMOYANTE	Je l'espère aussi. Mais, tu sais . . . mes nerfs. [1] . . . Je ne vais pas très bien. . . . J'en suis vraiment désolée, mais il faudra que je parte bientôt.
MME POIRIER	Quel dommage! Il y a si longtemps que tu ne les as pas vus.
MLLE LARMOYANTE	Mais parle-moi, Hélène, de tes petites filles. Qu'est-ce qu'elles font?
MME POIRIER	Petites filles? Voyons, Pauline, il y a quatre ans que tu ne les as pas vues. Elles ne sont

	vraiment plus petites. . . . Voilà une photo d'elles.
MLLE LARMOYANTE	Ce sont elles, ces grandes jeunes filles-là? Elles font déjà du ski?
MME POIRIER	Mais oui, et elles patinent aussi. Comme les garçons, elles sont très sportives. Si tu les avais vues, l'hiver dernier. Nous avons passé quelques jours à une station de ski.
MLLE LARMOYANTE	Je suis fatiguée rien que de les voir. [2] Et elles sont aussi actives que les garçons?
MME POIRIER	Mais oui.
MLLE LARMOYANTE	. . . Dis-moi, Hélène, quelle heure est-il?
MME POIRIER	Mais tu ne vas pas partir avant de voir André et mes filles? Attends quelques minutes. Il fait si chaud; tu vas boire quelque chose ou prendre une glace.
MLLE LARMOYANTE	Peut-être un verre de lait froid, si tu en as. Puis, il faudra que je parte.
MME POIRIER	Enfin, Pauline, s'il le faut. . . . Mais écoute. . . . Voilà une voiture qui arrive. C'est peut-être André et mes filles! Excuse-moi, un instant.
MARIE	(À la cuisine) Comme il fait chaud, maman!
LOUISE	J'ai faim; j'ai très faim. Qu'est-ce qu'il y a à manger, maman?
M. POIRIER	À qui est cette voiture-là, dehors, Hélène?
MME POIRIER	Chut! [3] . . . C'est la voiture de Pauline Larmoyante.
M. POIRIER	Non! Qu'est-ce qu'elle fait ici?
MARIE	Elle va rester tout l'après-midi?
LOUISE	Et nous qui rentrons de bonne heure pour voir le match à la télévision, maman! Nous ne voulons pas le manquer!
MME POIRIER	Pauline est au salon. Soyez gentils. Venez lui dire bonjour, au moins. Elle va partir tout de suite.
LOUISE	Tant mieux.
MME POIRIER	Louise! . . . Allez vite au salon!

[1] nerfs nerves   [2] rien que de les voir just from seeing them   [3] Chut! Shh!

12 Mrs. Loti doesn't get along too well with the Vincents, as Mrs. Defarge discovers.

MME DEFARGE	Savez-vous que les Vincent partent pour la campagne?
MME LOTI	Vraiment? Tant mieux. Quànd partent-ils?
MME DEFARGE	Je crois qu'il partent demain. Et vous, est-ce que vous allez en vacances cet été?
MME LOTI	Maintenant que je sais que les Vincent seront partis, moi, je vais rester ici avec toute la famille. Et croyez-moi, on s'amusera. [1]

[1] croyez-moi   believe me

TOPICS FOR REPORTS

1

Les vacances commencent la semaine prochaine. ..... *Qu'as-tu l'intention de faire cet été?* ..... *Où iras-tu?* ..... *Y passeras-tu tout l'été?* ..... *Quand pars-tu?* ..... *Quand seras-tu de retour?*

2

J'ai de la chance; cet été je vais gagner de l'argent. ..... *Où vas-tu travailler?* ..... *Vas-tu travailler tout l'été?* ..... *Vas-tu gagner beaucoup d'argent?* ..... *Que comptes-tu acheter avec cet argent?*

3

J'ai de la chance; cet été je vais faire un voyage. ..... *Qui t'a invité(e) à faire un voyage?* ..... *Où irez-vous?* ..... *Est-ce que vous prendrez le train ou l'avion?* ..... *Combien de temps resterez-vous là?* ..... *Quand serez-vous de retour?*

4

Nous allons prendre le train. ..... *Où allez-vous?* ..... *Est-ce que ça coûte cher?* ..... *Quand est-ce que vous arriverez?* ..... *Combien de temps allez-vous rester?* ..... *Qu'est-ce que tu aimes mieux: le train ou le car?* ..... *Est-ce qu'on voit bien le pays quand on prend le train?* ..... *Peut-on le voir mieux en car?* ..... *Qu'en dit ton père?* ..... *Comment est-ce que vous reviendrez?*

5

Nous irons voir mes grands-parents cet été. ..... *Où demeurent-ils, à la campagne ou dans une grande ville?* ..... *Est-ce que toute la famille y va?* ..... *Quand partez-vous tous?* ..... *Combien de temps passerez-vous chez eux?* ..... *Quand serez-vous tous de retour?*

V
Reading and Review

(All's well that ends well.)

1 LES VACANCES DE PHILIPPE

Philippe est ravi.   Son ami André l'a invité à aller le rejoindre au bord de la mer.   Passer tout le mois d'août à faire ce qu'on veut, quelle chance!   Et surtout, quatre semaines où il n'aura pas besoin de conduire.

Philippe déteste conduire.   Un garçon de dix-sept ans qui n'aime pas conduire?   Pourquoi?   Parce que Philippe doit gagner de l'argent et que, pour en gagner, il conduit la voiture de Monsieur Rondeau.   Monsieur Rondeau est âgé et malade.   Il faut l'emmener à son bureau le matin, aller le chercher le soir pour le conduire chez lui.   Le samedi et le dimanche, coups de téléphone:

—Philippe, il faut que j'aille chez le dentiste.

Ou chez le médecin, ou chez des amis.

Monsieur Rondeau déteste attendre.   S'il dit: «Venez me chercher à huit heures,» il faut que Philippe soit là à huit heures juste.   S'il arrive une minute plus tard, Monsieur Rondeau dit:

—Pourquoi êtes-vous si en retard?

Ce n'est pas tout.   Monsieur Rondeau a toujours peur d'un accident. Il parle sans jamais s'arrêter:

—Philippe, attention.   Voilà un autobus.

—Arrêtez-vous.   Voilà un feu rouge.

—La chaussée est glissante.

—Tournez à gauche; cette rue est à sens unique.

—N'oubliez pas qu'ici c'est stationnement interdit.

Vous comprenez maintenant pourquoi Philippe est content de passer quatre semaines sans avoir à conduire.

Pour aller chez André, Philippe peut prendre un car: huit heures de voyage; ou le train: six heures; ou l'avion: une heure.   Naturellement, il prend l'avion.

On arrive à l'aéroport. Philippe cherche André mais ne le trouve pas. Enfin, il voit la mère d'André.

—Mon fils s'est cassé le bras. Je suis venue dans la voiture d'une amie. Je suis ravie que vous passiez les vacances avec nous. Pas seulement parce que vous êtes le copain préféré d'André, mais parce que nous avons besoin de quelqu'un pour conduire la voiture. Moi, je n'ai pas de permis de conduire.

Philippe pense: «Mes pauvres vacances! Vraiment, je n'ai pas de chance.»

Mais voilà! Conduire à la campagne, ce n'est pas la même chose que de conduire en ville. André et sa mère le laissent conduire comme il veut. Pas d'embouteillage, très peu de signaux. On s'arrête pour prendre des photos, pour prendre quelque chose, pour regarder la mer ou, tout simplement, parce qu'on a envie de s'arrêter. Philippe s'amuse beaucoup en vacances.

Le voyage de retour va se faire en auto et c'est Philippe qui conduira la voiture. Maintenant, il aime bien conduire . . . quand Monsieur Rondeau n'est pas dans la voiture.

QUESTIONS

1. Pourquoi Philippe est-il ravi?
2. Quel mois va-t-il passer au bord de la mer?
3. Qu'est-ce qu'il n'aura pas besoin de faire?
4. Que fait Philippe pour gagner de l'argent?
5. Où faut-il emmener Monsieur Rondeau le matin?
6. Que doit faire Philippe tous les soirs?
7. Qu'est-ce que Philippe doit faire le samedi et le dimanche?
8. Que dit Monsieur Rondeau quand Philippe est en retard?
9. De quoi a-t-il toujours peur?
10. Qu'est-ce qu'il dit quand il voit un feu rouge?
11. Qu'est-ce qu'il dit quand il voit un autobus?
12. Que prend Philippe pour aller retrouver son ami?
13. Qui est à l'aéroport?
14. Qu'est-ce qu'André s'est cassé?
15. Pourquoi la mère d'André ne peut-elle pas conduire sa voiture?
16. Qu'est-ce que Philippe va faire pendant ses vacances?
17. Est-ce que conduire à la campagne est plus agréable que de conduire en ville?
18. Qu'est-ce qu'on peut faire quand on conduit à la campagne?
19. Comment va se faire le voyage de retour?
20. Quand Philippe aime-t-il conduire?

(Mr. Duval had been looking forward to spending the day with Albert.)

2 GRAND-PÈRE ASSISTE À UN DÉFILÉ

Nous assistons à un défilé, mon petit-fils Albert, son copain Gaston et moi. Albert dit:

—Grand-père, la fanfare est formidable. Ça te plaît, cette musique, n'est-ce pas?

Pour eux, regarder passer un défilé, c'est tout un événement.

Moi, je déteste la musique militaire.

Si seulement il faisait moins chaud. Mon veston, sur mon bras, est lourd, lourd. J'ai très mal à la tête. J'ai peur que ce soit la grippe. Non. Il fait trop chaud. Voilà tout.

On dit qu'il faut manger beaucoup de sel en été . . . .

J'ai oublié d'emporter de l'aspirine. Voici une épicerie en face. Est-ce qu'on peut acheter de l'aspirine dans une épicerie? Un monsieur de mon âge, soixante ans, qui ne sait pas encore cela!

—Grand-père, je voudrais une glace. Gaston aussi voudrait une glace.

J'achète des glaces. Albert dit:

—C'est bon, une glace. Grand-père, tu n'en veux pas une?

—Non, pas maintenant.

Je déteste les glaces.

Qui est cette dame? Je la connais mais je ne me rappelle pas son nom. Bon, la voilà à ma gauche.

—Bonjour, Monsieur. Vous allez bien?

—Très bien, merci.

On dit toujours qu'on va bien, même quand on a très mal à la tête. Ça ne fait rien; la dame n'écoute pas. Elle dit:

—Qu'ils sont gentils, ces enfants. Vous voulez me les présenter?

—Albert, Gaston, Madame mmmm.

—Vous ne me reconnaissez pas. C'est parce que j'ai changé de coiffure.

Elle m'énerve, cette dame. Gaston la regarde:

—Ta nouvelle coiffure ne te va pas.

Il a raison, mais ça ne se dit pas. La dame dit bonsoir et part. Bravo, Gaston.

Le défilé s'arrête. Albert est content.

—Grand-père, un accident.

—Ce n'est pas un accident; c'est simplement un feu rouge.

—C'est dommage.

C'est curieux, les enfants. . . . Cette fanfare est abominable.

Ce matin j'ai reçu un coup de téléphone de mon cousin Joseph. Il m'a invité à aller prendre le café avec lui. Il ne fait pas chaud chez lui. On est bien.

Le défilé est terminé; je vais rendre les enfants à ma fille et aller vite chez Joseph.

—Il faut rentrer, mes enfants.

Albert dit:

—Déjà? On s'amuse si bien. Emmène-nous au parc, grand-père.

Puis, il me regarde:

—Tu es fatigué, grand-père? Alors, rentrons.

Il m'étonne toujours, ce petit. Il est vraiment fort gentil.

Je dis:

—J'ai changé d'avis. Allons faire une promenade dans le parc.

QUESTIONS

1. Avec qui grand-père assiste-t-il au défilé?
2. Est-ce que la fanfare plaît à Albert?
3. Est-ce qu'elle plaît au grand-père?
4. Est-ce qu'il fait chaud?
5. Est-ce que le grand-père va bien?
6. De quoi a-t-il peur?
7. Qu'est-ce qu'il faut manger en été?
8. Qu'est-ce que le grand-père a oublié d'emporter?
9. Qu'est-ce qu'il y a en face?
10. Quel âge a le grand-père?
11. Qu'est-ce que le grand-père ne sait pas encore?
12. Qu'est-ce que Gaston et Albert voudraient?
13. Qu'est-ce que le grand-père achète?
14. Pourquoi le grand-père ne veut-il pas de glace?
15. Qui le grand-père connaît-il?
16. Qu'est-ce qu'il ne se rappelle pas?
17. Qu'est-ce qu'on dit toujours même quand on a très mal à la tête?
18. Qu'est-ce que la dame demande au grand-père?
19. Comment le grand-père présente-t-il les enfants à la dame?
20. Que dit Gaston à la dame?
21. Pourquoi le défilé s'arrête-t-il?
22. Qu'est-ce que le grand-père va faire après le défilé?
23. Qu'est-ce que le petit garçon demande à son grand-père?
24. Pourquoi Albert veut-il rentrer?
25. Pourquoi le grand-père change-t-il d'avis?

Chansons

Sur le pont d'Avignon

Sur le pont d'A-vi-gnon, L'on y dan-se, L'on y

dan-se; Sur le pont d'A-vi-gnon, L'on y dan-se tout en rond.

Les beaux mes-sieurs font comme ci, Et puis en-core comme ça.
Les bel-les dames font comme ci, Et puis en-core comme ça.
Les sol-dats font comme ci, Et puis en-core comme ça.

Sur le pont d'A-vi-gnon, L'on y dan-se, L'on y

dan-se; Sur le pont d'A-vi-gnon, L'on y dan-se tout en rond.

Frère Jacques

Frè - re Jac - ques, Frè - re Jac - ques, dor - mez -
vous? Dor - mez - vous? Son - nez les ma - ti - nes, Son - nez les ma -
ti - nes, Din, din, don! Din, din, don!

Savez-vous planter les choux?

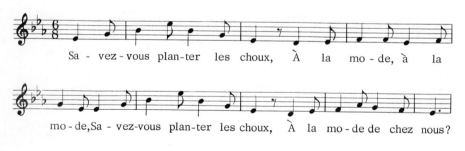

Sa - vez - vous plan - ter les choux, À la mo - de, à la
mo - de, Sa - vez - vous plan - ter les choux, À la mo - de de chez nous?

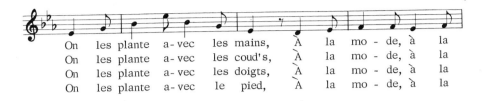

On les plante a-vec les mains, À la mo - de, à la
On les plante a-vec les coud's, À la mo - de, à la
On les plante a-vec les doigts, À la mo - de, à la
On les plante a-vec le pied, À la mo - de, à la

mo- de,On les plante a - vec les mains, À la mo - de de chez nous.
mo- de,On les plante a - vec les coud's, À la mo - de de chez nous.
mo- de,On les plante a - vec les doigts, À la mo - de de chez nous.
mo- de,On les plante a - vec le pied, À la mo - de de chez nous.

Au clair de la lune

1. Au clair de la lu - ne, Mon a - mi, Pier - rot,
2. Au clair de la lu - ne, Pier -rot ré - pon - dit:

Prê - te - moi ta plu - me Pour é - crire un mot;
Je n'ai pas de plu - me, Je suis dans mon lit;

Ma chan- delle est mor - te, Je n'ai plus de feu;
Va chez la voi - si - ne Je crois qu'elle y est,

Ou - vre - moi ta por - te Pour l'a - mour de Dieu.
Car dans la cui - si - ne On bat le bri - quet.

Trois poules

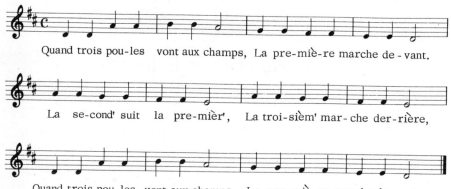

Quand trois pou-les vont aux champs, La pre-miè-re marche de-vant.

La se-cond' suit la pre-mièr', La troi-sièm' mar-che der-rière,

Quand trois pou-les vont aux champs, La pre-miè-re marche de-vant.

Chantez sur l'air de "Trois poules"

A, bé, cé, dé, é, effe, gé,
Ache, i, ji, ka, elle, emme, enne, o, pé;
Ku, erre, esse, té, u et vé,
Double vé, iks, i grec et zed,
Là, j'ai dit mon alphabet,
Dites-moi si ce n'est pas gai.

Ah, vous dirai-je, maman,
Ce qui cause mon tourment,
Papa veut que je raisonne
Comme une grande personne
Moi, je dis que les bonbons
Valent mieux que la raison.

L'Alouette

A - lou-et- te, gen - tille a - lou-et - te, A - lou-et - te, Je te plu-me-rai.

Je te plu-me-rai la têt', Je te plu-me-rai la têt', Et la têt', et la têt', Oh!

A - lou-et- te, gen - tille a - lou-et- te, A - lou-et - te, Je te plu-me-rai.

2. Alouette, gentille alouette,
   Alouette, Je te plumerai.
   Je te plumerai le bec,
   Je te plumerai le bec,
   Et le bec, et le bec,
   Et la têt', et la têt', Oh!

3. Alouette, gentille alouette,
   Alouette, Je te plumerai.
   Je te plumerai les patt's,
   Je te plumerai les patt's,
   Et les patt's, et les patt's,
   Et le bec, et le bec,
   Et.la têt', et la têt', Oh!

Aussi: Je te plumerai le cou, le dos, *etc.*

La Marseillaise

Mouvement de marche

Rouget de Lisle

Al-lons, en-fants de la pa-tri - e, Le jour de
A-mour sa' -cré de la pa-tri - e, Con-duis, sou-

gloire est ar-ri-vé! Con-tre nous de la ty-ran-
tiens nos bras ven-geurs! Li-ber-té, Li-ber-té ché -

ni - e, L'é-ten-dard san-glant est le-vé, L'é-ten-
ri - e, Com-bats a-vec tes dé-fen-seurs, Com-bats

dard san-glant est le-vé! En-ten-dez vous, dans les cam-
a-vec tes dé-fen-seurs! Sous nos dra-peaux que la Vic-

pa-gnes, Mu-gir ces fé-ro-ces sol-dats! Ils
toi-re Ac-coure à tes mâ-les ac-cents! Que

vien - nent jus - que dans nos bras, É - gor - ger nos fils, nos com-
tes en - ne - mis ex - pi - rants Voient ton tri - omphe et no - tre

pa - gnes! Aux ar - mes, ci - toy - ens! For-
gloi - re.

mez_____ vos ba - tail - lons! Mar - chons, mar - chons!

Qu'un sang im - pur a - breu - ve nos sil - lons!_____

Index of English Equivalents

French Word List

INDEX OF ENGLISH EQUIVALENTS

The numbers indicate where the word, phrase or sentence can be found in the text.

These numbers usually refer to a Unit and to a Basic Dialogue Sentence within that Unit. For example, 20.6 refers to Unit 20, Basic Dialogue Sentence 6. In some cases the reference is to the title of the Unit. Thus, 6.0 indicates the title of Unit 6.

Numbers with P refer to the Pattern Practices. The reference 15.P2 indicates the second Pattern Practice in Unit 15.

When the reference is to one of the tables that are to be found in some Units, the letter T follows the Unit number.

A

a, an	She's a friend of my sister.	C'est une amie de ma sœur.	3.11
	And he's a good-looking boy.	Et lui, c'est un beau garçon.	3.16
	Chocolate ice cream and an éclair.	Une glace au chocolat et un éclair.	8.20
	. . . miles an hour.	. . . kilomètres à l'heure.	17.T
about	Don't worry about that.	Ne vous inquiétez pas de cela.	7.19
(talk about)	There's a story about an automobile accident.	On y parle d'un accident d'automobile.	17.3
accept	Are you going to accept their invitation?	Accepteras-tu leur invitation?	20.13
accident	There's a story about an automobile accident.	On y parle d'un accident d'automobile.	17.3
ache	What's the matter? Do you have a headache?	Qu'est-ce qu'il y a? Avez-vous mal à la tête?	17.P10
activity	Activities.	Activités.	16.0
address	Addresses.	Adresses.	5.0
adventure	I'd rather see an adventure picture.	Moi, j'aimerais mieux voir un film d'aventures.	9.18
afraid	I'm afraid it's the flu.	J'ai peur que ce soit la grippe.	17.11
after	What are you doing after school?	Que fais-tu après l'école?	9.9
afternoon	I'm always hungry in the afternoon.	Moi, j'ai toujours faim l'après-midi.	6.P10
	Are there any good programs this afternoon?	Y a-t-il de bons programmes cet après-midi?	9.16
	Well, we can spend all afternoon there.	Eh bien! On pourra y rester tout l'après-midi.	19.15
ahead	Then go straight ahead and you'll see it.	Puis, continuez tout droit et vous le verrez.	19.10

airplane	*see* **plane.**		
airport	After lunch we're all going to the airport.	Après le déjeuner, nous irons tous à l'aéroport.	18.15
all			
(entire)	I could spend all day there.	Je pourrais y passer toute une journée.	12.5
	Well, we can spend all afternoon there.	Eh bien! On pourra y rester tout l'après-midi.	19.15
(we all)	We all call him "Tonton."	Nous l'appelons tous «Tonton.»	4.18
(that's all)	They're good friends, that's all.	Ce sont de bons amis, voilà tout.	3.20
(not at all)	[*I wonder if it's dangerous to skate.*] Not at all.	[*Je me demande s'il est dangereux de patiner.*] Oh, pas du tout!	11.4
all right			
(agreed)	All right with me.	D'accord.	8.6
(very well)	All right.	Très bien.	8.20
	That's all right. [*It doesn't matter.*]	Ça ne fait rien.	13.3
alley	Let's go to the opening of the bowling alley tomorrow.	Allons demain à l'ouverture du «Boulodrome.»	16.15
along	You could come along with us anyway.	Tu pourrais nous accompagner quand même.	16.18
already	Is it already midnight?	Est-ce qu'il est déjà minuit?	6.P1
always	No, but I'm always hungry by noon.	Non, mais j'ai toujours faim à midi.	6.6
am	I'm sorry to hear it.	J'en suis désolée.	1.14
	I'm Jean-Claude Thomas.	Moi, je suis Jean-Claude Thomas.	2.3
	Am I stupid!	Que je suis bête!	7.4
(health)	I am so-so, thank you.	Je vais assez bien, merci.	1.P5
(age)	I'm only fourteen.	Je n'ai que quatorze ans.	7.9
American	An American team and (against) a Canadian one.	Une équipe américaine contre une équipe canadienne.	16.7
amusing	My uncle especially is very amusing.	Mon oncle surtout est très amusant.	4.17
an	Chocolate ice cream and an éclair.	Une glace au chocolat et un éclair.	8.20
	An American team and (against) a Canadian one.	Une équipe américaine contre une équipe canadienne.	16.7
	. . . miles an hour.	. . . kilomètres à l'heure.	17.T
and	How are Paul and Louise?	Paul et Louise, comment vont-ils?	1.11

announced	They said so [*announced it*] on the radio.	On l'a annoncé à la radio.	11.5
any	Do you have any brothers and sisters?	As-tu des frères et des sœurs?	4.1
	I don't have any butter.	Je n'ai pas de beurre.	8.P6
	There isn't any more.	Il n'y en a plus.	8.8
	Are there any good programs this afternoon?	Y a-t-il de bons programmes cet après-midi?	9.16
	Let's not lose any time.	Ne perdons pas de temps.	15.6
anyone	Do you have a date with anyone?	As-tu un rendez-vous avec quelqu'un?	6.15
anything	Are you doing anything tonight?	Tu es libre ce soir?	10.9
	I never saw anything like it.	Je n'ai jamais rien vu de pareil.	14.9
anyway	You could come along with us anyway.	Tu pourrais nous accompagner quand même.	16.18
appointment	But I've got an appointment with him at four.	Mais j'ai un rendez-vous avec lui à quatre heures.	17.19
April	We can go there the 4th of April.	Nous pouvons y aller le quatre avril.	7.P5
are			
(you are)	How are you?	Comment allez-vous, Mademoiselle?	1.3
	Are you doing anything tonight?	Tu es libre ce soir?	10.9
	You look (are) lovely in it. [*the dress*]	Vous êtes ravissante, Mademoiselle.	12.11
(we are)	Sure, we're great friends.	Mais oui, nous sommes de bons copains.	3.3
	Jacques and I are invited too.	Jacques et moi, nous sommes aussi invités.	18.19
(they are)	Are your parents well?	Est-ce que tes parents vont bien?	1.9
	How are Paul and Louise?	Paul et Louise, comment vont-ils?	1.11
	They're nice, both of them.	Ils sont sympathiques, tous les deux.	3.17
	I hear they're engaged.	On dit qu'ils sont fiancés.	3.18
	Unfortunately, they're not at all clear [*the pictures*].	Malheureusement, elles sont loin d'être nettes.	18.8
(there are)	There aren't many people here yet.	Il n'y a pas encore beaucoup de monde.	14.3
	There are several of them.	Il y en a plusieurs.	15.12
arm	It says [*in the paper*] he broke his arm.	On dit qu'il s'est cassé le bras.	17.7

around	I'll meet you around six.	Je te rejoindrai vers six heures.	10.14
article	Have you read this (particular) article?	Avez-vous lu cet article-ci?	17.P4
as for	As for Élise, she does the best she can, poor thing.	Quant à Élise, elle fait de son mieux, la pauvre.	11.18
ask (inquire)	I'll ask in the kitchen.	Je vais demander à la cuisine.	8.11
(invite)	Go over and ask her to dance.	Va donc l'inviter à danser.	14.16
(request)	Ask Mr. Selvi to wait a minute.	Demande à Monsieur Selvi d'attendre un instant.	10.18
asked	Yes, he asked me to go with him to Monique's.	Oui, il m'a demandé de l'accompagner chez Monique.	18.18
aspirin	I'm going for some aspirin.	Je vais chercher de l'aspirine.	17.14
at *(time)*	At seven fifteen.	À sept heures et quart.	6.14
	Driving at this hour makes me nervous.	Ce qui m'énerve c'est de conduire à cette heure-ci.	19.3
(place)	At 55 Gobelins Avenue.	Avenue des Gobelins, au cinquante-cinq.	5.12
	Bernard's expecting us at his house.	Bernard nous attend chez lui.	9.13
	Turn left at the corner.	Tournez à gauche, au coin de la rue.	19.9
	I hear you're going to work at the pool.	On me dit que tu vas travailler à la piscine.	20.7
August	August.	août.	7.T
	They invited me to join them in the month of August.	Ils m'ont invité(e) à les rejoindre au mois d'août.	20.P6
aunt	She's my Aunt Françoise's only child.	C'est la fille unique de ma tante Françoise.	4.15
Australian	They were playing an Australian team.	On jouait contre une équipe australienne.	16.P3
automobile	There's a story about an automobile accident.	On y parle d'un accident d'automobile.	17.3
autumn	*see* **fall.**		
avenue	At 55 Gobelins Avenue.	Avenue des Gobelins, au cinquante-cinq.	5.12
away	I'd rather eat something right away.	Je préfère prendre quelque chose tout de suite.	6.4
awful	I've got an awful cold.	J'ai un rhume abominable.	17.11
awfully	Sure, but it's awfully expensive.	Bien sûr, mais ça coûte si cher.	16.17

B

back	No, we'll be back in a month.	**Non, nous serons de retour dans un mois.**	20.4
	And maybe we'll come back by [*long-distance*] bus.	**Et nous reviendrons peut-être en car.**	20.19
bad	I'm afraid it's a bad cold.	**J'ai peur que ce soit un mauvais rhume.**	17.P2
(*weather*)	It's such bad weather.	**Il fait si mauvais.**	15.P2
	The weather was bad that day.	**Il faisait mauvais temps ce jour-là.**	18.9
(not bad)	Not bad. How are things with you?	**Pas mal, et toi?**	1.5
(too bad)	But [*she's*] not very well-liked. It's too bad.	**Mais pas très sympathique. C'est dommage.**	3.8
	Too bad. You'll have to come some other time.	**Dommage! Tu viendras une autre fois.**	16.14
(bad dog)	BEWARE OF THE DOG!	CHIEN MÉCHANT!	17.T
bad-looking	Well, she's not bad-looking.	**Eh bien, elle n'est pas mal.**	3.6
bakery	Is there a bakery(*shop*) on the way?	**Y a-t-il une boulangerie sur la route?**	15.P3
band	Everybody loves a band.	**Tout le monde adore les fanfares.**	18.6
bank	The bank? Go straight ahead and you'll see it.	**La banque? Continuez tout droit et vous la verrez.**	19.P7
basketball	Then, no basketball today?	**Alors, pas de basket-ball aujourd'hui?**	9.P7
bathing suit	Your swim suits and some sandwiches.	**Vos maillots et quelques sandwichs.**	15.5
be	Are you going to be sixteen?	**Tu vas avoir seize ans?**	7.8
	I hope there'll be enough [*snow*] for skiing.	**J'espère qu'il y en aura assez pour faire du ski.**	11.9
	Then you're not going to be with us?	**Alors tu ne seras pas des nôtres?**	16.12
	It'll be better soon [*the tooth-ache*].	**Ça ira bientôt mieux.**	17.20
	Yes, the whole family will be there.	**Oui, toute la famille sera là.**	18.14
	No, we'll be back in a month.	**Non, nous serons de retour dans un mois.**	20.4
beans	String beans? There aren't any more.	**Des haricots verts? Il n'y en a plus.**	8.P4
beautiful	Hélène Duclos? Well, she's very beautiful.	**Hélène Duclos? Eh bien, elle est très belle.**	3.P3

because	Because it's a holiday!	Parce que c'est un jour de fête.	7.3
bed	I've been (staying) in bed for a long time.	Il y a longtemps que je suis au lit.	14.P3
been	Have you been to the fair?	Êtes-vous allés à la foire?	7.15
	I've been living here for a long time.	Il y a longtemps que je demeure ici.	14.P3
before	I told them to come before six.	Je leur ai dit de venir avant six heures.	14.P5
begin	I prefer to begin right away.	Je préfère commencer tout de suite.	6.P3
Belgium	My aunt is coming in from Belgium.	Ma tante arrive de Belgique.	18.P2
believe	Impossible! I can't believe it.	Pas possible! Je ne peux pas le croire.	13.17
belt	This belt, how much is it?	Cette ceinture, combien coûte-t-elle?	12.P1
best	As for Élise, she does the best she can, poor thing.	Quant à Élise, elle fait de son mieux, la pauvre.	11.18
	It's my best friend's mother.	C'est la mère de mon meilleur ami.	17.P9
better	I am better, thank you.	Je vais mieux, merci.	1.P5
	I am much better, thank you.	Je vais beaucoup mieux, merci.	1.P5
	The weather's even better than yesterday.	Il fait encore plus beau qu'hier.	11.P7
	Cheer up! It'll be better soon [the toothache].	Courage! Ça ira bientôt mieux.	17.20
	You can hear it [the music] much better now.	On l'entend bien mieux maintenant.	18.2
	But you should do much better this afternoon.	Mais tu devrais mieux réussir cet après-midi.	18.10
	[Jacques and I are invited, too.] That makes it even better.	[Jacques et moi, nous sommes aussi invités.] Tant mieux.	18.20
beware	BEWARE OF THE DOG!	CHIEN MÉCHANT!	17.T
bicycle	I'd prefer to go bicycle riding.	Moi, j'aimerais mieux faire une promenade à bicyclette.	9.P4
	Oh, that's one of those new bicycles.	Oh! C'est une de ces nouvelles bicyclettes.	13.P9
	We'll come back by bicycle.	Nous reviendrons à bicyclette.	20.P2
big	I went to a big tennis match yesterday.	J'ai assisté à un grand match de tennis hier.	16.5
	In a big city.	Dans une grande ville.	19.0

bigger	I'd rather have something bigger, myself.	Moi, j'aimerais mieux quelque chose de plus grand.	13.14
bill	POST NO BILLS!	DÉFENSE D'AFFICHER!	17.T
birthday	When's your birthday?	Quand est ton anniversaire?	7.6
bit	That's right, and I'll earn a good bit of money.	C'est juste, et je gagnerai pas mal d'argent.	20.8
black	He especially likes black.	Il aime surtout le noir.	12.P4
blouse	This blouse is rather attractive.	Cette blouse est assez belle.	12.P3
blue	He especially likes blue or green.	Il aime surtout le bleu ou le vert.	12.9
boat	We'll come back by boat.	Nous reviendrons en bateau.	20.P2
book	You never have enough books.	On n'a jamais assez de livres.	7.P8
	Pierre wants to show us his new book.	Pierre veut nous montrer son nouveau livre.	9.P9
botanical	It's near the botanical garden.	C'est près du Jardin des plantes.	5.13
both	They're nice, both of them.	Ils sont sympathiques, tous les deux.	3.17
bought	I bought her a record.	Je lui ai acheté un disque.	7.12
bowling	Then, no bowling today?	Alors, pas de boules aujourd'hui?	9.P7
	Have you ever gone bowling?	As-tu déjà joué aux boules?	16.16
bowling alley	Let's go to the opening of the bowling alley tomorrow.	Allons demain à l'ouverture du «Boulodrome».	16.15
boy	That boy's name is Marcel, isn't it?	Ce garçon s'appelle Marcel, n'est-ce pas?	2.13
	And he's a good-looking boy.	Et lui, c'est un beau garçon.	3.16
(Boy!)	Boy, are you lucky!	Ah, tu as de la chance!	20.10
bread	Pass the bread, please.	Passe-moi le pain, s'il te plaît.	8.P3
	I'll have to buy bread.	Il faudra que j'achète du pain.	15.P10
	[I need . . .] Bread, sausage, cheese . . .	[J'ai besoin . . .] De pain, de saucisson, de fromage . . .	15.15
break	It says [in the paper] he broke his arm.	On dit qu'il s'est cassé le bras.	17.7
breakfast	Did you eat breakfast early this morning?	As-tu déjeuné de bonne heure ce matin?	6.5
bright	She's a very bright girl.	C'est une jeune fille très intelligente.	3.7

bring	Maybe Charles will [bring] take the others.	**Charles emmènera peut-être les autres.**	15.10
broke	It says [in the paper] he broke his arm.	**On dit qu'il s'est cassé le bras.**	17.7
brother	I have just one brother.	**Je n'ai qu'un frère.**	4.7
	Do you have any brothers and sisters?	**As-tu des frères et des sœurs?**	4.1
brother-in-law	brother-in-law.	**le beau-frère.**	4.T
brought	Henriette brought a lot of them [records].	**Henriette en a apporté beaucoup.**	13.7
building	Do you see that big building over there?	**Vois-tu ce grand bâtiment, là-bas?**	19.16
bus			
(local)	Do you take the bus in the morning?	**Est-ce que vous prenez l'autobus le matin?**	6.19
	Did you ask the conductor where this bus goes?	**As-tu demandé au receveur où allait cet autobus?**	19.12
(long-distance)	And maybe we'll come back by bus.	**Et nous reviendrons peut-être en car.**	20.19
but	But Louise is sick.	**Mais Louise est malade.**	1.13
	No, but I'm always hungry by noon.	**Non, mais j'ai toujours faim à midi.**	6.6
	But what a hair-do! How do you like it?	**Mais quelle coiffure! Qu'en penses-tu?**	14.8
butcher(shop)	Is there a butcher shop on the way?	**Y a-t-il une boucherie sur la route?**	15.P3
butter	I don't have any butter.	**Je n'ai pas de beurre.**	8.P6
buy	I bought her a record.	**Je lui ai acheté un disque.**	7.12
	I'll have to buy something.	**Il faudra que j'achète quelque chose.**	15.13
by			
(time)	No, but I'm always hungry by noon.	**Non, mais j'ai toujours faim à midi.**	6.6
(means)	I wonder if it's dangerous to travel by plane.	**Je me demande s'il est dangereux de voyager par avion.**	11.P1
	And maybe we'll come back by [long-distance] bus.	**Et nous reviendrons peut-être en car.**	20.19
	We'll come back by plane.	**Nous reviendrons en avion.**	20.P2
	We'll come back by boat.	**Nous reviendrons en bateau.**	20.P2
	We'll come back by bicycle.	**Nous reviendrons à bicyclette.**	20.P2
	We'll walk back. [by foot]	**Nous reviendrons à pied.**	20.P2
	We'll come back by train.	**Nous reviendrons par le train.**	20.P2

(position)	I'll come by for you and Anne.	**Je viendrai vous chercher, Anne et toi.**	15.9
	The parade will go by us soon.	**Le défilé va bientôt passer devant nous.**	18.3

C

cake	Is there any cake left?	**Est-ce qu'il y a encore du gâteau?**	8.P2
call			
(to call)	We all call him "Tonton".	**Nous l'appelons tous «Tonton».**	4.18
(to telephone)	Well, if you change your mind, call me.	**Eh bien, si tu changes d'avis, téléphone-moi.**	9.8
(a call)	By the way, Pierrette, have you had a call from Bernard?	**À propos, Pierrette, as-tu reçu un coup de téléphone de Bernard?**	18.17
calling	Yes, and who is this [*calling*]?	**Oui, qui est à l'appareil?**	10.8
came	Yes, he just came in.	**Oui, il vient d'arriver.**	10.16
camp	My brother and I are going to a camp at the shore.	**Mon frère et moi, nous irons dans un camp au bord de la mer.**	20.2
can			
(I can)	I can lend you some, if you like.	**Je peux vous en prêter, si vous voulez.**	7.20
(you can)	You can take mine.	**Tu peux prendre le mien.**	8.15
	Can you tell me where the post office is?	**Pouvez-vous m'indiquer le bureau de poste?**	19.6
(we can)	But we can't go without money.	**Mais nous ne pouvons pas y aller sans argent.**	7.18
	Can we go up and see him?	**Pourrions-nous monter le voir?**	19.19
	We can spend all afternoon there.	**On pourra y rester tout l'après-midi.**	19.15
Canadian	An American team and [*against*] a Canadian one.	**Une équipe américaine contre une équipe canadienne.**	16.7
candy (shop)	Is there a candy shop on the way?	**Y a-t-il une confiserie sur la route?**	15.P3
captain	Didn't you go to the police captain?	**Tu n'es pas allé(e) chez le commissaire de police?**	17.P7
car	It's my favorite car.	**C'est ma voiture préférée.**	11.P9
	But it's so nice in a car.	**Mais on est si bien en voiture.**	15.19
carrots	Carrots? There aren't any more.	**Des carottes? Il n'y en a plus.**	8.P4
catastrophe	Minor catastrophes.	**Petits malheurs.**	17.0

center	That's near the center of town, isn't it?	C'est près du centre, n'est-ce pas?	5.19
central	Central 95.77.	CENtral quatre-vingt-quinze—soixante-dix-sept.	10.2
certainly	Certainly not.	Certainement pas.	3.19
change	Well, if you change your mind, call me.	Eh bien, si tu changes d'avis, téléphone-moi.	9.8
charming	I know that charming girl very well.	Je connais très bien cette charmante jeune fille.	2.P7
chat	Do you want to dance or just chat?	Voulez-vous danser ou simplement bavarder?	13.P2
cheer up	Cheer up! It'll be better soon [the toothache].	Courage! Ça ira bientôt mieux.	17.20
cheese	Is there any cheese left?	Est-ce qu'il y a encore du fromage?	8.P2
	[I need . . .] Bread, sausage, cheese . . .	[J'ai besoin . . .] De pain, de saucisson, de fromage . . .	15.15
chicken	You don't like chicken?	Tu n'aimes pas le poulet?	8.3
chicken pox	I'm afraid it's chicken pox.	J'ai peur que ce soit la varicelle.	17.P2
child	the child.	l'enfant.	4.T
	She's my aunt Françoise's only child.	C'est la fille unique de ma tante Françoise.	4.15
children	Look how excited those children are.	Regarde comme ces enfants sont impatients.	18.4
chocolate	Chocolate ice cream and an éclair.	Une glace au chocolat et un éclair.	8.20
city	We live in the city.	Nous, nous demeurons en ville.	5.11
	Are you going into the city today?	Vas-tu en ville aujourd'hui?	6.P6
	In a big city.	Dans une grande ville.	19.0
city hall	It's opposite the city hall.	Il est en face de l'hôtel de ville.	19.7
class	We had a meeting after class.	Nous avons eu une réunion après la classe.	16.1
	I wish I could go on the trip with the class.	J'aimerais aller en excursion avec la classe.	16.11
clear	Unfortunately they're not at all clear [the pictures].	Malheureusement, elles sont loins d'être nettes.	18.8
close	It was a close match.	La partie a été très disputée.	16.8
coat	She'd like a coat (overcoat) for her son.	Elle voudrait un pardessus pour son fils.	12.P2
	Does this coat look well on her?	Est-ce que ce manteau lui va bien?	12.P5

coffee	Coffee for me and milk for my friend.	Du café pour moi et du lait pour mon ami.	8.13
cold			
(weather)	It's so cold.	Il fait si froid.	15.P2
(a cold)	I've got an awful cold.	J'ai un rhume abominable.	17.11
	I'm afraid it's a bad cold.	J'ai peur que ce soit un mauvais rhume.	17.P2
colder	Even colder than yesterday.	Encore plus froid qu'hier.	11.2
color	What color does he prefer?	Quelle couleur préfère-t-il?	12.8
come			
(to come)	Then you don't want to come with me?	Alors, tu ne veux pas venir avec moi?	9.2
(come!)	Come on!	Viens!	3.13
	Well, if you can, come later.	Eh bien, si c'est possible, viens plus tard.	16.20
(comes)	Here comes Thérèse.	Voilà Thérèse qui arrive.	3.9
(is coming)	My Aunt Lucienne is coming in from England.	Ma tante Lucienne arrive d'Angleterre.	18.16
(are coming)	Then you're not [coming] going to be with us?	Alors tu ne seras pas des nôtres?	16.12
(have come)	Have Pauline and Gérard come yet?	Est-ce que Pauline et Gérard sont déjà arrivés?	14.10
(did come)	With whom did Guillaume come?	Avec qui Guillaume est-il venu?	14.13
	Why didn't you come?	Pourquoi n'es-tu pas venu?	16.2
(have to come)	You'll have to come some other time.	Tu viendras une autre fois.	16.14
come back	And maybe we'll come back by [long distance] bus.	Et nous reviendrons peut-être en car.	20.19
come by for	I'll come by for you and Anne.	Je viendrai vous chercher, Anne et toi.	15.9
come (fall) down	Look at that beautiful snow coming down.	Regarde comme elle tombe, cette belle neige.	11.8
come (fall) on	It comes on the same day as the rehearsal.	Ça tombe le même jour que la répétition.	16.13
completely	I had completely forgotten it.	Je l'avais complètement oublié.	7.5
concert	I went to a concert last night.	J'ai assisté à un concert hier soir.	16.P2
conductor	Did you ask the conductor where this bus goes?	As-tu demandé au receveur où allait cet autobus?	19.12
convertible	Especially in a convertible.	Surtout en décapotable.	15.20
cool	The weather's even cooler than yesterday.	Il fait encore plus frais qu'hier.	11.P7
corner	Turn left at the corner.	Tournez à gauche, au coin de la rue.	19.9

cost	How much does this scarf cost?	Cette écharpe, combien coûte-t-elle?	12.P1
could	I could spend all day there.	Je pourrais y passer toute une journée.	12.5
	You could come along with us anyway.	Tu pourrais nous accompagner quand même.	16.18
	I wish I could go on the trip with the class.	J'aimerais aller en excursion avec la classe.	16.11
	He couldn't see me this morning.	Il ne pouvait pas me recevoir ce matin.	17.18
country *(rural)*	Out in the country, in a small town.	À la campagne, dans un petit village.	5.8
	The Vincents are leaving for the country.	Les Vincent partent pour la campagne.	20.11
(nation)	My father says that's really the way to see the country.	Mon père dit que c'est ainsi qu'on voit bien le pays.	20.20
course	Of course! Come on!	Mais bien sûr! Viens!	3.13
	I see it. Of course I intend to stop.	Je le vois et j'ai bien l'intention de m'arrêter.	19.5
	[*Are you going to accept their invitation?*] Of course!	[*Accepteras-tu leur invitation?*] Naturellement!	20.14
court	In the park on the municipal [*tennis*] courts.	Dans le parc, sur le court municipal.	16.10
cousin	My cousin Pierre is in the service, too.	Mon cousin Pierre fait aussi son service militaire.	4.11
	Our little cousin is staying with us.	Notre petite cousine est chez nous.	4.12
	Where do your cousins live?	Où demeurent tes cousins?	5.7
crazy about	I'm crazy about it. It's my favorite sport.	J'adore ça. C'est mon sport préféré.	11.11
	Well, Georges is crazy about it [*the car*].	Georges, lui, en est ravi.	13.15
cream	Ice cream, pastry and fruit.	De la glace, de la pâtisserie et des fruits.	8.19
cup	I don't have a cup.	Je n'ai pas de tasse.	8.P6

D

dad	Mom, is dad here?	Maman, est-ce que papa est là?	10.15
dairy store	Is there a dairy store on the way?	Y a-t-il une crémerie sur la route?	15.P3
dance	Do you like to dance?	Tu aimes danser?	11.P8
	Do you want to dance or just listen to these records?	Voulez-vous danser ou simplement écouter ces disques?	13.6

danger	DANGER!	DANGER!	17.T
dangerous	I wonder if it's dangerous to skate.	Je me demande s'il est dangereux de patiner.	11.3
dark	It's so dark [*outside*].	Il fait si sombre.	15.P2
dash over	Let's dash over and get some.	Allons vite nous servir.	14.20
date			
(*appointment*)	Do you have a date with anyone?	As-tu un rendez-vous avec quelqu'un?	6.15
(*calendar*)	Dates.	La date.	7.0
daughter	daughter.	la fille.	4.T
day	Today's the last day.	C'est aujourd'hui le dernier jour.	7.17
	It comes on the same day as the rehearsal.	Ça tombe le même jour que la répétition.	16.13
(*duration*)	I could spend all day there.	Je pourrais y passer toute une journée.	12.5
December	Next week, the fifth of December.	La semaine prochaine, le cinq décembre.	7.7
decoration	The decorations really turned out well.	La décoration est vraiment très réussie.	14.2
dentist	Didn't you go to the dentist?	Tu n'es pas allé chez le dentiste?	17.17
department store	I just love department stores.	J'adore les grands magasins.	12.4
dessert	Waiter, what do you have for dessert?	Garçon, qu'est-ce qu'il y a comme dessert?	8.18
did	*See* **buy, eat, fall,** *etc.*		
dinner	I prefer to have dinner right away.	Je préfère dîner tout de suite.	6.P3
	Here's a good restaurant. Suppose we have dinner here?	Voici un bon restaurant. Si on y dînait?	8.5
do			
(to do)	What are you going to do there?	Qu'est-ce que tu vas y faire?	10.11
	What are you planning to do tomorrow, Sylvianne?	Que comptes-tu faire demain, Sylvianne?	12.1
	What do you intend to do this summer?	Qu'avez-vous l'intention de faire cet été?	20.1
	I have a lot of things to do.	J'ai un tas de choses à faire.	20.6
(does)	As for Élise, she does the best she can, poor thing.	Quant à Élise, elle fait de son mieux, la pauvre.	11.18
(are doing)	What are you doing after school?	Que fais-tu après l'école?	9.9
doctor	Did you go to the doctor?	Es-tu allé chez le médecin?	17.12
dog	BEWARE OF THE DOG!	CHIEN MÉCHANT!	17.T

door	And who is that lady near the door?	Et qui est cette dame près de la porte?	2.17
	There's Suzanne near the door.	Voilà Suzanne près de l'entrée.	14.15
down	Look at that beautiful snow coming down.	Regarde comme elle tombe, cette belle neige.	11.8
	How many times did she fall down?	Combien de fois est-elle tombée?	11.19
downtown	Are you going downtown today?	Vas-tu en ville aujourd'hui?	6.P6
	But I hate to go downtown.	Mais je déteste aller en ville.	12.20
dress	Does this dress look well on me?	Est-ce que cette robe me va bien?	12.10
	I'll have to buy a dress.	Il faudra que j'achète une robe.	15.P10
drink	What would you like to drink?	Que désirez-vous boire?	8.12
drive			
(to drive)	Driving at this hour makes me nervous.	Ce qui m'énerve c'est de conduire à cette heure-ci.	19.3
(a drive)	A drive.	Une promenade en auto.	15.0
driver	Yvonne says she got her driver's license.	Yvonne dit qu'elle a obtenu son permis de conduire.	13.16
driving	Driving at this hour makes me nervous.	Ce qui m'énerve c'est de conduire à cette heure-ci.	19.3
dying to	I'm dying to dance.	J'ai drôlement envie de danser.	14.6

E

ear (earache)	What's the matter? Do you have an earache?	Qu'est-ce qu'il y a? Avez-vous mal à l'oreille?	17.P10
early	Did you eat breakfast early this morning?	As-tu déjeuné de bonne heure ce matin?	6.5
earn	That's right, and I'll earn a good bit of money.	C'est juste, et je gagnerai pas mal d'argent.	20.8
east	the east.	l'est.	17.T
eat	I'd rather eat something right away.	Je préfère prendre quelque chose tout de suite.	6.4
	I never eat it.	Je n'en mange jamais.	8.4
(are eating)	Why aren't you eating in the lunchroom today?	Pourquoi ne déjeunes-tu pas au réfectoire aujourd'hui?	8.1
(did eat)	Did you eat breakfast early this morning?	As-tu déjeuné de bonne heure ce matin?	6.5
éclair	Chocolate ice cream and an éclair.	Une glace au chocolat et un éclair.	8.20

eight	eight.	huit.	4.T
eight o'clock	Usually at eight-thirty.	En général, à huit heures et demie.	6.18
eighteen	eighteen.	dix-huit.	4.T
eighteenth	eighteenth.	dix-huitième.	13.T
eighth	eighth.	huitième.	13.T
eighty	eighty.	quatre-vingts.	5.T
eighty-nine	eighty-nine.	quatre-vingt-neuf.	5.T
eighty-one	eighty-one.	quatre-vingt-un.	5.T
eighty-seven	eighty-seven.	quatre-vingt-sept.	5.T
eighty-three	eighty-three.	quatre-vingt-trois.	5.T
eleven	eleven.	onze.	4.T
eleventh	eleventh.	onzième.	13.T
end			
(the end)	You mean the one at the end of the street?	Tu veux dire celui qui est au bout de la rue?	19.17
(to end)	Not yet. When does it [*the fair*] end?	Pas encore. Quand se termine-t-elle?	7.16
engaged	I hear they're engaged.	On dit qu'ils sont fiancés.	3.18
England	My Aunt Lucienne is coming in from England.	Ma tante Lucienne arrive d'Angleterre.	18.16
English	They were playing an English team.	On jouait contre une équipe anglaise.	16.P3
enough	You never have enough records.	On n'a jamais assez de disques.	7.14
	I've got enough for two.	J'en ai assez pour deux.	15.16
entrance	Who is that lady near the entrance?	Qui est cette dame près de l'entrée?	2.P8
especially	My uncle especially is very amusing.	Mon oncle surtout est très amusant.	4.17
	He especially likes black.	Il aime surtout le noir.	12.P4
even	Even colder than yesterday.	Encore plus froid qu'hier.	11.2
evening	Good evening. [*to a married woman*]	Bonsoir, Madame.	1.2
	Are you going downtown tomorrow evening?	Vas-tu en ville demain soir?	6.P6
	Have you read the evening paper?	Avez-vous lu le journal de ce soir?	17.1
(evening party)	I've been looking forward to this evening for a long time.	Il y a longtemps que j'attends cette soirée.	14.5
event	It's a big event for them.	Pour eux, c'est tout un événement!	18.5
ever	Have you ever gone bowling?	As-tu déjà joué aux boules?	16.16
everybody	Everybody's going to be there.	Tout le monde sera là.	9.4

everyone	Everyone will be at Simone's house this evening, I suppose.	**Tout le monde sera chez Simone ce soir, n'est-ce pas?**	10.P10
exactly	Exactly one o'clock.	**Il est une heure juste.**	6.8
excellent	They found an excellent orchestra.	**Ils ont trouvé un orchestre excellent.**	14.4
excited	Look how excited those children are.	**Regarde comme ces enfants sont impatients.**	18.4
excuse me	Excuse me, I have to leave.	**Excusez-moi, il faut que je parte.**	1.18
expect	Bernard's expecting us at his house.	**Bernard nous attend chez lui.**	9.13
expensive	It's [*the dress*] probably very expensive.	**Elle est sans doute très chère.**	12.13
	Sure, but it's [*bowling*] awfully expensive.	**Bien sûr, mais ça coûte si cher.**	16.17
extremely	[*Does this dress look well on me?*] Extremely well.	[*Est-ce que cette robe me va bien?*] **Admirablement.**	12.11
eyes	What's the matter? Do your eyes hurt?	**Qu'est-ce qu'il y a? Avez-vous mal aux yeux?**	17.P10

F

fail	Did she really fail it [*the test*] twice?	**Elle a vraiment échoué deux fois à l'examen?**	13.20
fair	Have you been to the fair?	**Êtes-vous allés à la foire?**	7.15
fall	The fall (autumn).	**l'automne.**	7.T
	in fall.	**en automne.**	7.T
	last fall.	**l'automne dernier.**	7.T
	What do you intend to do this fall?	**Qu'avez-vous l'intention de faire cet automne?**	20.P1
fall down	How many times did she fall down?	**Combien de fois est-elle tombée?**	11.19
fall on	It comes on the same day as the rehearsal.	**Ça tombe le même jour que la répétition.**	16.13
family	Give my regards to your family.	**Tu diras bien des choses chez toi.**	1.17
	Yes, the whole family will be there.	**Oui, toute la famille sera là.**	18.14
far	No, it's pretty far.	**Non, c'est assez loin.**	5.10
	Unfortunately they're [*photos*] not at all [*far from being*] clear.	**Malheureusement, elles sont loin d'être nettes.**	18.8
fashionable	Yes, and it's a very fashionable neighborhood.	**Oui. Et c'est un quartier très chic.**	5.20
father	My father won't be long.	**Mon père ne tardera pas.**	10.20

favorite	It's my favorite sport.	C'est mon sport préféré.	11.11
	It's my favorite car.	C'est ma voiture préférée.	11.P9
February	We can go there the 2nd of February.	Nous pouvons y aller le deux février.	7.P5
feel like	I don't feel like going. [*I don't feel like it.*]	Je n'en ai pas envie.	9.5
	Want to go with me? [*Do you feel like going with me?*]	As-tu envie de m'accompagner?	10.13
feet	*see* **foot.**		
few	Some records? Henriette brought very few.	Des disques? Henriette en a apporté très peu.	13.P4
	I have quite a few things to do, too.	Moi aussi, j'ai pas mal de choses à faire.	20.P4
fiancée	She's a friend of your fiancée.	C'est une amie de votre fiancée.	3.P7
fifteen	fifteen.	quinze.	4.T
(time)	At seven fifteen.	À sept heures et quart.	6.14
fifteenth	fifteenth.	quinzième.	13.T
fifth	It's the fifth time she's taken the test.	C'est la cinquième fois qu'elle passe l'examen.	13.P7
	Next week, the fifth of December.	La semaine prochaine, le cinq décembre.	7.7
	She just had her fifth birthday.	Elle vient d'avoir cinq ans.	4.14
fiftieth	fiftieth.	cinquantième.	13.T
fifty	fifty.	cinquante.	5.T
fifty-five	fifty-five.	cinquante-cinq.	5.T
(time)	I have an appointment with him at 7:55.	J'ai un rendez-vous avec lui à huit heures moins cinq.	17.P5
fifty-fourth	fifty-fourth.	cinquante-quatrième.	13.T
finally	Hello, André. You finally made it.	Bonsoir, André. Te voilà enfin.	13.1
fine			
(congratulations)	Fine!	Bravo!	12.18
(health)	Fine, thanks.	Ça va bien, merci.	1.6
	Yes, they're fine.	Oui, ils vont très bien.	1.10
	Paul's fine.	Paul va fort bien.	1.12
(good!)	Fine. Let's go right now.	Tant mieux. Allons-y tout de suite.	9.20
(pleasure)	That would be fine.	Ça me ferait plaisir.	10.6
	I know a fine place.	Je connais un endroit charmant.	15.3
finger	They say he broke his finger.	On dit qu'il s'est cassé le doigt.	17.P1

first	first.	premier, première.	13.T
	It's the first time she's taken the test.	C'est la première fois qu'elle passe l'examen.	13.P7
(date)	We can go there the 1st of January.	Nous pouvons y aller le premier janvier.	7.P5
fish	Is there any fish left?	Est-ce qu'il y a encore du poisson?	8.9
fishing	Do you like to go fishing?	Tu aimes aller à la pêche?	11.P8
five	At 55 Gobelins Avenue.	Avenue des Gobelins, au cinquante-cinq.	5.12
	Five or six times, at least.	Au moins cinq ou six fois.	11.20
floor	My uncle's office is on the seventh floor.	C'est au septième que mon oncle a son bureau.	19.18
flower	I'll have to buy some flowers.	Il faudra que j'achète des fleurs.	15.P10
flu	I've got an awful cold. I'm afraid it's the flu.	J'ai un rhume abominable. J'ai peur que ce soit la grippe.	17.11
foot	What's the matter? Do your feet hurt?	Qu'est-ce qu'il y a? Avez-vous mal aux pieds?	17.P10
	Is it too far to go on foot?	Est-ce que c'est trop loin pour y aller à pied?	19.P6
football	Then, no football today?	Alors, pas de football aujourd'hui?	9.P7
for	Coffee for me and milk for my friend.	Du café pour moi et du lait pour mon ami.	8.13
	I'll come by for you and Anne.	Je viendrai vous chercher, Anne et toi.	15.9
	I've got enough for two.	J'en ai assez pour deux.	15.16
	The Vincents are leaving for the country.	Les Vincent partent pour la la campagne.	20.11
(as)	Waiter, what do you have for dessert?	Garçon, qu'est-ce qu'il y a comme dessert?	8.18
forgotten	I had completely forgotten it.	Je l'avais complètement oublié.	7.5
fork	I don't have a fork.	Je n'ai pas de fourchette.	8.P6
fortieth	fortieth.	quarantième.	13.T
forty	forty.	quarante.	5.T
forty-eight	48 Lafayette Street.	Rue Lafayette, au numéro quarante-huit.	5.4
forty-five *(time)*	We're going to leave around 12:45.	Nous allons partir vers une heure moins le quart.	15.P5
forty-four	forty-four.	quarante-quatre.	5.T
forty-one	Mine's Trudaine 41.19.	Moi, c'est TRUdaine quarante et un—dix-neuf.	10.4

forty-third	forty-third.	quarante-troisième.	13.T
forward	I've been looking forward to this evening for a long time.	Il y a longtemps que j'attends cette soirée.	14.5
found	They found an excellent orchestra.	Ils ont trouvé un orchestre excellent.	14.4
four	Gobelins 92.04.	GOBelins quatre-vingt-douze—zéro-quatre.	5.15
four o'clock	But I've got an appointment with him at four.	Mais j'ai un rendez-vous avec lui à quatre heures.	17.19
fourteen	I'm only fourteen.	Je n'ai que quatorze ans.	7.9
fourteenth	fourteenth.	quatorzième.	13.T
fourth	It's the fourth time she's taken the test.	C'est la quatrième fois qu'elle passe l'examen.	13.P7
(date)	We can go there the 4th of April.	Nous pouvons y aller le quatre avril.	7.P5
frankfurters	I'd like to eat some frankfurters.	J'aimerais manger des saucisses.	16.P5
French	They were playing a French team.	On jouait contre une équipe française.	16.P3
French fried potatoes	French fried potatoes? There aren't any more.	Des pommes frites? Il n'y en a plus.	8.P4
Friday	Friday.	vendredi.	6.T
	She just had her fifth birthday Friday.	Elle vient d'avoir cinq ans vendredi.	5.P6
friend	And here is my friend Paul.	Et voici mon ami Paul.	2.4
	Louise, I'd like you to meet my friend Anne.	Louise, je te présente mon amie Anne.	2.6
	She's a friend of my sister.	C'est une amie de ma sœur.	3.11
	There are our friends Anne and Jean-Pierre.	Voilà nos amis Anne et Jean-Pierre.	3.14
(buddies)	Sure, we're great friends.	Mais oui, nous sommes de bons copains.	3.3
from	By the way, Pierrette, have you had a call from Bernard?	À propos, Pierrette, as-tu reçu un coup de téléphone de Bernard?	18.17
front	I'm supposed to meet Henri in front of the movie.	Je dois retrouver Henri devant le cinéma.	6.16
fruit	Ice cream, pastry and fruit.	De la glace, de la pâtisserie, et des fruits.	8.19
fun	We'll have lots of fun.	On s'amusera bien.	18.20

G

game	Then, no game today!	Alors, pas de sport aujourd'hui!	9.11
	Yes, I think they're showing a football game.	Oui, je crois qu'on donne un match de football.	9.17

garden	It's near the botanical garden.	C'est près du Jardin des plantes.	5.13
	Look at that pretty garden.	Regarde donc ce joli jardin.	14.P6
gentlemen	How are you, gentlemen?	Comment allez-vous, Messieurs?	1.P2
German	They were playing a German team.	On jouait contre une équipe allemande.	16.P3
Germany	My aunt is coming in from Germany.	Ma tante arrive d'Allemagne.	18.P2
get	I'll go get the skates.	Je vais aller chercher les patins.	11.7
	Let's dash over and get some.	Allons vite nous servir.	14.20
girl	And that girl, what's her name?	Et elle, comment s'appelle-t-elle?	2.11
	That girl over there?	Cette jeune fille-là?	2.12
give	Give my regards to your family.	Tu diras bien des choses chez toi.	1.17
	Suppose I give you a ring tonight?	Si je te donnais un coup de téléphone ce soir?	10.5
glad	Glad to, Charles.	Oui, Charles. Avec plaisir.	14.18
	Sure! He'll be glad to see us.	Bien sûr! Il sera très content de nous recevoir.	19.20
glass	It's there, next to your glass.	Il est là, à côté de ton verre.	8.17
gloves	She'd like a pair of gloves for her son.	Elle voudrait une paire de gants pour son fils.	12.P2
go	But we can't go without money.	Mais nous ne pouvons pas y aller sans argent.	7.18
	Where do you want to go?	Où veux-tu aller?	9.3
	Let's go right now.	Allons-y tout de suite.	9.20
(go!)	Go over and ask her to dance.	Va donc l'inviter à danser.	14.16
(goes)	How about going to the lake?	Si on allait au bord du lac?	15.1
	Did you ask the conductor where this bus goes?	As-tu demandé au receveur où allait cet autobus?	19.12
	He said it goes to the zoo.	Il m'a dit qu'il allait jusqu'au zoo.	19.13
(did go)	Did you go to the doctor?	Es-tu allé chez le médecin?	17.12
(will go)	When will you go to see your grandparents?	Quand irez-vous voir vos grands-parents?	20.15
go bicycle riding	I'm supposed to go bicycle riding with Paul.	Je dois faire une promenade à bicyclette avec Paul.	16.19
go bowling	Have you ever gone bowling?	As-tu déjà joué aux boules?	16.16
go by	The parade will go by us soon.	Le défilé va bientôt passer devant nous.	18.3
go fishing	Do you like to go fishing?	Tu aimes aller à la pêche?	11.P8
go for	I'm going for some aspirin.	Je vais chercher de l'aspirine.	17.14

go get	I'll go get the skates.	Je vais aller chercher les patins.	11.7
go home	I prefer to go home right away.	Je préfère rentrer tout de suite.	6.P3
	Everyone's going home from work.	C'est la sortie des bureaux.	19.2
go in	Let's go in.	Entrons.	8.6
go shopping	You know perfectly well I have to go shopping Saturdays.	Tu sais bien que j'ai des courses à faire le samedi.	12.2
go to (attend)	I went to a big tennis match yesterday.	J'ai assisté à un grand match de tennis hier.	16.5
go up	How about going up there?	Si on y montait?	8.P5
	Can we go up and see him?	Pourrions-nous monter le voir?	19.19
go with	Want to go with me?	As-tu envie de m'accompagner?	10.13
	Yes, he asked me to go with him to Monique's.	Oui, il m'a demandé de l'accompagner chez Monique.	18.18
going to (do something)	Are you going to give her a present?	Tu vas lui faire un cadeau?	7.11
	Everybody's going to be there [*at Simone's house*].	Tout le monde sera là.	9.4
	Where are we going to dance?	Où va-t-on danser?	13.8
	We're going to leave around eleven thirty.	Nous allons partir vers onze heures et demie.	15.8
	Are you going to accept their invitation?	Accepteras-tu leur invitation?	20.13
good			
(*adjective*)	Here's a good restaurant.	Voici un bon restaurant.	8.5
	They're good friends, that's all.	Ce sont de bons amis, voilà tout.	3.20
	Good idea!	Bonne idée!	12.4
(good!)	No? Well that's good.	Non? Tant mieux.	1.16
	Good!	Bon!	6.3
good at	She's good at sports.	Elle est si sportive!	11.17
good morning	Good morning.	Bonjour, Monsieur [Madame, Mademoiselle].	1.1
good time	You always have a good time at their house.	On s'amuse toujours chez eux.	20.14
goodbye	Goodbye.	Au revoir, Mademoiselle [Monsieur, Madame].	1.20
got	Yvonne says she got her driver's license.	Yvonne dit qu'elle a obtenu son permis de conduire.	13.16
	But I've got an appointment with him at four.	Mais j'ai un rendez-vous avec lui à quatre heures.	17.19

got to	I've got to help my mother.	Il faut que j'aide ma mère.	9.10
	I've got to go to my grand-parents.	Il faut que j'aille chez mes grands-parents.	18.12
got up	When I got up, I had a terrible toothache.	Quand je me suis levé, j'avais très mal aux dents.	17.16
grand-daughter	granddaughter.	la petite-fille.	4.T
grandfather	grandfather.	le grand-père.	4.T
grandmother	When will you go to see your grandmother?	Quand irez-vous voir votre grand-mère?	20.P7
grandparents	I've got to go to my grand-parents.	Il faut que j'aille chez mes grands-parents.	18.12
grandson	grandson.	le petit-fils.	4.T
great	Sure, we're great friends.	Mais oui, nous sommes de bons copains.	3.3
	[*How about going to the lake?*] Great!	[*Si on allait au bord du lac?*] Chic alors!	15.4
green	He especially likes blue or green.	Il aime surtout le bleu ou le vert.	12.9
greetings	Greetings.	Salutations.	1.0
grocery store	Is there a grocery store on the way?	Y a-t-il une épicerie sur la route?	15.11

H

had	We had a meeting after class.	Nous avons eu une réunion après la classe.	16.1
	When I got up, I had a terrible toothache.	Quand je me suis levé, j'avais très mal aux dents.	17.16
(had . . .)	She just had her 5th birthday.	Elle vient d'avoir cinq ans.	4.14
	I had completely forgotten it.	Je l'avais complètement oublié.	7.5
	He told me he had invited Rachel Pinaud.	Il m'a dit qu'il avait invité Rachel Pinaud.	14.14
hair-do	But what a hair-do!	Mais quelle coiffure!	14.8
half	Is it too far to go there in half an hour?	Est-ce que c'est trop loin pour y aller en une demi-heure?	19.P6
ham	You don't like ham?	Tu n'aimes pas le jambon?	8.P1
handbag	Marie? Uncle Charles bought her a handbag.	Marie? Tonton Charles lui a acheté un sac.	7.P10
hat	This hat, how much is it?	Ce chapeau, combien coûte-t-il?	12.P1
	Oh! It's one of those new hats.	Oh! C'est un de ces nouveaux chapeaux.	13.P9
hate	But I hate to go downtown.	Mais je déteste aller en ville.	12.20

have

(I have)	Yes, I have two brothers and one sister.	Oui, j'ai deux frères et une sœur.	4.2
	I have a quarter to one.	Moi, j'ai une heure moins le quart.	6.10
	I don't have a knife.	Je n'ai pas de couteau.	8.14
	I've got enough for two.	J'en ai assez pour deux.	15.16
	I have a lot of things to do.	J'ai un tas de choses à faire.	20.6
(you have)	Do you have any brothers and sisters?	As-tu des frères et des sœurs?	4.1
	You never have enough records.	On n'a jamais assez de disques.	7.14
	Waiter, what do you have for dessert?	Garçon, qu'est-ce qu'il y a comme dessert?	8.18
	Tell me, have you seen Georges' new car?	Dites donc, vous avez vu la nouvelle voiture de Georges?	13.10

have to

(schedule)	You know perfectly well I have to go shopping on Saturdays.	Tu sais bien que j'ai des courses à faire le samedi.	12.2
(obligation)	I have to go to the library.	Je dois aller à la bibliothèque.	10.10
(politeness)	You'll have to come some other time.	Tu viendras une autre fois.	16.14
(necessity)	No, you have to go to the mountains.	Non, il faut aller dans la montagne.	11.13
	What do we have to take?	Que faut-il emporter?	15.4
	I'll have to buy something.	Il faudra que j'achète quelque chose.	15.13
	I've got to go to my grandparents.	Il faut que j'aille chez mes grands-parents.	18.12
he	He's very nice, isn't he?	Il est très gentil, n'est-ce pas?	3.4
(emphasis)	And he's a good-looking boy.	Et lui, c'est un beau garçon.	3.16
	He's the one in the Navy.	C'est lui qui est dans la marine.	4.10
headache	Do you have a headache?	As-tu mal à la tête?	17.15
hear	You can hear it [the music] much better now.	On l'entend bien mieux maintenant.	18.2
(listen to)	Don't you want to hear her new records?	Ne veux-tu pas écouter ses nouveaux disques?	9.6
(hear said)	I hear they're engaged.	On dit qu'ils sont fiancés.	3.18
	I hear you're going to work at the pool.	On me dit que tu vas travailler à la piscine.	20.7

hello	Hello, Paul, how are you?	Bonjour, Paul. Ça va?	2.5
	Hello, André. [in the evening]	Bonsoir, André.	13.1
(phone)	Hello! Is this Émile?	Allô! . . . Émile?	10.7
help	I've got to help my mother.	Il faut que j'aide ma mère.	9.10
	May I help you, Madam?	Vous désirez, Madame?	12.6
her	Her name's Marthe.	Elle s'appelle Marthe.	2.12
(adjective)	Don't you want to hear her new records?	Ne veux-tu pas écouter ses nouveaux disques?	9.6
	Yvonne says she got her driver's license.	Yvonne dit qu'elle a obtenu son permis de conduire.	13.16
	Her watch? She left it at the Martins.	Sa montre? Elle l'a laissée chez les Martin.	13.P1
(pronoun)	Do you know her?	Est-ce que tu la connais?	2.19
	Are you going to give her a present?	Tu vas lui faire un cadeau?	7.11
here	Is it near here?	Est-ce que c'est près d'ici?	5.9
	Suppose we have dinner here?	Si on y dînait?	8.5
	The ones who aren't going to dance can stay here.	Ceux qui ne dansent pas resteront ici.	13.9
here is (are)	And here's my friend Paul.	Et voici mon ami Paul.	2.4
	Here comes Thérèse.	Voilà Thérèse qui arrive.	3.9
him	[Don't you know that man?] Yes, I know him.	[Ne connais-tu pas ce monsieur?] Si, je le connais.	2.16
	Mr. Selvi wants to speak to him on the phone.	Monsieur Selvi le demande au téléphone.	10.17
	But I've got an appointment with him at four.	Mais j'ai un rendez-vous avec lui à quatre heures.	17.19
his	No, his name is Guy.	Non, il s'appelle Guy.	2.14
	His friends are very nice.	Ses amis sont très gentils.	4.P3
	Bernard's expecting us at his house.	Bernard nous attend chez lui.	9.13
	He wants to show us his new TV.	Il veut nous montrer sa nouvelle télévision.	9.15
	Pierre wants to show us his new penknife.	Pierre veut nous montrer son nouveau canif.	9.P9
holiday	Because it's a holiday.	Parce que c'est un jour de fête.	7.3
home	I prefer to go home right away.	Je préfère rentrer tout de suite.	6.P3
	I'm going straight home.	Je rentre immédiatement.	9.12
	Everyone's going home from work.	Oui, c'est la sortie des bureaux.	19.2
homework	I have homework to do, too.	Moi aussi, j'ai des devoirs à faire.	20.P4
hope	I hope there'll be enough [snow] for skiing.	J'espère qu'il y en aura assez pour faire du ski.	11.9

horn	DO NOT SOUND HORN!	SIGNAUX SONORES INTER-DITS!	17.T
hot	It's even hotter than yesterday.	Il fait encore plus chaud qu'hier.	11.P7
	That's a good idea. It's so hot!	Bonne idée! Il fait si chaud!	15.2
hotel	The Trianon Hotel? Go straight ahead and you'll see it.	L'hôtel Trianon? Continuez tout droit et vous le verrez.	19.P7
hour	. . . miles an (per) hour.	. . . kilomètres à l'heure.	17.T
	Driving at this hour makes me nervous.	Ce qui m'énerve c'est de conduire à cette heure-ci.	19.3
	Is it too far to go there in half an hour?	Est-ce que c'est trop loin pour y aller en une demi-heure?	19.P6
house	He left it [car] in front of the house.	Il l'a laissée devant la maison.	13.12
	You always have a good time at their house.	On s'amuse toujours chez eux.	20.14
how (interrogative)	How are you?	Comment allez-vous, Mademoiselle?	1.3
	Hello, André. How are things going?	Bonjour, André, ça va?	1.4
	How are you, Robert?	Comment vas-tu, Robert?	1.8
	How do you like it [hair-do]?	Qu'en penses-tu?	14.8
(comparative)	Look how excited those children are.	Regarde comme ces enfants sont impatients.	18.4
(exclamatory)	How lovely the room looks!	Quelle jolie salle!	14.1
	And how! Even colder than yesterday.	Et comment! Encore plus froid qu'hier.	11.2
how about . . . ?	How about having dinner there?	Si on y dînait?	8.P5
	How about going to the lake?	Si on allait au bord du lac?	15.1
how many . . . ?	How many brothers and sisters do you have?	Combien de frères et de sœurs as-tu?	4.6
how much . . . ?	This necktie, how much is it?	Cette cravate, combien coûte-t-elle?	12.P1
	This hat, how much is it?	Ce chapeau, combien coûte-t-il?	12.P1
how old . . . ?	How old is she?	Quel âge a-t-elle?	4.13
humid	It's so humid.	Il fait si lourd.	15.P2
hundred	hundred.	cent.	5.T
	We live at 110 Lafayette Street.	Nous, nous demeurons rue Lafayette, au cent dix.	5.P1
	One hundred and twenty.	Cent vingt.	5.P1

	One hundred and thirty.	Cent trente.	5.P1
	One hundred and forty.	Cent quarante.	5.P1
	One hundred and fifty.	Cent cinquante.	5.P1
	One hundred and sixty.	Cent soixante.	5.P1
hundredth	hundredth.	centième.	13.T
hungry	No, but I'm always hungry by noon.	Non, mais j'ai toujours faim à midi.	6.6
hurt	What's the matter? Do your feet hurt?	Qu'est-ce qu'il y a? Avez-vous mal aux pieds?	17.P10

I

I	Yes, I have two brothers and one sister.	Oui, j'ai deux frères et une sœur.	4.2
(emphatic)	One of my brothers is older than I am.	Un de mes frères est plus âgé que moi.	4.4
	So do I. See you soon.	Moi aussi. À bientôt.	1.19
	[*You don't like chicken? . . .*] Neither do I.	[*Tu n'aimes pas le poulet?*] Moi non plus.	8.4
ice	The ice is very thick.	La glace est très épaisse.	11.4
ice cream	Ice cream, pastry and fruit.	De la glace, de la pâtisserie, et des fruits.	8.19
	Chocolate ice cream and an éclair.	Une glace au chocolat et un éclair.	8.20
idea	That's a good idea.	Bonne idée!	15.2
if	Well, if you change your mind, call me.	Eh bien, si tu changes d'avis, téléphone-moi.	9.8
	I wonder if it's dangerous to skate.	Je me demande s'il est dangereux de patiner.	11.3
immediately	I'm going straight home.	Je rentre immédiatement.	9.12
	Let's go right now.	Allons-y tout de suite.	9.20
impossible	Already? That's impossible.	Déjà? Pas possible.	6.9
	Impossible! I can't believe it.	Pas possible! Je ne peux pas le croire.	13.17
in	We live in the city.	Nous, nous demeurons en ville.	5.11
	Why aren't you eating in the lunchroom today?	Pourquoi ne déjeunes-tu pas au réfectoire aujourd'hui?	8.1
	I'll ask in the kitchen.	Je vais demander à la cuisine.	8.11
	I've been in bed for a long time.	Il y a longtemps que je suis au lit.	14.P3
	But it's so nice in a car!	Mais on est si bien en voiture!	15.19
	Especially in a convertible.	Surtout en décapotable.	15.20
	They invited me to join them in July. .	Ils m'ont invité à les rejoindre au mois de juillet.	20.12

(on, upon)	Do you recognize the boy in this picture?	Vous reconnaissez le garçon sur cette photo?	17.5
(within)	He's the one in the Navy.	C'est lui qui est dans la marine.	4.10
	Out in the country, in a small town.	À la campagne, dans un petit village.	5.8
(time)	in spring.	au printemps.	7.T
	in summer.	en été.	7.T
	in autumn.	en automne.	7.T
	in winter.	en hiver.	7.T
	Is it too far to go there in half an hour?	Est-ce que c'est trop loin pour y aller en une demi-heure?	19.P6
	No, we'll be back in a month.	Non, nous serons de retour dans un mois.	20.4
indeed	No indeed. I'm only fourteen.	Pas du tout. Je n'ai que quatorze ans.	7.9
inexpensive	Not very. It's quite reasonably priced [*inexpensive*].	Pas trop. Elle est même assez bon marché.	12.14
injured	Two people slightly injured.	Deux personnes légèrement blessées.	17.4
intend	I see it. Of course I intend to stop.	Je le vois et j'ai bien l'intention de m'arrêter.	19.5
	What do you intend to do this summer?	Qu'avez vous l'intention de faire cet été?	20.1
introduce	Will you introduce me?	Tu vas me présenter?	3.12
invitation	Are you going to accept their invitation?	Accepteras-tu leur invitation?	20.13
invited	He told me he had invited Rachel Pinaud.	Il m'a dit qu'il avait invité Rachel Pinaud.	20.12
	They invited me to join them in July.	Ils m'ont invité à les rejoindre au mois de juillet.	
	Jacques and I are invited too.	Jacques et moi, nous sommes aussi invités.	18.19
Ireland	My aunt is coming in from Ireland.	Ma tante arrive d'Irlande.	18.P2
is	But Louise is sick.	Mais Louise est malade.	1.13
	And he's a good-looking boy.	Et lui, c'est un beau garçon.	3.16
	I'm afraid it's the flu.	J'ai peur que ce soit la la grippe.	17.11
	Is it cold this morning!	Qu'il fait froid ce matin!	11.1
(is it . . . ?)	Is it near here?	Est-ce que c'est près d'ici?	5.9
	Is it noon already?	Est-ce qu'il est déjà midi?	6.1
	What time is it?	Quelle heure est-il?	6.7
(is there . . . ?)	Is there any fish left?	Est-ce qu'il y a encore du poisson?	8.9

	Is there a place to ski near here?	**Y a-t-il une station de ski près d'ici?**	11.12
(isn't . . . ?)	That boy's name is Marcel, isn't it?	**Ce garçon s'appelle Marcel, n'est-ce pas?**	2.13
	He's very nice, isn't he?	**Il est très gentil, n'est-ce pas?**	3.4
(age)	He's twenty.	**Il a vingt ans.**	4.8
(cost)	Yes . . . but . . . how much is it [the dress]?	**Oui . . . mais . . . Combien coûte-t-elle?**	12.12
	Sure, but it's awfully expensive.	**Bien sûr, mais ça coûte si cher.**	16.17
it			
(il, elle: subjects)	Maybe. It [the watch] doesn't run very well.	**Ça se peut. Elle ne marche pas très bien.**	6.12
	Fine! It's [the jacket] terrific!	**Bravo! Il est formidable!**	12.18
(il: time; weather)	Is it noon already?	**Est-ce qu'il est déjà midi?**	6.1
	What time is it?	**Quelle heure est-il?**	6.7
	Exactly one o'clock.	**Il est une heure juste.**	6.8
	Is it cold this morning!	**Qu'il fait froid ce matin!**	11.1
(le, la: objects)	I had completely forgotten it. [The fact that it's your birthday]	**Je l'avais complètement oublié.**	7.5
	Yes, just this morning. Want to see it [the jacket]?	**Oui, ce matin même. Veux-tu le voir?**	12.16
	Yes. He left it [the car] in front of the house. There it is.	**Oui. Il l'a laissée devant la maison. La voilà.**	13.12
(ce)	Oh, it's [the illness] nothing serious.	**Oh, ce n'est pas grave.**	1.15
	That's [that address] near the center of town isn't it?	**C'est près du centre, n'est-ce pas?**	5.19
	I'm afraid it's the flu.	**J'ai peur que ce soit la grippe.**	17.11
(ça)	I'm crazy about it [skiing]. It's my favorite sport.	**J'adore ça. C'est mon sport préféré.**	11.11
	Can't make it. It [the excursion] comes the same day as the rehearsal.	**Impossible! Ça tombe le même jour que la répétition.**	16.13
	Cheer up! It'll be better soon [the toothache].	**Courage! Ça ira bientôt mieux.**	17.20
(en)	I never eat it [chicken].	**Je n'en mange jamais.**	8.4
Italian	They were playing an Italian team.	**On jouait contre une équipe italienne.**	16.P3
Italy	My aunt is coming in from Italy.	**Ma tante arrive d'Italie.**	18.P2

J

jacket	Did you buy a jacket, Robert?	As-tu acheté un veston, Robert?	12.15
jam	What a traffic jam!	Quel embouteillage!	19.1
January	January.	janvier.	7.T
	We can go there the 1st of January.	Nous pouvons y aller le premier janvier.	7.P5
join	Shall we join them?	Allons les rejoindre, veux-tu?	13.5
	They invited me to join them in July.	Ils m'ont invité à les re-joindre au mois de juillet.	20.12
July	They invited me to join them in July.	Ils m'ont invité à les re-joindre au mois de juillet.	20.12
June	June.	juin.	7.T
	We can go there the 6th of June.	Nous pouvons y aller le six juin.	7.P5
just	She just had her 5th birth-day.	Elle vient d'avoir cinq ans.	4.14
	It just struck twelve.	Midi vient de sonner.	6.2
	Yes, he just came in.	Oui, il vient d'arriver.	10.16
	Yes, just this morning. Want to see it?	Oui, ce matin même. Veux-tu le voir?	12.16
	Do you want to dance or just listen to these records?	Voulez-vous danser ou sim-plement écouter ces dis-ques?	13.6

K

kilometer	40 kilometers an hour.	40 kilomètres à l'heure.	17.T
kind of	Bernard likes that kind of picture, too.	Bernard aime aussi ce genre de film.	9.19
kitchen	I'll ask in the kitchen.	Je vais demander à la cuisine.	8.11
knife	Say! I don't have a knife.	Tiens! Je n'ai pas de cou-teau.	8.14
(penknife)	Pierre wants to show us his new knife.	Pierre veut nous montrer son nouveau canif.	9.P9
know			
(fact)	You know perfectly well I have to go shopping Sat-urdays.	Tu sais bien que j'ai des courses à faire le samedi.	12.2
(acquainted with)	Don't you know that man?	Ne connais-tu pas ce mon-sieur?	2.15
	Yes, I know him.	Si, je le connais.	2.16
	I know a fine place.	Je connais un endroit char-mant.	15.3

L

lady	How are you, ladies?	Comment allez-vous, Mesdames?	1.P2
	How are you, young ladies?	Comment allez-vous, Mesdemoiselles?	1.P2
	And who is that lady near the door?	Et qui est cette dame près de la porte?	2.17
lake	How about going to the lake?	Si on allait au bord du lac?	15.1
last	Today's the last day.	C'est aujourd'hui le dernier jour.	7.17
	I went to a concert last night.	J'ai assisté à un concert hier soir.	16.P2
	I took some pictures of last year's parade.	J'ai pris des photos du défilé de l'an dernier.	18.7
late	No, only when I'm late.	Non, seulement quand je suis en retard.	6.20
	Sorry I'm late.	Je regrette d'être en retard.	13.2
later	Do you want to have lunch now or later?	Veux-tu déjeuner maintenant ou plus tard?	6.3
lawyer	Didn't you go to the lawyer?	Tu n'es pas allé(e) chez l'avocat?	17.P7
learn	What do you want to learn?	Que désirez-vous apprendre?	8.P7
least	Five or six times, at least.	Au moins cinq ou six fois.	11.20
leave (depart)	Excuse me, I have to leave.	Excusez-moi, il faut que je parte.	1.18
	What time should we leave?	À quelle heure doit-on partir?	15.7
	The Vincents are leaving for the country.	Les Vincent partent pour la campagne.	20.11
(leave behind)	He left it [car] in front of the house.	Il l'a laissée devant la maison.	13.12
lecture	I went to a lecture last night.	J'ai assisté à une conférence hier soir.	16.P2
left (direction)	NO LEFT TURN!	VIRAGE À GAUCHE INTERDIT!	17.T
	Turn left at the corner.	Tournez à gauche, au coin de la rue.	19.9
	The big building? You mean the one on the left?	Le grand bâtiment? Tu veux dire celui qui est à gauche?	19.P4
(left over)	Is there any fish left?	Est-ce qu'il y a encore du poisson?	8.9

leg	They say he broke his leg.	On dit qu'il s'est cassé la jambe.	17.P1
lend	I can lend you some, if you like.	Je peux vous en prêter, si vous voulez.	7.20
let's	Let's go right now.	Allons-y tout de suite.	9.20
	Let's go skating then.	Allons patiner alors.	11.6
	Let's dash over and get some.	Allons vite nous servir.	14.20
letter	I'm going to write a letter.	Je vais aller écrire une lettre.	11.P2
library	I have to go to the library.	Je dois aller à la bibliothèque.	10.10
license	Yvonne says she got her driver's license.	Yvonne dit qu'elle a obtenu son permis de conduire.	13.16
light	Watch the red light!	Fais attention au feu rouge!	19.4
like	Because I don't like what they're serving.	Parce que le menu ne me plaît pas.	8.2
	You don't like chicken?	Tu n'aimes pas le poulet?	8.3
	You like to ski?	Tu aimes faire du ski?	11.10
	He especially likes blue or green.	Il aime surtout le bleu ou le vert.	12.9
(how . . . ?)	But what a hair-do! How do you like it?	Mais quelle coiffure! Qu'en penses-tu?	14.8
(would . . .)	Louise, I'd like you to meet my friend Anne.	Louise, je te présente mon amie Anne.	2.6
	What would you like to drink?	Que désirez-vous boire?	8.12
	I'd like a sweater for my son.	Je voudrais un tricot pour mon fils.	12.7
	Would you like to dance?	Veux-tu danser?	14.17
likeable	But [she's] not very well-liked. It's too bad.	Mais pas très sympathique. C'est dommage.	3.8
limit	SPEED LIMIT . . .	LIMITE DE VITESSE	17.T
listen	Do you want to dance or just listen to these records?	Voulez-vous danser ou simplement écouter ces disques?	13.6
little	Our little [girl] cousin is staying with us.	Notre petite cousine est chez nous.	4.12
	It's a little far.	C'est un peu loin.	5.P5
live	What street do you live on?	Dans quelle rue demeurez-vous?	5.3
	Where do your cousins live?	Où demeurent tes cousins?	5.7
	We live in the city.	Nous, nous demeurons en ville.	5.11
living room	The others are in the living room.	Les autres sont au salon.	13.4
long	My father won't be long.	Mon père ne tardera pas.	10.20

long time	I've been looking forward to this evening for a long time.	**Il y a longtemps que j'attends cette soirée.**	14.5
longer	I'd rather have something longer.	**Moi, j'aimerais mieux quelque chose de plus long.**	13.P8
look			
(appear)	Does this dress look well on me?	**Est-ce que cette robe me va bien?**	12.10
	. . . You look lovely in it [, *Miss*].	**. . . Vous êtes ravissante, Mademoiselle.**	12.11
	How lovely the room looks!	**Quelle jolie salle!**	14.1
(notice!)	Look at that beautiful snow coming down.	**Regarde comme elle tombe, cette belle neige.**	11.8
	Look at that pretty white dress.	**Regarde donc cette jolie robe blanche.**	14.7
	Look!	**Tiens!**	3.14
(look forward)	I've been looking forward to this evening for a long time.	**Il y a longtemps que j'attends cette soirée.**	14.5
lose	Okay. Let's not lose any time.	**Entendu! Ne perdons pas de temps.**	15.6
lot of	Henriette brought a lot of them.	**Henriette en a apporté beaucoup.**	13.7
	I have a lot of things to do.	**J'ai un tas de choses à faire.**	20.6
love	I just love department stores.	**J'adore les grands magasins.**	12.4
	Everybody loves a band.	**Tout le monde adore les fanfares.**	18.6
lovely	You look lovely in it [, *Miss*].	**Vous êtes ravissante, Mademoiselle.**	12.11
	How lovely the room looks!	**Quelle jolie salle!**	14.1
lucky	Boy, are you lucky!	**Ah, tu as de la chance!**	20.10
lunch	Good. Do you want to have lunch now or later?	**Bon! Veux-tu déjeuner maintenant ou plus tard?**	6.3
	After lunch we're all going to the airport.	**Après le déjeuner, nous irons tous à l'aéroport.**	18.15
lunchroom	Why aren't you eating in the lunchroom today?	**Pourquoi ne déjeunes-tu pas au réfectoire aujourd'hui?**	8.1

M

Madam	May I help you, Madam?	**Vous désirez, Madame?**	12.6
made it (arrived)	Hello, André. You finally made it!	**Bonsoir, André. Te voilà enfin!**	13.1
magazine	Have you read this magazine?	**Avez-vous lu cette revue?**	17.P4
make	Are they making progress?	**Est-ce qu'elles font des progrès?**	11.15

man	Don't you know that man?	Ne connais-tu pas ce monsieur?	2.15
	What is your phone number, young man?	Quel est votre numéro de téléphone, jeune homme?	5.P2
many	There aren't many people here yet.	Il n'y a pas encore beaucoup de monde.	14.3
	I have many things to do, too.	Moi aussi, j'ai bien des choses à faire.	20.P4
(how many)	How many brothers and sisters do you have?	Combien de frères et de sœurs as-tu?	4.6
(too many)	Some records? Henriette brought too many [of them].	Des disques? Henriette en a apporté trop.	13.P4
March	March.	mars.	7.T
	We can go there the 3rd of March.	Nous pouvons y aller le trois mars.	7.P5
match	I went to a big tennis match yesterday.	J'ai assisté à un grand match de tennis hier.	16.5
	It was a close match.	La partie a été très disputée.	16.8
matter	Why? What's the matter?	Pourquoi? Qu'est-ce qu'il y a?	17.10
May	May.	mai.	7.T
	We can go there the 5th of May.	Nous pouvons y aller le cinq mai.	7.P5
may	May I help you, Madam?	Vous désirez, Madame?	12.6
maybe	[*Your watch must be a little slow.*] Maybe.	[*Ta montre doit retarder un peu.*] Ça se peut.	6.12
	And maybe we'll come back by [*long-distance*] bus.	Et nous reviendrons peut-être en car.	20.19
me	Excuse me, I have to leave.	Excusez-moi, il faut que je parte.	1.18
	Will you introduce me?	Tu vas me présenter?	3.12
	Then you don't want to come with me?	Alors, tu ne veux pas venir avec moi?	9.2
	No. No music for me!	Non, pas de musique pour moi.	9.7
	Well, if you change your mind, call me.	Eh bien, si tu changes d'avis, téléphone-moi.	9.8
	Want to go with me?	As-tu envie de m'accompagner?	10.13
	Does this dress look well on me?	Est-ce que cette robe me va bien?	12.10
	He told me he had invited Rachel Pinaud.	Il m'a dit qu'il avait invité Rachel Pinaud.	14.14
	Driving at this hour makes me nervous.	Ce qui m'énerve c'est de conduire à cette heure-ci.	19.3

meals	Meals.	**Repas.**	8.0
mean	Michel? You mean Michel Gagny?	**Michel? Tu veux dire Michel Gagny?**	3.2
	You mean the one at the end of the street?	**Tu veux dire celui qui est au bout de la rue?**	19.17
measles	I'm afraid it's the measles.	**J'ai peur que ce soit la rougeole.**	17.P2
meat	Pass the meat, please.	**Passe-moi la viande, s'il te plaît.**	8.P3
	I'll have to buy some meat.	**Il faudra que j'achète de la viande.**	15.P10
meat store	Is there a meat store on the way?	**Y a-t-il une boucherie sur la route?**	15.P3
meet	Louise, I'd like you to meet my friend Anne.	**Louise, je te présente mon amie Anne.**	2.6
	I'm supposed to meet Henri in front of the movie.	**Je dois retrouver Henri devant le cinéma.**	6.16
	I'll meet you around six.	**Je te rejoindrai vers six heures.**	10.14
meeting	We had a meeting after class.	**Nous avons eu une réunion après la classe.**	16.1
menu	Here's the menu.	**Voici la carte.**	8.8
midnight	Is it already midnight?	**Est-ce qu'il est déjà minuit?**	6.P1
milk	Coffee for me and milk for my friend.	**Du café pour moi et du lait pour mon ami.**	8.13
	Is there a dairy (milk) store on the way?	**Y a-t-il une crémerie sur la route?**	15.P3
mind	Well, if you change your mind, call me.	**Eh bien, si tu changes d'avis, téléphone-moi.**	9.8
mine	You can take mine [*knife*].	**Tu peux prendre le mien.**	8.15
	Mine's Trudaine 41.19.	**Moi, c'est TRUdaine quarante et un—dix-neuf.**	10.4
minor	Minor catastrophes.	**Petits malheurs.**	17.0
minute	Ask Mr. Selvi to wait a minute.	**Demande à Monsieur Selvi d'attendre un instant.**	10.18
	Mr. Selvi? Just a minute please.	**Monsieur Selvi? Un moment, je vous prie.**	10.19
Miss	How are you?	**Comment allez-vous, Mademoiselle?**	1.3
	Goodbye.	**Au revoir, Mademoiselle.**	1.20
	I am Miss Duclos.	**Je suis Mademoiselle Duclos.**	2.P4
miss	We missed you.	**Tu nous as manqué.**	16.3
mob	What a traffic jam!	**Quel embouteillage!**	19.1
mom	Mom, is dad here?	**Maman, est-ce que papa est là?**	10.15

moment	Just a moment, please [*to a man*].	Un moment, Monsieur, s'il vous plaît.	8.10
Monday	She just had her 5th birthday Monday.	Elle vient d'avoir cinq ans lundi.	5.P6
money	But we can't go without money.	Mais nous ne pouvons pas y aller sans argent.	7.18
	That's right, and I'll earn a good bit of money.	C'est juste, et je gagnerai pas mal d'argent.	20.8
month	No, we'll be back in a month.	Non, nous serons de retour dans un mois.	20.4
	Next month. The whole family is going.	Le mois prochain. Toute la famille y va.	20.16
more	There isn't any more.	Il n'y en a plus.	8.8
	Peas? There aren't any more.	Des petits pois? Il n'y en a plus.	8.P4
morning	Did you eat breakfast early this morning?	As-tu déjeuné de bonne heure ce matin?	6.5
	Do you take the bus in the morning?	Est-ce que vous prenez l'autobus le matin?	6.19
	[*Did you buy a jacket, Robert?*] Yes, just this morning.	[*As-tu acheté un veston, Robert?*] Oui, ce matin même.	12.16
	Good morning. [*To a man*]	Bonjour, Monsieur.	1.1
mother	I've got to help my mother.	Il faut que j'aide ma mère.	9.10
mountains	No, you have to go to the mountains.	Non, il faut aller dans la montagne.	11.13
movie	What time are you going to the movies tonight?	À quelle heure vas-tu au cinéma ce soir?	6.13
	I'm supposed to meet Henri in front of the movie.	Je dois retrouver Henri devant le cinéma.	6.16
Mr.	I am Mr. Dupont.	Je suis Monsieur Dupont.	2.P4
Mrs.	That's Mrs. de Lavallière.	C'est Madame de Lavallière.	2.18
much	I am much better, thank you.	Je vais beaucoup mieux, merci.	1.P5
	It's much too far.	C'est beaucoup trop loin.	5.P5
	You can hear it [*the music*] much better now.	On l'entend bien mieux maintenant.	18.2
(how much)	Yes . . . but . . . how much is it [*the dress*]?	Oui . . . mais . . . combien coûte-t-elle?	12.12
muggy	Is it muggy this afternoon!	Qu'il fait lourd cet après-midi!	15.17
mumps	I'm afraid it's the mumps.	J'ai peur que ce soit les oreillons.	17.P2
municipal	In the park on the municipal courts.	Dans le parc, sur le court municipal.	16.10

museum	I was told this bus goes to the museum.	On m'a dit que cet autobus allait jusqu'au musée.	19.P1
music	No. No music for me!	Non, pas de musique pour moi!	9.7
	Listen! Do you hear the music?	Écoute! Entends-tu la musique?	18.1
must be	Your watch must be a little slow.	Ta montre doit retarder un peu.	6.11
my	No, that's my sister. My name is Marie.	Non. C'est ma sœur. Moi, je m'appelle Marie.	2.10
	And here's my friend Paul.	Et voici mon ami Paul.	2.4
	Louise, I'd like you to meet my friend Anne.	Louise, je te présente mon amie Anne.	2.6
	One of my brothers is older than I am.	Un de mes frères est plus âgé que moi.	4.4
myself	I'd rather have something bigger myself.	Moi, j'aimerais mieux quelque chose de plus grand.	13.14

N

name	Names.	Noms de personnes.	2.0
	My name is Henriette.	Moi, je m'appelle Henriette.	2.8
	Is your name Jeanne?	Toi, tu t'appelles Jeanne?	2.9
	And that girl, what's her name?	Et elle, comment s'appelle-t-elle?	2.11
	His name is François.	Il s'appelle François.	4.8
naturally	Of course! [*Naturally*] You always have a good time at their house.	Naturellement! On s'amuse toujours chez eux.	20.14
navy	He's the one in the Navy.	C'est lui qui est dans la marine.	4.10
near	And who is that lady near the door?	Et qui est cette dame près de la porte?	2.17
	Do they live near you?	Est-ce qu'ils habitent près de chez vous?	4.19
neck	They say he broke his neck.	On dit qu'il s'est cassé le cou.	17.P1
necklace	Marie? Uncle Charles bought her a necklace.	Marie? Tonton Charles lui a acheté un collier.	7.P10
necktie	Robert? Uncle Charles bought him a necktie.	Robert? Tonton Charles lui a acheté une cravate.	7.P10
need	I need a jacket, too.	Moi aussi, j'ai besoin d'un veston.	12.19
	What do you need?	De quoi as-tu besoin?	15.14
	I need some vegetables.	J'ai besoin de légumes.	15.P4
(no need ...)	No need to [*buy anything*].	C'est inutile!	15.16

neighborhood	And it's a very fashionable neighborhood.	Et c'est un quartier très chic.	5.20
neither	[*You don't like chicken?*] Neither do I.	[*Tu n'aimes pas le poulet?*] Moi non plus.	8.4
nephew	nephew.	le neveu.	4.T
nervous	Driving at this hour makes me nervous.	Ce qui m'énerve c'est de conduire à cette heure-ci.	19.3
never	You never have enough records.	On n'a jamais assez de disques.	7.14
	I never saw anything like it.	Je n'ai jamais rien vu de pareil.	14.9
new	He wants to show us his new TV.	Il veut nous montrer sa nouvelle télévision.	9.15
	Pierre wants to show us his new pen.	Pierre veut nous montrer son nouveau stylo.	9.P9
	Don't you want to hear her new records?	Ne veux-tu pas écouter ses nouveaux disques?	9.6
	Oh! It's one of those new small cars.	Oh! C'est une de ces nouvelles petites voitures.	13.13
	Not yet. What's new?	Pas encore. Qu'est-ce qu'il y a de nouveau?	17.2
next			
(coming)	Next month.	Le mois prochain.	20.16
	Next week, the 5th of December.	La semaine prochaine, le cinq décembre.	7.7
(adjoining)	Yes, right next door.	Oui, tout à côté.	4.20
	It's there, next to your glass.	Il est là, à côté de ton verre.	8.17
nice			
(adjective)	He's very nice, isn't he?	Il est très gentil, n'est-ce pas?	3.4
	They're nice, both of them.	Ils sont sympathiques, tous les deux.	3.17
	Your uncle and aunt are very nice.	Ton oncle et ta tante sont bien gentils.	4.16
(adverb)	But it's so nice in a car.	Mais on est si bien en voiture.	15.19
	It's such nice weather.	Il fait si beau.	15.P2
niece	niece.	la nièce.	4.T
night	He told me he had walked all night.	Il m'a dit qu'il avait marché toute la nuit.	14.P8
	I went to a lecture last night.	J'ai assisté à une conférence hier soir.	16.P2
	We'll all go to the opening [*night*].	Nous irons tous à la première.	18.P6
nine	nine.	neuf.	4.T

nineteen	Mine's Trudaine 41.19.	**Moi, c'est TRUdaine qua-**	10.4
		rante et un—dix-neuf.	
nineteenth	nineteenth.	**dix-neuvième.**	13.T
ninety	ninety.	**quatre-vingt-dix.**	5.T
ninety-five	Central 95.77.	**CENtral quatre-vingt-quin-**	10.2
		ze—soixante-dix-sept.	
	ninety-five.	**quatre-vingt-quinze.**	5.T
ninety-nine	ninety-nine.	**quatre-vingt-dix-neuf.**	5.T
ninety-one	ninety-one.	**quatre-vingt-onze.**	5.T
ninety-second	ninety-second.	**quatre-vingt-douzième.**	13.T
ninety-seven	ninety-seven.	**quatre-vingt-dix-sept.**	5.T
ninety-three	ninety-three.	**quatre-vingt-trois.**	5.T
ninety-two	Gobelins 92.04.	**GOBelins quatre-vingt-dou-**	5.15
		ze—zéro-quatre.	
ninth	ninth.	**neuvième.**	13.T
no	Oh no. Certainly not.	**Mais non. Certainement**	3.19
		pas.	
	Wonderful! No work to-	**Bravo! Pas de travail de-**	7.1
	morrow!	**main!**	
	No money? I can lend you	**Pas d'argent? Je peux**	7.P9
	some.	**vous en prêter.**	
	No? Well that's good.	**Non? Tant mieux.**	1.16
	POST NO BILLS!	**DÉFENSE D'AFFICHER!**	17.T
no indeed	No indeed. I'm only four-	**Pas du tout. Je n'ai que**	7.9
	teen.	**quatorze ans.**	
no parking	NO PARKING!	**STATIONNEMENT INTERDIT!**	17.T
no smoking	NO SMOKING!	**DÉFENSE DE FUMER!**	17.T
no thorough-	NO THOROUGHFARE!	**SENS INTERDIT!**	17.T
fare			
no trespassing	NO TRESPASSING!	**DÉFENSE D'ENTRER!**	17.T
noon	Is it noon already?	**Est-ce qu'il est déjà midi?**	6.1
	No, but I'm always hungry	**Non, mais j'ai toujours faim**	6.6
	by noon.	**à midi.**	
north	the north.	**le nord.**	17.T
nose	They say he broke his nose.	**On dit qu'il s'est cassé le**	17.P1
		nez.	
not	[*How are things going?*] Not	**[. . . *ça va?*] Pas mal, et toi?**	1.5
	bad. How are things with		
	you?		
	Well, she's not bad-looking.	**Eh bien, elle n'est pas mal.**	3.6
	That boy's name is Marcel,	**Ce garçon s'appelle Marcel,**	2.13
	isn't it?	**n'est-ce pas?**	
	Say! I don't have a knife.	**Tiens! Je n'ai pas de cou-**	8.14
		. teau.	
	Not tomorrow.	**Pas demain.**	16.19

not at all	[*I wonder if it's dangerous to skate.*] Not at all!	[*Je me demande s'il est dangereux de patiner.*] Oh, pas du tout!	11.4
	Unfortunately they're not at all clear.	Malheuresement, elles sont loin d'être nettes.	18.8
not very	Not very [*expensive*]. It's quite reasonably priced.	Pas trop [*chère*]. Elle est même assez bon marché.	12.14
not yet	Not yet.	Pas encore.	13.11
notary	Didn't you go to the notary?	Tu n'es pas allé(e) chez le notaire?	17.P7
nothing	Oh, it's nothing serious.	Oh, ce n'est pas grave.	1.15
November	November.	novembre.	7.T
now	Oh yes, I remember now.	Ah oui, je me rappelle maintenant.	4.9
	Good. Do you want to have lunch now or later?	Bon! Veux-tu déjeuner maintenant ou plus tard?	6.3
	Let's go right now.	Allons-y tout de suite.	9.20
	No, but I'm on my way there right now.	Non, mais j'y vais de ce pas.	17.13
number	What's your telephone number?	Quel est votre numéro de téléphone?	5.5
	My number is Littré 24.17.	Mon numéro est LITtré vingt-quatre—dix-sept.	5.6

O

o (zero)	Gobelins 92.04.	GOBelins quatre-vingt-douze—zéro-quatre.	5.15
o'clock	Exactly one o'clock.	Il est une heure juste.	6.8
October	October.	octobre.	7.T
of	She's a friend of my sister.	C'est une amie de ma sœur.	3.11
	One of my brothers is older than I am.	Un de mes frères est plus âgé que moi.	4.4
	I took some pictures of last year's parade.	J'ai pris des photos du défilé de l'an dernier.	18.7
of course	I see it. Of course I intend to stop.	Je le vois et j'ai bien l'intention de m'arrêter.	19.5
office	My uncle's office is on the seventh floor.	C'est au septième que mon oncle a son bureau.	19.18
oh	Oh yes, I remember now.	Ah oui, je me rappelle maintenant.	4.9
oh no	Oh no. Certainly not.	Mais non. Certainement pas.	3.19
okay	[*Want to go with me?*] Okay.	[*As-tu envie de m'accompagner?*] Oui, d'accord.	10.14
	Okay. Let's not lose any time.	Entendu. Ne perdons pas de temps.	15.6

old	How old is she?	Quel âge a-t-elle?	4.13
older	One of my brothers is older than I am.	Un de mes frères est plus âgé que moi.	4.4
oldest	My sister is the oldest.	Ma sœur est l'aînée.	4.3
on	What street do you live on?	Dans quelle rue demeurez-vous?	5.3
	On the telephone.	Au téléphone.	10.0
	They said so on the radio.	On l'a annoncé à la radio.	11.5
	Is there a grocery store on the way?	Y a-t-il une épicerie sur la route?	15.11
	In the park, on the municipal courts.	Dans le parc, sur le court municipal.	16.10
	I wish I could go on the trip with the class.	J'aimerais aller en excursion avec la classe.	16.11
one	Yes, I have two brothers and one sister.	Oui, j'ai deux frères et une sœur.	4.2
	One of my brothers is older than I am.	Un de mes frères est plus âgé que moi.	4.4
	It's one of those new small cars.	C'est une de ces nouvelles petites voitures.	13.13
(the one)	He's the one in the Navy.	C'est lui qui est dans la marine.	4.10
	You mean the one at the end of the street?	Tu veux dire celui qui est au bout de la rue?	19.17
one hundred	one hundred.	cent.	5.T
	Yes, 110 Rivoli Street.	Oui, rue de Rivoli, au cent dix.	5.18
one o'clock	Exactly one o'clock.	Il est une heure juste.	6.8
	I have a quarter to one.	Moi, j'ai une heure moins le quart.	6.10
one-way	ONE-WAY STREET	SENS UNIQUE!	17.T
only	I'm only fourteen.	Je n'ai que quatorze ans.	7.9
(sole)	She's my Aunt Françoise's only child.	C'est la fille unique de ma tante Françoise.	4.15
(solely)	No, only when I'm late.	Non, seulement quand je suis en retard.	6.20
opening	Let's go to the opening of the bowling alley tomorrow.	Allons demain à l'ouverture du «Boulodrome».	16.15
	We'll all go to the opening [night].	Nous irons tous à la première.	18.P6
opposite	It's opposite the city hall.	Il est en face de l'hôtel de ville.	19.7
or	Do you want to have lunch now or later?	Veux-tu déjeuner maintenant ou plus tard?	6.3
orchestra	They found an excellent orchestra.	Ils ont trouvé un orchestre excellent.	14.4

other	The other's [*other brother*] younger.	L'autre est plus jeune.	4.5
	In the other room.	Dans l'autre salle.	13.9
	The others are in the living room.	Les autres sont au salon.	13.4
	You'll have to come some other time.	Tu viendras une autre fois.	16.14
ought	Nadine especially. You ought to see her!	Nadine surtout. Tu devrais la voir! -	11.16
our	Look. There are our friends Anne and Jean-Pierre.	Tiens! Voilà nos amis Anne et Jean-Pierre.	3.14
	Our little cousin [*girl*] is staying with us.	Notre petite cousine est chez nous.	4.12
out	Out in the country, in a small town.	À la campagne, dans un petit village.	5.8
outside	Not yet. Is it [*the car*] outside?	Pas encore. Est-elle dehors?	13.11
over there	That girl over there? Her name's Marthe.	Cette jeune fille-là? Elle s'appelle Marthe.	2.12
	Do you see that big building over there?	Vois-tu ce grand bâtiment, là-bas?	19.16
overcoat	She'd like an overcoat for her son.	Elle voudrait un pardessus pour son fils.	12.P2

P

pair	She'd like a pair of gloves for her son.	Elle voudrait une paire de gants pour son fils.	12.P2
pants	*see* **trousers.**		
paper	No paper? I can lend you some.	Pas de papier? Je peux vous en prêter.	7.P9
	Have you read the evening paper?	Avez-vous lu le journal de ce soir?	17.1
parade	The parade will go by us soon.	Le défilé va bientôt passer devant nous.	18.3
parents	Are your parents well?	Est-ce que tes parents vont bien?	1.9
park	How about going to the park?	Si on allait au parc?	15.P1
	In the park, on the municipal courts.	Dans le parc, sur le court municipal.	16.10
particular	Have you read this particular article?	Avez-vous lu cet article-ci?	17.P4
party	A party. [*Evening party.*]	Une soirée.	13.0
pass	Pass the salt, please.	Passe-moi le sel, s'il te plaît.	8.16
pass by	The parade will go by (pass by) us soon.	Le défilé va bientôt passer devant nous.	18.3

pastimes	Pastimes.	Distractions.	9.0
pastry	Ice cream, pastry and fruit.	De la glace, de la pâtisserie, et des fruits.	8.19
pastry shop	Is there a pastry shop on the way?	Y a-t-il une pâtisserie sur la route?	15.P3
peas	Peas? There aren't any more.	Des petits pois? Il n'y en a plus.	8.P4
pen	Pierre wants to show us his new pen.	Pierre veut nous montrer son nouveau stylo.	9.P9
pencil	No pencils? I can lend you some.	Pas de crayons? Je peux vous en prêter.	7.P9
penknife	Pierre wants to show us his new penknife.	Pierre veut nous montrer son nouveau canif.	9.P9
people	There aren't many people here yet.	Il n'y a pas encore beaucoup de monde.	14.3
	Two people slightly injured . . .	Deux personnes légèrement blessées . . .	17.4
pepper	Pass the pepper, please.	Passe-moi le poivre, s'il te plaît.	8.P3
per	per hour.	à l'heure.	17.T
perfectly	You know perfectly well I have to go shopping Saturdays.	Tu sais bien que j'ai des courses à faire le samedi.	12.2
perhaps	see **maybe.**		
phone	Mr. Selvi wants to speak to him on the phone.	Monsieur Selvi le demande au téléphone.	10.17
picture *(photo)*	Do you recognize the boy in this picture?	Vous reconnaissez le garçon sur cette photo?	17.5
	I took some pictures of last year's parade.	J'ai pris des photos du défilé de l'an dernier.	18.7
(movie)	I'd rather see an adventure picture.	Moi, j'aimerais mieux voir un film d'aventures.	9.18
	Bernard likes that kind of picture, too.	Bernard aime aussi ce genre de film.	9.19
place	Is there a place to ski near here?	Y a-t-il une station de ski près d'ici?	11.12
	[*How about going to the lake?*] I know a fine place.	Je connais un endroit charmant.	15.3
	[*Where did it take place?*] Where was it [*the match*] played?	Où a-t-elle [*la partie*] eu lieu?	16.9
plan	What are you planning to do tomorrow, Sylvianne?	Que comptes-tu faire demain, Sylvianne?	12.1
	Tell me what you plan to do today.	Dis-moi ce que tu comptes faire aujourd'hui.	18.11

plane	I wonder if it's dangerous to travel by plane.	Je me demande s'il est dangereux de voyager par avion.	11.P1
	No, we'll take the plane.	Non, nous prendrons l'avion.	20.18
plant	It's near the botanical garden.	C'est près du Jardin des plantes.	5.13
play			
(theater)	Have you read this play?	Avez-vous lu cette pièce?	17.P4
(game)	Who was playing?	Qui est-ce qui jouait?	16.6
	Where was it played?	Où a-t-elle [la partie] eu lieu?	16.9
	They were playing a Canadian team.	On jouait contre une équipe canadienne.	16.P3
please	Just a moment, please.	Un moment, Monsieur, s'il vous plaît.	8.10
	Pass the salt, please.	Passe-moi le sel, s'il te plaît.	8.16
	Mr. Selvi? Just a minute please.	Monsieur Selvi? Un moment, je vous prie.	10.19
pneumonia	I'm afraid it's pneumonia.	J'ai peur que ce soit une pneumonie.	17.P2
police	Didn't you go to the police captain?	Tu n'es pas allé(e) chez le commissaire de police?	17.P7
pool	I hear you're going to work at the [swimming] pool.	On me dit que tu vas travailler à la piscine.	20.7
poor thing	As for Élise, she does the best she can, poor thing.	Quant à Élise, elle fait de son mieux, la pauvre.	11.18
post	POST NO BILLS!	DÉFENSE D'AFFICHER!	17.T
post office	I have to go to the post office this afternoon.	Je dois aller au bureau de poste cet après-midi.	10.P6
	Can you tell me where the post office is?	Pouvez-vous m'indiquer le bureau de poste?	19.6
prefer	What color does he prefer?	Quelle couleur préfère-t-il?	12.8
	I'd rather have [I prefer] something bigger myself.	Moi, j'aimerais mieux quelque chose de plus grand.	13.14
present	Are you going to give her a present?	Tu vas lui faire un cadeau?	7.11
pretty			
(lovely)	Anne's very pretty.	Anne est très jolie.	3.15
	Look at that pretty white dress.	Regarde donc cette jolie robe blanche.	14.7
(rather)	No, it's pretty far.	Non, c'est assez loin.	5.10
priced	Not very. It's quite reasonably priced [the dress].	Pas trop. Elle est même assez bon marché.	12.14

probably	It's probably very expensive [*the dress*].	**Elle est sans doute très chère.**	12.13
program	Are there any good programs this afternoon?	**Y a-t-il de bons program-mes cet après-midi?**	9.16
progress	Are they making progress?	**Est-ce qu'elles font des progrès?**	11.15

Q

quarter	I have a quarter to one.	**Moi, j'ai une heure moins le quart.**	6.10
	We have an appointment at a quarter to ten.	**Nous avons un rendez-vous à dix heures moins le quart.**	6.P4
	At seven fifteen [*a quarter past seven*].	**À sept heures et quart.**	6.14
quickly	Let's dash over (go quickly) and get some.	**Allons vite nous servir.**	14.20
quite	It's quite reasonably priced [*the dress*].	**Elle est même assez bon marché.**	12.14
	I have quite a few things to do, too.	**Moi aussi, j'ai pas mal de choses à faire.**	20.P4

R

radio	They said so on the radio.	**On l'a annoncé à la radio.**	11.5
railroad station	The railroad station? Go straight ahead and you'll see it.	**La gare? Continuez tout droit et vous la verrez.**	19.P7
rather	I'd rather eat something right away.	**Je préfère prendre quelque chose tout de suite.**	6.4
	I'd rather see an adventure picture.	**Moi, j'aimerais mieux voir un film d'aventures.**	9.18
	I'd rather have something bigger myself.	**Moi, j'aimerais mieux quel-que chose de plus grand.**	13.14
read	Have you read this book?	**Avez-vous lu ce livre?**	17.P4
really			
(actually)	My father says that's really the way to see the country.	**Mon père dit que c'est ainsi qu'on voit bien le pays.**	20.20
(indeed)	Did she really fail it twice?	**Elle a vraiment échoué deux fois à l'examen?**	13.20
	The decorations really turned out well.	**La décoration est vraiment très réussie.**	14.2
reasonably	Not very. It's quite reasona-bly priced [*the dress*].	**Pas trop. Elle est même assez bon marché.**	12.14
received	By the way, Pierrette, have you had [*received*] a call from Bernard?	**À propos, Pierrette, as-tu reçu un coup de télé-phone de Bernard?**	18.17

recognize	Do you recognize the boy in this picture?	**Vous reconnaissez le garçon sur cette photo?**	17.5
record	Yes. I bought her a record.	**Oui. Je lui ai acheté un disque.**	7.12
	You never have enough records.	**On n'a jamais assez de disques.**	7.14
	Do you want to dance or just listen to these records?	**Voulez-vous danser ou simplement écouter ces disques?**	13.6
red	He especially likes red.	**Il aime surtout le rouge.**	12.P4
	Watch the red light!	**Fais attention au feu rouge!**	19.4
refreshments	There are the refreshments.	**Voilà les rafraîchissements.**	14.19
regards	Give my regards to your family.	**Tu diras bien des choses chez toi.**	1.17
rehearsal	It [*trip*] comes on the same day as the rehearsal.	**Ça tombe le même jour que la répétition.**	16.13
remain	How about staying [*remaining*] there?	**Si on y restait?**	8.P5
remember	Oh yes, I remember now.	**Ah oui, je me rappelle maintenant.**	4.9
restaurant	Here's a good restaurant.	**Voici un bon restaurant.**	8.5
return			
(take back)	I've got to return some books for my mother.	**Il faut que je rende des livres pour ma mère.**	10.12
(be back)	No, we'll be back in a month.	**Non, nous serons de retour dans un mois.**	20.4
(come back)	And maybe we'll come back by [*long-distance*] bus.	**Et nous reviendrons peut-être en car.**	20.19
riding	Not tomorrow. I'm supposed to go bicycle riding with Paul.	**Pas demain. Je dois faire une promenade à bicyclette avec Paul.**	16.19
right	All right. Chocolate ice cream and an éclair.	**Très bien. Une glace au chocolat et un éclair.**	8.20
	You're right.	**Tu as raison.**	18.6
	That's right, and I'll earn a good bit of money.	**C'est juste, et je gagnerai pas mal d'argent.**	20.8
(direction)	NO RIGHT TURN!	**VIRAGE À DROITE INTERDIT!**	17.T
	The big building? You mean the one that is on the right?	**Le grand bâtiment? Tu veux dire celui qui est à droite?**	19.P4
right away	I'd rather eat something right away.	**Je préfère prendre quelque chose tout de suite.**	6.4
right next to	Yes. Right next door!	**Oui, tout à côté!**	4.20
right now	Let's go right now.	**Allons-y tout de suite.**	9.20
	No, but I'm on my way there right now.	**Non, mais j'y vais de ce pas.**	17.13

right turn	NO RIGHT TURN!	VIRAGE À DROITE INTERDIT!	17.T
ring			
(phone call)	Suppose I give you a ring to-night?	Si je te donnais un coup de téléphone ce soir?	10.5
(jewelry)	My ring? Wait! I'll show it to you.	Ma bague? Attends! Je vais te la montrer.	12.P7
road	Is there a grocery store on the way [*road*]?	Y a-t-il une épicerie sur la route?	15.11
	ROAD SLIPPERY WHEN WET!	CHAUSSÉE GLISSANTE!	17.T
room	The others are in the living room.	Les autres sont au salon.	13.4
run	Maybe. It [*the watch*] doesn't run [*work*] very well.	Ça se peut. Elle ne marche pas très bien.	6.12

S

said	They said so on the radio.	On l'a annoncé à la radio.	11.5
	He said it goes to the zoo.	Il m'a dit qu'il allait jus-qu'au zoo.	19.13
salad	Is there any salad left?	Est-ce qu'il y a encore de la salade?	8.P2
salmon	You don't like salmon? Nei-ther do I.	Tu n'aimes pas le saumon? Moi non plus.	8.P1
salt	Pass the salt, please.	Passe-moi le sel, s'il te plaît.	8.16
same	Can't make it. It comes on the same day as the re-hearsal.	Impossible! Ça tombe le même jour que la répéti-tion.	16.13
sandwiches	Your swim suits and some sandwiches.	Vos maillots et quelques sandwichs.	15.5
Saturday	She just had her 5th birthday Saturday.	Elle vient d'avoir cinq ans samedi.	5.P6
	You know perfectly well I have to go shopping on Saturdays.	Tu sais bien que j'ai des courses à faire le samedi.	12.2
sausage	[*I need . . .*] Bread, sausage, cheese . . .	[*J'ai besoin . . .*] De pain, de saucisson, de fro-mage . . .	15.15
saw	I never saw anything like it.	Je n'ai jamais rien vu de pareil.	14.9
	I never saw such weather.	Je n'ai jamais vu un temps pareil.	15.18
say	Why do you say that?	Pourquoi dis-tu ça?	13.18
	Yvonne says she's got her driver's license.	Yvonne dit qu'elle a obtenu son permis de conduire.	13.16
	It says [*in the paper*] he broke his arm.	On dit qu'il s'est cassé le bras.	17.7
	They said so on the radio.	On l'a annoncé à la radio.	11.5

(Say!)	Say! I don't have a knife.	Tiens! Je n'ai pas de couteau.	8.14
scarf	How much does this scarf cost?	Cette écharpe, combien coûte-t-elle?	12.P1
school	What are you doing after school?	Que fais-tu après l'école?	9.9
seashore	I've always wanted to go to the seashore.	J'ai toujours voulu aller au bord de la mer.	19.P8
second	It's the second time she's taken the test.	C'est la deuxième fois qu'elle passe l'examen.	13.P7
	We can go there the 2nd of February.	Nous pouvons y aller le deux février.	7.P5
see	I'd rather see an adventure picture.	Moi, j'aimerais mieux voir un film d'aventures.	9.18
	Want to see it [*the jacket*]?	Veux-tu le voir?	12.16
	Tell me, have you seen Georges' new car?	Dites donc, vous avez vu la nouvelle voiture de Georges?	13.10
	I never saw anything like it.	Je n'ai jamais rien vu de pareil.	14.9
	I haven't seen them yet.	Je ne les ai pas encore vus.	14.11
	Let's see.	Voyons.	15.15
	I see it [*the light*]. Of course I intend to stop.	Je le vois et j'ai bien l'intention de m'arrêter.	19.5
	Then, go straight ahead and you'll see it.	Puis, continuez tout droit et vous le verrez.	19.10
	Do you see that big building over there?	Vois-tu ce grand bâtiment, là-bas?	19.16
	When will you go to see your grandparents?	Quand irez-vous voir vos grands-parents?	20.15
	My father says that's really the way to see the country.	Mon père dit que c'est ainsi qu'on voit bien le pays.	20.20
(receive)	He couldn't see me this morning.	Il ne pouvait pas me recevoir ce matin.	17.18
	He'll be glad to see us.	Il sera très content de nous recevoir.	19.20
September	They invited me to join them in September.	Ils m'ont invité(e) à les rejoindre au mois de septembre.	20.P6
serious	Oh, it's nothing serious.	Oh, ce n'est pas grave.	1.15
serve	Let's dash over and get some [*serve ourselves*].	Allons vite nous servir.	14.20
service	My cousin Pierre is in the service, too.	Mon cousin Pierre fait aussi son service militaire.	4.11
serving	Because I don't like what they're serving.	Parce que le menu ne me plaît pas.	8.2

seven	seven.	sept.	4.T
seven o'clock	At seven fifteen.	À sept heures et quart.	6.14
seventeen	My number is Littré 24.17.	Mon numéro est LITtré vingt-quatre—dix-sept.	5.6
seventeenth	seventeenth.	dix-septième.	13.T
seventh	seventh.	septième.	13.T
seventieth	seventieth.	soixante-dixième.	13.T
seventy	seventy.	soixante-dix.	5.T
seventy-first	seventy-first.	soixante et onzième.	13.T
seventy-one	seventy-one.	soixante et onze.	5.T
seventy-seven	Central 95.77.	CENtral quatre-vingt-quinze—soixante-dix-sept.	10.2
seventy-two	seventy-two.	soixante-douze.	5.T
several	Some records? Henriette brought several.	Des disques? Henriette en a apporté plusieurs.	13.P4
shall	Shall we join them?	Allons les rejoindre, veux-tu?	13.5
she	Well, she's not bad-looking.	Eh bien, elle n'est pas mal.	3.6
	Who is she? I don't know her.	Qui est-ce? Je ne la connais pas.	3.10
shirt	Did you buy a shirt, Robert?	As-tu acheté une chemise, Robert?	12.P8
shoe	Did you buy shoes, Robert?	As-tu acheté des souliers, Robert?	12.P8
shopping	Shopping.	Les achats.	12.0
	You know perfectly well I have to go shopping Saturdays.	Tu sais bien que j'ai des courses à faire le samedi.	12.2
shore	My brother and I are going to a camp at the shore.	Mon frère et moi, nous irons dans un camp au bord de la mer.	20.2
should	What time should we leave?	À quelle heure doit-on partir?	15.7
	But you should do much better this afternoon.	Mais tu devrais mieux réussir cet après-midi.	18.10
shoulder	They say he broke his shoulder.	On dit qu'il s'est cassé l'épaule.	17.P1
show	He wants to show us his new TV.	Il veut nous montrer sa nouvelle télévision.	9.15
	Wait! I'll show it to you.	Attends! Je vais te le montrer.	12.17
(present)	Yes, I think they are showing a football game.	Oui, je crois qu'on donne un match de football.	9.17
sick	But Louise is sick.	Mais Louise est malade.	1.13
sign	Traffic Signs.	Signalisation.	17.T
sing	You like to sing?	Tu aimes chanter?	11.P8

sir	Excuse me, sir.	Pardon, Monsieur.	19.6
sister	[*Is your name Jeanne?*] No, that's my sister.	[*Toi, tu t'appelles Jeanne?*] Non. C'est ma sœur.	2.10
	Do you have any brothers and sisters?	As-tu des frères et des sœurs?	4.1
	How many brothers and sisters do you have?	Combien de frères et de sœurs as-tu?	4.6
sister-in-law	sister-in-law.	la belle-sœur.	4.T
six	Five or six times, at least.	Au moins cinq ou six fois.	11.20
six o'clock	I'll meet you around six (o'clock).	Je te rejoindrai vers six heures.	10.14
sixteen	sixteen.	seize.	4.T
sixteenth	sixteenth.	seizième.	13.T
sixth	We can go there the 6th of June.	Nous pouvons y aller le six juin.	7.P5
	It's the sixth time she's taken the test.	C'est la sixième fois qu'elle passe l'examen.	13.P7
sixtieth	sixtieth.	soixantième.	13.T
sixty	sixty.	soixante.	5.T
sixty-fifth	sixty-fifth.	soixante-cinquième.	13.T
sixty-six	sixty-six.	soixante-six.	5.T
skate			
(*verb*)	I wonder if it's dangerous to skate.	Je me demande s'il est dangereux de patiner.	11.3
	The other day Élise and Nadine went skating with me.	L'autre jour Élise et Nadine sont venues patiner avec moi.	11.14
(*noun*)	No skates? I can lend you some.	Pas de patins? Je peux vous en prêter.	7.P9
	I'll go get the skates.	Je vais aller chercher les patins.	11.7
ski			
(*noun*)	No skis? I can lend you some.	Pas de skis? Je peux vous en prêter.	7.P9
(*verb*)	I hope there'll be enough [*snow*] for skiing.	J'espère qu'il y en aura assez pour faire du ski.	11.9
	You like to ski?	Tu aimes faire du ski?	11.10
	Is there a place to ski near here?	Y a-t-il une station de ski près d'ici?	11.12
skirt	Marie? Uncle Charles bought her a skirt.	Marie? Tonton Charles lui a acheté une jupe.	7.P10
skyscraper	I've always wanted to see that skyscraper.	J'ai toujours voulu voir ce gratte-ciel.	19.P8
slightly	Two people slightly injured . . .	Deux personnes légèrement blessées . . .	17.4

slippery	ROAD SLIPPERY WHEN WET!	CHAUSSÉE GLISSANTE!	17.T
slow	Your watch must be a little slow.	Ta montre doit retarder un peu.	6.11
slowly	Driving slowly makes me nervous.	Ce qui m'énerve c'est de conduire lentement.	19.P2
small	Out in the country, in a small town.	À la campagne, dans un petit village.	5.8
	It's one of those new small cars.	C'est une de ces nouvelles petites voitures.	13.13
smoking	NO SMOKING!	DÉFENSE DE FUMER!	17.T
snow	Look at that beautiful snow coming down.	Regarde comme elle tombe, cette belle neige.	11.8
so	But it's so nice in a car!	Mais on est si bien en voiture!	15.19
	They said so on the radio.	On l'a annoncé à la radio.	11.5
(also)	So do I. See you soon.	Moi aussi. À bientôt.	1.18
(true)	Is that so?	Vraiment?	4.13
so-so	I'm so-so, thank you.	Je vais assez bien, merci.	1.P5
socks	She'd like those socks for her son.	Elle voudrait ces chaussettes pour son fils.	12.P2
sole	Is there any sole left?	Est-ce qu'il y a encore des soles?	8.P2
some	I can lend you some, if you like.	Je peux vous en prêter, si vous voulez.	7.20
	I've got to return some books for my mother.	Il faut que je rende des livres pour ma mère.	10.12
	Some records? Henriette brought some.	Des disques? Henriette en a apporté quelques-uns.	13.P4
	I need some butter.	J'ai besoin de beurre.	15.P4
	I'll have to buy some meat.	Il faudra que j'achète de la viande.	15.P10
	I'm going for some aspirin.	Je vais chercher de l'aspirine.	17.14
some other	You'll have to come some other time.	Tu viendras une autre fois.	16.14
something	I'd rather eat something right away.	Je préfère prendre quelque chose tout de suite.	6.4
	I'd rather have something bigger myself.	Moi, j'aimerais mieux quelque chose de plus grand.	13.14
son	I'd like a sweater for my son.	Je voudrais un tricot pour mon fils.	12.7
soon	See you soon.	À bientôt.	1.19
	It'll be better soon [the toothache].	Ça ira bientôt mieux.	17.20
	The parade will go by us soon.	Le défilé va bientôt passer devant nous.	18.3

sore throat	What's the matter? Do you have a sore throat?	Qu'est-ce qu'il y a? Avez-vous mal à la gorge?	17.P10
sorry	I'm sorry to hear it.	J'en suis désolée.	1.14
	I'm sorry sir, there isn't any more.	Je regrette, Monsieur. Il n'y en a plus.	8.8
	Sorry I'm late.	Je regrette d'être en retard.	13.2
sound	DO NOT SOUND HORN!	SIGNAUX SONORES INTER-DITS!	17.T
south	the south.	le sud.	17.T
speak of	There's a story about [they speak of] an automobile accident.	On y parle d'un accident d'automobile.	17.3
speak to	Mr. Selvi wants to speak to him on the phone.	Monsieur Selvi le demande au téléphone.	10.17
specialist	Didn't you go to the specialist?	Tu n'es pas allé(e) chez le spécialiste?	17.P7
speed	SPEED LIMIT . . .	LIMITE DE VITESSE	17.T
spend (time)	I could spend all day there.	Je pourrais y passer toute une journée.	12.5
	Well, we can spend all afternoon there.	Eh bien! On pourra y rester tout l'après-midi.	19.15
spinach	Waiter, I'll take the veal and spinach, please.	Garçon, du veau aux épinards, s'il vous plaît.	8.7
	Spinach? There isn't any more.	Des épinards? Il n'y en a plus.	8.P4
spoon	I don't have a spoon.	Je n'ai pas de cuillère.	8.P6
sport	I hear they're good at sports.	On dit qu'ils sont sportifs.	3.P8
	It's my favorite sport.	C'est mon sport préféré.	11.11
	She's good at sports!	Elle est si sportive!	11.17
sport jacket	Robert? Uncle Charles bought him a sport jacket.	Robert? Tonton Charles lui a acheté un veston.	7.P10
spring	the spring.	le printemps.	7.T
	in the spring.	au printemps.	7.T
	last spring.	le printemps dernier.	7.T
	What do you intend to do this spring?	Qu'avez-vous l'intention de faire au printemps?	20.P1
square	Is it near the [public] square?	Est-ce que c'est près de la place?	5.P3
stadium	I was told this bus goes to the stadium.	On m'a dit que cet autobus allait jusqu'au stade.	19.P1
start	What time do you start work, Mr. Taine?	À quelle heure commencez-vous votre travail, Monsieur Taine?	6.17
station	The railroad station? Go straight ahead and you will see it.	La gare? Continuez tout droit et vous la verrez.	19.P7

Sunday	Call us Sunday, will you?	**Téléphone-nous dimanche, veux-tu?**	5.16
sunny	Oh, I remember. It was sunny that day.	**Ah, je me rappelle. Il faisait du soleil ce jour-là.**	18.P5
suppose	Suppose we have dinner here?	**Si on y dînait?**	8.5
	Suppose I give you a ring tonight?	**Si je te donnais un coup de téléphone ce soir?**	10.5
supposed	Not tomorrow. I'm supposed to go bicycle riding with Paul.	**Pas demain. Je dois faire une promenade à bicyclette avec Paul.**	16.19
sure	Sure!	**Bien sûr!**	15.12
surprised	I'm not surprised.	**Cela ne m'étonne pas.**	11.17
sweater	I'd like a sweater for my son.	**Je voudrais un tricot pour mon fils.**	12.7
swim	I wonder if it's dangerous to swim here.	**Je me demande s'il est dangereux de nager ici.**	11.P1
swimming	Then, no swimming today?	**Alors, pas de natation aujourd'hui?**	9.P7
	I hear you're going to work at the [*swimming*] pool.	**On me dit que tu vas travailler à la piscine.**	20.7
swim suit	Your swim suits and some sandwiches.	**Vos maillots et quelques sandwichs.**	15.5

T

take	Do you take the bus in the morning?	**Est-ce que vous prenez l'autobus le matin?**	6.19
	You can take mine [*knife*].	**Tu peux prendre le mien.**	8.15
	Will you take the train?	**Est-ce que vous prendrez le train?**	20.17
(take along)	What do we have to take?	**Que faut-il emporter?**	15.4
	Maybe Charles will take the others.	**Charles emmènera peut-être les autres.**	15.10
(test)	It's the third time she's taken the test.	**C'est la troisième fois qu'elle passe l'examen.**	13.19
take place	[*Where did it take place?*] Where was it played?	**Où a-t-elle [*la partie*] eu lieu?**	16.9
tea	Is there any tea left?	**Est-ce qu'il y a encore du thé?**	8.P2
teacher	I know that teacher very well.	**Je connais très bien ce professeur.**	2.P7
team	An American team and [*against*] a Canadian one.	**Une équipe américaine contre une équipe canadienne.**	16.7
teeth	Do you have a toothache? [*Do your teeth hurt?*]	**Avez-vous mal aux dents?**	17.P10
telephone	What's your telephone number?	**Quel est votre numéro de téléphone?**	5.5

	On the telephone.	Au téléphone.	10.0
(verb)	Well, if you change your mind, call me.	Eh bien, si tu changes d'avis, téléphone-moi.	9.8
television	He wants to show us his new TV.	Il veut nous montrer sa nouvelle télévision.	9.15
tell	Tell me, have you seen Georges' new car?	Dites donc, vous avez vu la nouvelle voiture de de Georges?	13.10
	Tell me what you plan to do today.	Dis-moi ce que tu comptes faire aujourd'hui.	18.11
	. . . Can you tell me where the post office is?	Pouvez-vous m'indiquer le bureau de poste?	19.6
ten	ten.	dix.	4.T
	Yes, 110 Rivoli Street.	Oui, rue de Rivoli, au cent dix.	5.18
(time)	We have an appointment at ten to eleven.	Nous avons un rendez-vous à onze heures moins dix.	6.P4
tennis	I went to a big tennis match yesterday.	J'ai assisté à un grand match de tennis hier.	16.5
tenth	tenth.	dixième.	13.T
terrible	When I got up, I had a terrible toothache.	Quand je me suis levé, j'avais très mal aux dents.	17.16
terrific	It's terrific [*the jacket*].	Il est formidable!	12.18
test	It's the third time she's taken the test.	C'est la troisième fois qu'elle passe l'examen.	13.19
than	Even colder than yesterday.	Encore plus froid qu'hier.	11.2
thanks	Fine, thanks.	Ça va bien, merci.	1.6
	Very well, thank you.	Je vais très bien, merci.	1.8
	Thank you sir. Goodbye.	Je vous remercie; au revoir, Monsieur.	19.11
that			
(adjective)	That girl over there? Her name's Marthe.	Cette jeune fille-là? Elle s'appelle Marthe.	2.12
	Don't you know that man?	Ne connais-tu pas ce monsieur?	2.15
	And who is that lady near the door?	Et qui est cette dame près de la porte?	2.17
	Bernard likes that kind of picture, too.	Bernard aime aussi ce genre de film.	9.19
	Oh, I remember. The weather was bad that day.	Ah, je me rappelle. Il faisait mauvais temps ce jour-là.	18.9
	Look at that pretty white dress.	Regarde donc cette jolie robe blanche.	14.7
(conjunction)	It's the third time [*that*] she's taken the test.	C'est la troisième fois qu'elle passe l'examen.	13.19

(pronoun)	Don't worry about that.	Ne vous inquiétez pas de cela.	7.19
	That would be fine.	Ça me ferait plaisir.	10.6
	I'm not surprised. [*That doesn't surprise me.*]	Cela ne m'étonne pas.	11.17
	That's all right.	Ça ne fait rien.	13.3
that's	That's Mrs. de Lavallière.	C'est Madame de Lavallière.	2.18
	They're good friends, that's all.	Ce sont de bons amis, voilà tout.	3.20
	That's near the center of town, isn't it?	C'est près du centre, n'est-ce pas?	5.19
	That's strange. I told them to come early.	C'est curieux. Je leur ai dit de venir de bonne heure.	14.12
the	My sister is the oldest.	Ma sœur est l'aînée.	4.3
	The other's younger.	L'autre est plus jeune.	4.5
	Do you know where the Martins live?	Savez-vous où demeurent les Martin?	5.17
	I'm supposed to meet Henri in front of the movie.	Je dois retrouver Henri devant le cinéma.	6.16
	Next week, the 5th of December.	La semaine prochaine, le cinq décembre.	7.7
their	Are you going to accept their invitation?	Accepteras-tu leur invitation?	20.13
	You always have a good time at their house.	On s'amuse toujours chez eux.	20.14
them	They're nice, both of them [*boy and girl*].	Ils sont sympathiques, tous les deux.	3.17
	Then you don't want to come with them?	Alors, tu ne veux pas venir avec eux?	9.P1
	Shall we join them?	Allons les rejoindre, veux-tu?	13.5
	Henriette brought a lot of them [*records*].	Henriette en a apporté beaucoup.	13.7
	I haven't seen them yet.	Je ne les ai pas encore vus.	14.11
	That's strange. I told them to come early.	C'est curieux. Je leur ai dit de venir de bonne heure.	14.12
	It's a big event for them.	Pour eux, c'est tout un événement.	18.5
then			
(so . . .)	Then you don't want to come with me?	Alors, tu ne veux pas venir avec moi?	9.2
	Then, no game today!	Alors, pas de sport aujourd'hui!	9.11

	Let's go skating then.	Allons patiner alors.	11.6
(next)	Then go straight ahead and you'll see it.	Puis, continuez tout droit et vous le verrez.	19.10
there	That girl over there? Her name is Marthe.	Cette jeune fille-là? Elle s'appelle Marthe.	2.12
	It's there, next to your glass.	Il est là, à côté de ton verre.	8.17
	Everybody's going to be there.	Tout le monde sera là.	9.4
	What are you going to do there [at the library]?	Qu'est-ce que tu vas y faire?	10.11
	I could spend all day there.	Je pourrais y passer toute une journée.	12.5
there is (are)			
(location)	There it is [the car].	La voilà.	13.12
	There's Suzanne near the door.	Voilà Suzanne près de l'entrée.	14.15
	There are the refreshments.	Voilà les rafraîchissements.	14.19
(existence)	Is there a grocery store on the way?	Y a-t-il une épicerie sur la route?	15.11
	There are several of them.	Il y en a plusieurs.	15.12
these	Do you want to dance or just listen to these records?	Voulez-vous danser ou simplement écouter ces disques?	13.6
they	Yes, they're fine [the parents].	Oui, ils vont très bien.	1.10
	They're nice, both of them [boy and girl].	Ils sont sympathiques, tous les deux.	3.17
	Are they [the girls] making progress?	Est-ce qu'elles font des progrès?	11.15
	Unfortunately they're not at all clear [the pictures].	Malheureusement, elles sont loin d'être nettes.	18.8
(indefinite)	Yes, I think they are showing a football game.	Oui, je crois qu'on donne un match de football.	9.17
	They said so on the radio.	On l'a annoncé à la radio.	11.5
thick	The ice is very thick.	La glace est très épaisse.	11.4
thing	As for Élise, she does the best she can, poor thing.	Quant à Élise, elle fait de son mieux, la pauvre.	11.18
things	I have a lot of things to do.	J'ai un tas de choses à faire.	20.6
think	What do you think of Hélène Duclos?	Comment trouves-tu Hélène Duclos?	3.5
	I didn't even think about it.	Je n'y ai pas pensé.	16.4
(believe)	Yes, I think they are showing a football game.	Oui, je crois qu'on donne un match de football.	9.17
third	We can go there the 3rd of March.	Nous pouvons y aller le trois mars.	7.P5
	It's the third time she's taken the test.	C'est la troisième fois qu'elle passe l'examen.	13.19

thirteen	thirteen.	treize.	4.T
thirteenth	thirteenth.	treizième.	13.T
thirtieth	thirtieth.	trentième.	13.T
thirty	thirty.	trente.	5.T
(time)	Usually at eight-thirty.	En général à huit heures et demie.	6.18
thirty-one	thirty-one.	trente et un.	5.T
thirty-second	thirty-second.	trente-deuxième.	13.T
thirty-three	thirty-three.	trente-trois.	5.T
this	Did you eat early this morning?	As-tu déjeuné de bonne heure ce matin?	6.5
	Are there any good programs this afternoon?	Y a-t-il de bons programmes cet après-midi?	9.16
	Does this dress look well on me?	Est-ce que cette robe me va bien?	12.10
	Yes, and who is this [*calling*]?	Oui, qui est à l'appareil?	10.8
thoroughfare	NO THOROUGHFARE!	SENS INTERDIT!	17.T
those	Oh! It's one of those new small cars.	Oh! C'est une de ces nouvelles petites voitures.	13.13
three	three.	trois.	4.T
throat	What's the matter? Do you have a sore throat?	Qu'est-ce qu'il y a? Avez-vous mal à la gorge?	17.P10
Thursday	Thursday.	jeudi.	6.T
	She just had her 5th birthday Thursday.	Elle vient d'avoir cinq ans jeudi.	5.P6
tie	*see* **necktie.**		
time	You never have enough time.	On n'a jamais assez de temps.	7.P8
	Let's not lose any time.	Ne perdons pas de temps.	15.6
	I've been looking forward to this evening for a long time.	Il y a longtemps que j'attends cette soirée.	14.5
	It comes at the same time as the rehearsal.	Ça tombe à la même heure que la répétition.	16.P4
(hour)	Time of day.	L'heure.	6.0
	What time are you going to the movies tonight?	À quelle heure vas-tu au cinéma ce soir?	6.13
(sequence)	How many times did she fall down?	Combien de fois est-elle tombée?	11.19
	It's the third time she's taken the test.	C'est la troisième fois qu'elle passe l'examen.	13.19
	You'll have to come some other time.	Tu viendras une autre fois.	16.14
(good time)	Of course! You always have a good time at their house.	Naturellement! On s'amuse toujours chez eux.	20.14
tired	Am I tired!	Que je suis fatigué!	9.1

to	Give my regards to your family.	Tu diras bien des choses chez toi.	1.17
	What time are you going to the movies tonight?	À quelle heure vas-tu au cinéma ce soir?	6.13
	Have you been to the fair?	Êtes-vous allés à la foire?	7.15
	To Simone's. Everybody's going to be there.	Chez Simone. Tout le monde sera là.	9.4
	Go over and ask her to dance.	Va donc l'inviter à danser.	14.16
	My brother and I are going to a camp at the shore.	Mon frère et moi, nous irons dans un camp au bord de la mer.	20.2
	I hope not. Did you go to the doctor?	J'espère que non. Es-tu allé chez le médecin?	17.12
today	Today is Marie-Anne's birthday.	C'est l'anniversaire de Marie-Anne aujourd'hui.	7.10
told	I told them to come early.	Je leur ai dit de venir de bonne heure.	14.12
	He told me he had invited Rachel Pinaud.	Il m'a dit qu'il avait invité Rachel Pinaud.	14.14
	I was told this bus goes to the museum.	On m'a dit que cet autobus allait jusqu'au musée.	19.P1
tomato	Tomatoes? There aren't any more.	Des tomates? Il n'y en a plus.	8.P4
tomorrow	Are you going downtown tomorrow evening?	Vas-tu en ville demain soir?	6.P6
	Wonderful! No work tomorrow!	Bravo! Pas de travail demain!	7.1
	Not tomorrow.	Pas demain.	16.19
tonight	What time are you going to the movies tonight?	À quelle heure vas-tu au cinéma ce soir?	6.13
too			
(also)	My cousin Pierre is in the service too.	Mon cousin Pierre fait aussi son service militaire.	4.11
	I need a jacket, too.	Moi aussi, j'ai besoin d'un veston.	12.19
	Jacques and I are invited too.	Jacques et moi, nous sommes aussi invités.	18.19
(not too)	Not too (expensive) [the dress].	Pas trop chère.	12.14
(too far)	No, it's much too far.	Non, c'est beaucoup trop loin.	5.P5
(too many)	Some records? Henriette brought too many [of them].	Des disques? Henriette en a apporté trop.	13.P4
took	I took some pictures of last year's parade.	J'ai pris des photos du défilé de l'an dernier.	18.7

toothache	When I got up, I had a terrible toothache.	Quand je me suis levé, j'avais très mal aux dents.	17.16
town	Out in the country, in a small town.	À la campagne, dans un petit village.	5.8
traffic	Traffic Signs.	Signalisation.	17.T
	What a traffic jam!	Quel embouteillage!	19.1
train	Will you take the train?	Est-ce que vous prendrez le train?	20.17
	We'll come back by train.	Nous reviendrons par le train.	20.P2
travel	I wonder if it's dangerous to travel by plane.	Je me demande s'il est dangereux de voyager par avion.	11.P1
trespassing	NO TRESPASSING!	DÉFENSE D'ENTRER!	17.T
trip	I wish I could go on the trip with the class.	J'aimerais aller en excursion avec la classe.	16.11
trousers	These trousers, how much are they?	Ce pantalon, combien coûte-t-il?	12.P1
truck	The truck? There it is.	Le camion? Le voilà.	13.P6
Tuesday	She just had her 5th birthday Tuesday.	Elle vient d'avoir cinq ans mardi.	5.P6
turn	NO LEFT TURN!	VIRAGE À GAUCHE INTERDIT!	17.T
	NO RIGHT TURN!	VIRAGE À DROITE INTERDIT!	17.T
	Turn left at the corner.	Tournez à gauche, au coin de la rue.	19.9
turn out	The decorations really turned out well.	La décoration est vraiment très réussie.	14.2
TV	He wants to show us his new TV.	Il veut nous montrer sa nouvelle télévision.	9.15
twelfth	twelfth.	douzième.	13.T
twelve	twelve.	douze.	4.T
twelve o'clock	It just struck twelve (noon).	Midi vient de sonner.	6.2
	Is it already twelve (midnight)?	Est-ce qu'il est déjà minuit?	6.P1
twentieth	twentieth.	vingtième.	13.T
twenty	He's twenty.	Il a vingt ans.	4.8
twenty-first	twenty-first.	vingt et unième.	13.T
twenty-one	twenty-one.	vingt et un.	5.T
twenty-two	twenty-two.	vingt-deux.	5.T
twice	Did she really fail it twice?	Elle a vraiment échoué deux fois à l'examen?	13.20
two	Yes, I have two brothers and one sister.	Oui, j'ai deux frères et une sœur.	4.2
	No need to. I've got enough for two.	C'est inutile! J'en ai assez pour deux.	15.16

U

uncle	Your uncle and aunt are very nice.	Ton oncle et ta tante sont bien gentils.	4.16
	We all call him "Tonton."	Nous l'appelons tous «Tonton».	4.18
	Marie? Uncle Charles bought her a handbag.	Marie? Tonton Charles lui a acheté un sac.	7.P10
unfortunately	Unfortunately they're not at all clear [*the pictures*].	Malheureusement, elles sont loin d'être nettes.	18.8
up	When I got up, I had a terrible toothache.	Quand je me suis levé, j'avais très mal aux dents.	17.16
	Cheer up! It'll be better soon [*the toothache*].	Courage! Ça ira bientôt mieux.	17.20
	Can we go up and see him?	Pourrions-nous monter le voir?	19.19
us	Call us Sunday, will you?	Téléphone-nous dimanche, veux-tu?	5.16
	Then you're not going to be with us?	Alors tu ne seras pas des nôtres?	16.12
	He'll be glad to see us.	Il sera très content de nous recevoir.	19.20
usually	Usually at eight thirty.	En général à huit heures et demie.	6.18

V

vacation	I can't wait for vacation.	J'attends les vacances avec impatience.	20.5
veal	Waiter, I'll take the veal and spinach, please.	Garçon, du veau aux épinards, s'il vous plaît.	8.7
vegetables	You don't like vegetables? Neither do I.	Tu n'aimes pas les légumes? Moi non plus.	8.P1
very	My uncle especially is very amusing.	Mon oncle surtout est très amusant.	4.17
	Your uncle and aunt are very nice.	Ton oncle et ta tante sont bien gentils.	4.16
	It doesn't run very well.	Elle ne marche pas très bien.	6.12
(too)	[*It's probably very expensive.*] Not very.	[*Elle est sans doute très chère*]. Pas trop.	12.14

W

wait	Wait!	Attends!	12.17
	I can't wait for vacation.	J'attends les vacances avec impatience.	20.5
	Ask Mr. Selvi to wait a minute.	Demande à Monsieur Selvi d'attendre un instant.	10.18

waiter	Waiter, I'll take the veal and spinach, please.	Garçon, du veau aux épinards, s'il vous plaît.	8.7
walk	He told me he had walked all night.	Il m'a dit qu'il avait marché toute la nuit.	14.P8
	Is it too far to walk?	Est-ce que c'est trop loin pour y aller à pied?	19.8
	We'll walk back.	Nous reviendrons à pied.	20.P2
want	Do you want to have lunch now or later?	Veux-tu déjeuner maintenant ou plus tard?	6.3
	He wants to show us his new TV.	Il veut nous montrer sa nouvelle télévision.	9.15
	Want to go with me?	As-tu envie de m'accompagner?	10.13
	Mr. Selvi wants to speak to him on the phone.	Monsieur Selvi le demande au téléphone.	10.17
	Do you want to dance or just listen to these records?	Voulez-vous danser ou simplement écouter ces disques?	13.6
wanted	I've always wanted to see it.	J'ai toujours voulu aller le voir.	19.14
warning	Warnings.	Avertissements.	17.T
was	It was a close match.	La partie a été très disputée.	16.8
	The weather was bad that day.	Il faisait mauvais temps ce jour-là.	18.9
watch	Your watch must be a little slow.	Ta montre doit retarder un peu.	6.11
watch out	Watch the red light!	Fais attention au feu rouge!	19.4
way	By the way, Pierrette, have you had a call from Bernard?	À propos, Pierrette, as-tu reçu un coup de téléphone de Bernard?	18.17
(road)	Is there a grocery store on the way [road]?	Y a-t-il une épicerie sur la route?	15.11
we	Sure, we're great friends.	Mais oui, nous sommes de bons copains.	3.3
	We all call him "Tonton"	Nous l'appellons tous «Tonton.»	4.18
(indefinite)	What do we have to take?	Que faut-il emporter?	15.4
	Where are we going to dance?	Où va-t-on danser?	13.8
weather	The weather's even better than yesterday.	Il fait encore plus beau qu'hier.	11.P7
	It's such nice weather.	Il fait si beau.	15.P2
	I never saw such weather.	Je n'ai jamais vu un temps pareil.	15.18
	The weather was bad that day.	Il faisait mauvais temps ce jour-là.	18.9
Wednesday	Tomorrow's Wednesday.	Demain, c'est mercredi.	7.2

week	Next week, the 5th of December.	La semaine prochaine, le cinq décembre.	7.7
well	Very well, thank you.	Je vais très bien, merci.	1.8
	Does this dress look well on me?	Est-ce que cette robe me va bien?	12.10
	You know perfectly well I have to go shopping Saturdays.	Tu sais bien que j'ai des courses à faire le samedi.	12.2
(Well . . .)	Well, she's not bad-looking.	Eh bien, elle n'est pas mal.	3.6
well-liked	But not very well-liked.	Mais pas très sympathique.	3.8
went to (attended)	I went to a big tennis match yesterday.	J'ai assisté à un grand match de tennis hier.	16.5
west	the west.	l'ouest.	17.T
wet	ROAD SLIPPERY WHEN WET!	CHAUSSÉE GLISSANTE!	17.T
what	What would you like to drink?	Que désirez-vous boire?	8.12
	What do you think of Hélène Duclos?	Comment trouves-tu Hélène Duclos?	3.5
	Waiter, what do you have for dessert?	Garçon, qu'est-ce qu'il y a comme dessert?	8.18
	What are you going to do there?	Qu'est-ce que tu vas y faire?	10.11
	What color does he prefer?	Quelle couleur préfère-t-il?	12.8
	Tell me what you plan to do today.	Dis-moi ce que tu comptes faire aujourd'hui.	18.11
(what a . . .)	But what a hair-do! How do you like it?	Mais quelle coiffure! Qu'en penses-tu?	14.8
when	No, only when I'm late.	Non, seulement quand je suis en retard.	6.20
	When's your birthday?	Quand est ton anniversaire?	7.6
where	Where do your cousins live?	Où demeurent tes cousins?	5.7
	Do you know where the Martins live?	Savez-vous où demeurent les Martin?	5.17
white	He especially likes white.	Il aime surtout le blanc.	12.P4
	Look at that pretty white dress.	Regarde donc cette jolie robe blanche.	14.7
who	[Here comes Thérèse.] Who is she?	[Voilà Thérèse qui arrive.] Qui est-ce?	3.10
	The ones who aren't going to dance can stay here.	Ceux qui ne dansent pas resteront ici.	13.9
(phone)	Yes, who is this?	Oui, qui est à l'appareil?	10.8
whole	Yes, the whole family will be there.	Oui, toute la famille sera là.	18.14
whom	With whom did Guillaume come?	Avec qui Guillaume est-il venu?	14.13
why	Why?	Pourquoi?	7.2
	Do you know why?	Est-ce que tu sais pourquoi?	9.14

wider	I'd rather have something wider.	Moi, j'aimerais mieux quelque chose de plus large.	13.P7
will	*see* **be, won't,** *etc.*		
will you . . . ?	Call us Sunday, will you?	Téléphone-nous dimanche, veux-tu?	5.16
window	Who is that lady near the window?	Qui est cette dame près de la fenêtre?	2.P8
windy	Oh, I remember. It was windy that day.	Ah, je me rappelle. Il faisait du vent ce jour-là.	18.P5
winter	winter.	L'hiver.	11.0
	in winter.	en hiver.	7.T
	last winter.	l'hiver dernier.	7.T
wish	I wish I could go on the trip with the class.	J'aimerais aller en excursion avec la classe.	16.11
with	Do you have a date with anyone?	As-tu un rendez-vous avec quelqu'un?	6.15
(at the house of)	Our little cousin is staying with us.	Notre petite cousine est chez nous.	4.12
	You always have a good time with them.	On s'amuse toujours chez eux.	20.14
without	But we can't go without money.	Mais nous ne pouvons pas y aller sans argent.	7.18
wonder	I wonder if it's dangerous to skate.	Je me demande s'il est dangereux de patiner.	11.3
wonderful!	Wonderful! No work tomorrow!	Bravo! Pas de travail demain!	7.1
won't	My father won't be long.	Mon père ne tardera pas.	10.20
work (noun)	What time do you start work, Mr. Taine?	À quelle heure commencez-vous votre travail, Monsieur Taine?	6.17
	No work tomorrow!	Pas de travail demain!	7.1
(verb)	It [*the watch*] doesn't run (work) very well.	Elle ne marche pas très bien.	6.12
	I hear you're going to work at the pool.	On me dit que tu vas travailler à la piscine.	20.7
worry	Don't worry about that.	Ne vous inquiétez pas de cela.	7.19
worse	The weather's even worse than yesterday.	Il fait encore plus mauvais qu'hier.	11.P7
would	What would you like to drink?	Que désirez-vous boire?	8.12
	Would you like to dance?	Veux-tu danser?	14.17
	I'd like a sweater for my son.	Je voudrais un tricot pour mon fils.	12.7

write	I'm going to write a letter.	Je vais aller écrire une lettre.	11.P2

Y

year	I took some pictures of last year's parade.	J'ai pris des photos du défilé de l'an dernier.	18.7
yellow	He especially likes yellow.	Il aime surtout le jaune.	12.P4
yes	[—*Do you know her?*]	[—*Est-ce que tu la connais?*]	
	Yes, I know her very well.	Oui, je la connais très bien.	2.20
	[—*Don't you know that man?*]	[—*Ne connais-tu pas ce monsieur?*]	
	Yes, I know him.	Si, je le connais.	2.16
yesterday	Even colder than yesterday.	Encore plus froid qu'hier.	11.2
yet	Have Pauline and Gérard come yet?	Est-ce que Pauline et Gérard sont déjà arrivés?	14.10
(not yet)	Not yet.	Pas encore.	7.16
	I haven't seen them yet.	Je ne les ai pas encore vus.	14.11
you	How are you, Robert?	Comment vas-tu, Robert?	1.7
	Not bad. How are things with you?	Pas mal, et toi?	1.4
	How are you?	Comment allez-vous, Mademoiselle?	1.3
	Do they live near you?	Est-ce qu'ils habitent près de chez vous?	4.19
	I can lend you some, if you like.	Je peux vous en prêter, si vous voulez.	7.20
	I'll meet you around six.	Je te rejoindrai vers six heures.	10.14
	I'll show it to you.	Je vais te le montrer.	12.17
	We missed you.	Tu nous as manqué.	16.3
(indefinite)	You have to go to the mountains.	Il faut aller dans la montagne.	11.13
	You always have a good time at their house.	On s'amuse toujours chez eux.	20.14
young	The other's younger.	L'autre est plus jeune.	4.5
	How are you, young ladies?	Comment allez-vous, Mesdemoiselles?	1.P2
your	Your uncle and aunt are very nice.	Ton oncle et ta tante son bien gentils.	4.16
	Are your parents well?	Est-ce que tes parents vont bien?	1.9
	What's your telephone number?	Quel est votre numéro de téléphone?	5.5
	Your swim suits and some sandwiches.	Vos maillots et quelques sandwichs.	15.5

yours	And what's yours? [*your tele-phone number*]	**Et toi, quel est le tien?**	10.3
	What's yours? [*your name*]	**Et toi, comment t'appelles-tu?**	2.2

Z

zero	Gobelins 92.04	**GOBelins quatre-vingt-douze—zéro-quatre.**	5.15
zoo	He said it [*the bus*] goes to the zoo.	**Il m'a dit qu'il allait jus-qu'au zoo.**	19.13

FRENCH WORD LIST

A

a: il (elle) a he (she) has; **il a vingt ans** he's twenty; **Quel âge a-t-il?** How old is he? **il y a** there is, there are//**il y a trois ans** three years ago

à in, to, at, on

abominable awful

d' **abord** first

absolument absolutely

accepter to accept; to agree

un **accident** accident

accompagner to accompany, go with

accord: d'accord all right, okay

les **achats** purchases

acheter to buy

actif, active active

une **activité** activity

admirablement admirably; **Cette robe vous va admirablement** This dress looks extremely well on you

adorer to love, be crazy about (something)

une **adresse** address

un **aéroport** airport

afficher: DÉFENSE D'AFFICHER! POST NO BILLS!

affreux, affreuse terrible

un **âge** age; **Quel âge a-t-elle?** How old is she?

âgé, âgée elderly; **plus âgé** older

un **agent** policeman; **un agent de police** a policeman

agréable pleasant

ah oh; **ah oui** oh yes

ai: j'ai I have; **Je n'ai que quatorze ans** I'm only fourteen

aider to help

aie! ouch!

aille: Il faut que j'aille chez mes grands-parents I've got to go to my grandparents

d' **ailleurs** besides

aimable kind, sweet

aimer to like; **aimer mieux** to prefer

aîné, aînée oldest

ainsi thus

l' **Allemagne** Germany

allemand, allemande German

aller to go; **aller à pied** to walk; **Comment allez-vous?** How are you?

allô hello (*on the telephone*)

alors then; **alors?** well? **Chic alors!** Great!

une **ambulance** ambulance

américain, américaine American

un **ami** friend

une **amie** friend

amusant, amusante amusing

s' **amuser** to have a good time

un **an** year; **Il a vingt ans** He's twenty; **il y a trois ans** three years ago

anglais, anglaise English

l' **Angleterre** England

une **année** year

un **anniversaire** birthday; anniversary; **Bon anniversaire!** Happy birthday! **anniversaire de mariage** wedding anniversary

annoncer to announce

août August

un **appareil: Qui est à l'appareil?** Who's calling?

appeler to call//**s'appeler** to be called, named; **je m'appelle** my name is; **tu t'appelles** your name is; **il (elle) s'appelle** his (her) name is

apporter to bring

apprendre to learn

après after

un **après-midi** afternoon

l' **argent** money

s' **arrêter** to stop

arriver to arrive; to happen; **le dernier arrivé** the last one to arrive; **je n'arrive pas à trouver** I don't seem to find

un **article** article

as: tu as you have

une **aspirine** aspirin
s' **asseoir** to sit down
asseyez: asseyez-vous sit down
assez enough; rather; **assez bien** so-so; **Je vais assez bien** I feel all right; **C'est assez loin** It's pretty far
assieds: assieds-toi sit down
assister: assister à to attend, go to (*an event or function*)
attendais: je m'y attendais I was waiting for that, expected that
attendre to wait; to wait for; to expect
attendu waited, waited for
l' **attention** attention; **Fais attention au feu rouge!** Watch the red light!
au = à + le
aujourd'hui today
aura: il (elle) aura he (she) will have; **il y aura** there will be
aurai: j'aurai I will have
aurais: j'aurais I would have
auras: tu auras you will have
auront: ils auront they will have
aussi also
australien, australienne Australian
une **auto** automobile, car; **une promenade en auto** a drive
un **autobus** (*local*) bus
l' **automne** autumn, fall; **en automne** in autumn; **l'automne dernier** last autumn
une **automobile** automobile, car
autre other; another
aux = à + les
avais: j'avais I had; **tu avais** you had
avait: il (elle) avait he (she) had; **il y avait** there was
avant before
avec with
une **aventure** adventure
une **avenue** avenue
un **avertissement** warning
avez: vous avez you have
un **avion** plane; **voyager par avion** to travel by plane
avis: changer d'avis to change one's mind
un **avocat** lawyer

avoir to have; **avoir seize ans** to be sixteen years old
avons: nous avons we have
avril April

B

la **bague** ring
un **bal** dance; **une robe de bal** an evening gown
la **banque** bank
bas: là-bas over there
le **base-ball** baseball
le **basket** basketball
le **basket-ball** basketball
le **bateau** boat; **en bateau** by boat
le **bâtiment** building
beau (*plural* **beaux**); **belle** good-looking, handsome; beautiful; **Il fait si beau** The weather is so nice
beaucoup many, a lot; **beaucoup mieux** much better
le **beau-frère** brother-in-law
la **Belgique** Belgium
belle beautiful
la **belle-sœur** sister-in-law
besoin: J'ai besoin d'un veston I need a jacket
bête: Que je suis bête! Am I stupid!
le **beurre** butter
la **bibliothèque** library
la **bicyclette** bicycle; **faire une promenade à bicyclette** to go bicycle riding
bien fine, well; very; **ils vont très bien** they are fine; **très bien** very well; **bien sûr** sure, of course//**On est si bien en voiture** It's so nice in a car //**bien mieux** much better; **J'ai bien l'intention de m'arrêter** Of course I intend to stop//**Tu diras bien des choses chez toi** Give my regards to your family//**eh bien . . .** well . . .
bientôt soon; **à bientôt** see you soon
le **bifteck** steak
blanc, blanche white
blessé, blessée injured
le **bleu** blue//**bleu, bleue** blue
la **blouse** blouse

boire to drink
bois: je (tu) bois I (you) drink
bon, bonne good; **bon marché** inexpensive, cheap
bonjour hello; good morning; (*in introductions*) how do you do, glad to know you
bonne good//**la bonne** maid
bonsoir good evening
le **bord** shore; **aller au bord du lac** to go to the lake; **aller au bord de la mer** to go to the seashore
le **boucher** butcher
la **boucherie** meat store
bouger to budge, move
la **boulangerie** bakery
les **boules: jouer aux boules** to go bowling, bowl
le **boulodrome** bowling alley
le **bout** end
le **bras** arm
bravo wonderful, fine
le **bureau** office; **les bureaux** offices; **le bureau de poste** post office
buvez: vous buvez you drink

C

c' = ce
ça (*see* **cela**) it, that; **Ça va?** How are things going? How are you? **Ça se peut** Maybe
le **cadeau** gift, present
le **café** coffee//café
le **camion** truck
le **camp** camp
la **campagne** country, countryside; **à la campagne** in the country, to the country
canadien, canadienne Canadian
le **canif** penknife
le **capitaine** captain
le **car** (*long-distance*) bus; **en car** by bus
cardinal, cardinale cardinal; **nombres cardinaux** cardinal numbers
la **carotte** carrot
la **carte** menu//card
casser to break; **se casser le bras** to break one's arm

ce he, she, it, that//this, that; **ce matin** this morning//**ce qui** what; **ce que** what
la **ceinture** belt
cela (ça) that
celui the one
cent a (one) hundred
centième hundredth
central, centrale central
le **centre** center; center of town
certainement certainly; **certainement pas** certainly not
ces these, those
cet this, that
cette this, that
ceux, celles the ones, those
la **chance** luck; **Tu as de la chance** You're lucky
changer to change; **changer d'avis** to change one's mind
la **chanson** song
chanter to sing
le **chapeau** hat; **les chapeaux** hats
charmant, charmante charming
chaud, chaude hot; **il fait chaud** it (the weather) is hot
le **chauffeur** driver (bus, car, taxi)
la **chaussée:** CHAUSSÉE GLISSANTE! ROAD SLIPPERY WHEN WET!
la **chaussette** sock
la **chemise** shirt
cher, chère expensive//dear
chercher to look for; **aller chercher** to go for, to go and get
chez: chez nous (to) at our house; **chez vous** to, at your house; **chez Simone** (to) at Simone's; **chez lui** (to) at his house; **chez eux** (to) at their house; **aller chez le médecin** to go to the doctor; **chez moi** (to) at my house
chic fashionable; **Chic alors!** Great!
le **chien** dog; CHIEN MÉCHANT! BEWARE OF THE DOG!
le **chocolat** chocolate
la **chose** thing; **pas mal de choses** quite a few things; **quelque chose** something; **tu diras bien des choses chez toi** give my regards to your family

-ci (*emphatic*): **à cette heure-ci** at this (particular) hour

le **cinéma** movies; movie theater

cinq five

cinquante fifty; **cinquante-cinq** fifty-five; **cinquante-quatrième** fifty-fourth; **cinquantième** fiftieth

cinquième fifth

la **classe** class

la **coiffure** hair-do

le **coin** corner

coin-coin! honk, honk

le **collier** necklace

combien how many

comme how, as

commencer to begin

comment how; **Comment s'appelle-t-elle?** What's her name? **Comment?** What?

le **commissaire de police** police captain

complètement completely

le **compliment** compliment

compliquer to complicate

comprendre to understand

comprends: je (tu) comprends I (you) understand

un **comprimé** (medical) tablet

compris understood

compter to count; **compter faire** to plan to do

le **concert** concert

conduire to drive; **le permis de conduire** driver's license

conduis: je conduis I drive

conduisais: je conduisais I was driving

conduise: Où veux-tu que je te conduise maintenant? Where do you want me to drive you now?

conduit: il (elle) conduit he (she) drives//drove

la **conférence** lecture

la **confiserie** candy shop

connais: je (tu) connais I (you) know

connaissent: ils (elles) se connaissent they know each other

connaissez: vous connaissez you know

connaît: il (elle) connaît he (she) knows

le **conte** short story

content, contente glad, happy

continuer to continue

contre against

le **copain** friend, chum

côté: tout à côté right next door; **à côté de** next to

le **cou** neck

la **couleur** color

le **coup: un coup de téléphone** a telephone call; **tout à coup** suddenly

le **courage** courage

les **courses** errands; **J'ai des courses à faire** I have to go shopping

le **court** (tennis) court

le **cousin** boy cousin; **la cousine** girl cousin

le **couteau** knife; **les couteaux** knives

coûter to cost; **Combien coûte-t-il (elle)?** How much is it?

la **cravate** necktie

le **crayon** pencil

la **crémerie** dairy shop

croire to believe; to think

crois: je (tu) crois I (you) think, believe

croyez: vous croyez you think, believe

la **cuillère** spoon

la **cuisine** kitchen; cooking; **faire la cuisine** to do the cooking

curieux, curieuse curious; **c'est curieux** that's strange

D

d' = de

la **dame** lady

le **danger** danger

dangereux, dangereuse dangerous

dans in

danser to dance

la **date** date

de of

décapotable convertible

décembre December

décider to decide

la **décoration** decoration

défense: DÉFENSE DE FUMER! NO SMOKING! **DÉFENSE D'ENTRER!** NO THOROUGHFARE! **DÉFENSE D'AFFICHER!** POST NO BILLS!

le **défilé** parade
dehors outside
déjà already
déjeunais: je déjeunais I was having lunch
déjeuner to have breakfast, to have lunch//**le déjeuner** lunch
délicieux, délicieuse delicious; delightful
demain tomorrow
demander to ask; **se demander** to wonder
demeurer to live
demi, demie half; **la demi-heure** half-hour; **en une demi-heure** in half an hour; **deux heures et demie** two-thirty
la **dent** tooth; **un mal de dents** a toothache; **Avez-vous mal aux dents?** Do you have a toothache?
le **dentiste** dentist
déranger to disturb
dernier, dernière last
des = de + les
désirer to want
désolé, désolée sorry
le **dessert** dessert
détester to hate, detest
deux two; **tous les deux** both of them
deuxième second
devant in front of
les **devoirs** homework
devrais: je (tu) devrais I (you) ought to
le **dimanche** Sunday
dîner to have dinner
dira: il (elle) dira he (she) will say, tell
dirai: je dirai I will say, tell
dirais: je (tu) dirais I (you) would say
diras: tu diras you will say, tell; **Tu diras bien des choses chez toi** Give my regards to your family
dire to say, tell; **Tu veux dire Michel Gagny?** You mean Michel Gagny?
direz: vous direz you will say, tell
dis: je (tu) dis I (you) say, tell
disent: ils (elles) disent they say
disputé, disputée contested; **la partie a été très disputée** it was a close match

le **disque** record
les **distractions** pastimes
dit: il (elle) dit he (she) says; **on dit** they say, people say; **on me dit** I hear; **il m'a dit** he told me; **cela ne se dit pas** that isn't said
dites: vous dites you say, tell; **dites donc** tell me
dix ten
dix-huit eighteen
dix-huitième eighteenth
dixième tenth
dix-neuf nineteen
dix-neuvième nineteenth
dix-sept seventeen
dix-septième seventeenth
le **docteur** doctor
le **doigt** finger
dois: je (tu) dois I (you) must, I (you) have to, I am (you are) supposed to
doit: il (elle) doit he (she) has to, is supposed to; **il doit être** it must be
dommage too bad; **c'est dommage** it's too bad
donc then; therefore; **dites donc** tell me
donner to give; to show (a film)
le **doute** doubt; **sans doute** no doubt, probably
douze twelve
douzième twelfth
droit, droite straight; **tout droit** straight ahead
la **droite** right; **à droite** to the right; VIRAGE À DROITE INTERDIT! NO RIGHT TURN!
drôlement: J'ai drôlement envie de danser I'm dying to dance; **Elle est drôlement jolie** She's extraordinarily pretty
du = de + le

E

une **écharpe** scarf
échouer to fail
un **éclair** éclair
une **école** school
écouter to listen
écrire to write
eh: eh bien well . . .

un **élève, une élève** student, pupil
elle she, it, her; **elle-même** herself; **chez elle** to (at) her house
elles they (*feminine*)
un **embouteillage** traffic jam
emmener to bring, to take (someone)
emporter to bring, take along
en some, any; **il n'y en a plus** there isn't any more; **Je peux vous en prêter** I can lend you some; **J'en ai assez pour deux** I have enough for two//in; by **Nous reviendrons en car** We will come back by bus; **On est si bien en voiture** It's so nice in a car
enchanté, enchantée delighted to meet you
encore yet; more; still; **pas encore** not yet; **Est-ce qu'il y a encore du poulet?** Is there any more chicken? Is there any chicken left? **encore plus froid qu'hier** even colder than yesterday
un **endroit** place
énerver to make nervous
un **enfant, une enfant** child; **les enfants** children
enfin finally; well . . .
entendre to hear
entendu okay; **bien entendu** of course
un **enthousiasme** enthusiasm
une **entrée** entrance
entrer to enter, go in
envie: je n'en ai pas envie I don't feel like it; **As-tu envie de m'accompagner?** Do you want to go with me?
épais, épaisse thick; heavy
une **épaule** shoulder
une **épicerie** grocery store
les **épinards** spinach
une **équipe** team
es: tu es you are
espérer to hope; **j'espère que non** I hope not
l' **essence** gasoline; **cette essence** this gasoline
est: il (elle) est he (she) is, it is; **qui est-ce?** who is it?//**l'est** east

est-ce que? is . . . ? are . . . ? will . . . ? do . . . ? does . . . ? have . . . ?
et and
étaient: ils (elles) étaient they were
était: il (elle) était he (she) was, it was
été been; **La partie a été très disputée** It was a close match//**l'été** summer; **l'été dernier** last summer; **en été** in summer; **tout l'été** all summer
êtes: vous êtes you are
une **étoile** star
étonner to astonish, surprise
un **étranger** stranger
être to be
eu: nous avons eu we had; **Où a-t-il (elle) eu lieu?** Where did it take place?
l' **Europe** Europe
eux them; **chez eux** (to) at their house
un **événement** event
exactement exactly
un **examen** examination, test
excellent, excellente excellent
une **excursion** excursion, trip
s' **excuser** to excuse oneself

F

face: en face de opposite
la **faim** hunger; **j'ai faim** I'm hungry
faire to do, make; **faire un cadeau** to give a present; **faire du ski** to ski; **J'ai des courses à faire** I have to go shopping; **faire une promenade à bicyclette** to go bicycle riding; **faire un voyage** to take a trip; **faire tout son possible** to do one's best
fais: je (tu) fais I (you) do, make; **Fais attention au feu rouge!** Watch the red light!
faisait: il faisait mauvais temps the weather was bad
fait: il (elle) fait he (she) does, make; **il fait son service militaire** he is in the service; **il fait de son mieux** he does the best he can; **Ça ne fait rien**

That's all right It doesn't matter;
Tu as bien fait you did the right
thing
faites: vous faites you do, make;
Faites attention au feu rouge!
Watch the red light!
falloir to be necessary
la **famille** family
la **fanfare** band
fatigué, fatiguée tired
faudra: il faudra it will be necessary;
**Il faudra que j'achète quelque
chose** I'll have to buy something
faut: il faut it is necessary, one (we,
you) must; **il faut que je . . .** I have
to . . .
la **fenêtre** window
fera: il (elle) fera he (she) will do,
make; **Quel temps fera-t-il?** What
will the weather be like?
ferait: ça me ferait plaisir that would
be fine
la **fête** holiday; **salle de fête** school
auditorium or room used for plays,
social events, etc.
le **feu** fire; **le feu rouge** red (traffic)
light
février February
fiancé, fiancée engaged; **le fiancé**
fiancé; **la fiancée** fiancée
la **fille** daughter; girl; **la fille unique**
only child; **la jeune fille** girl, young
woman
le **film** film, movie
le **fils** son; **le fils unique** only child
la **fleur** flower
la **foire** fair
la **fois** time; **une fois** once; **deux fois**
twice; **une autre fois** another time,
some other time
font: ils (elles) font they do, make
le **football** football
formidable terrific, marvelous, wonderful
fort very; **il va fort bien** he's fine
four: un petit four cooky or small
pastry
la **fourchette** fork
frais, fraîche cool
français, française French

le **frère** brother
frit, frite fried; **les pommes frites**
French fried potatoes
le **froid** cold; **il fait froid** it is cold
le **fromage** cheese
le **fruit** fruit
furieux, furieuse furious

G

gagner to earn//to win
le **gant** glove
le **garçon** boy; waiter
la **gare** railroad station
le **gâteau** cake
la **gauche** left; **à gauche** to the left;
VIRAGE À GAUCHE INTERDIT! NO
LEFT TURN!
général, générale general; **en général** in general, usually
le **genre** kind, sort
gentil, gentille nice; kind
la **glace** ice cream; ice
glissant, glissante slippery; CHAUSSÉE
GLISSANTE! ROAD SLIPPERY WHEN
WET!
la **gorge** throat; **Avez-vous mal à la
gorge?** Do you have a sore throat?
grand, grande big; tall; **quelque
chose de plus grand** something
bigger
grand-chose: pas grand-chose not
much
la **grand-mère** grandmother
le **grand-père** grandfather
les **grands-parents** grandparents
le **gratte-ciel** skyscraper (*plural* **les
gratte-ciel**)
grave serious
la **grippe** influenza
la **gymnastique** gymnastics; **la salle de
gymnastique** gymnasium

H

habiter to live
les **haricots verts** string beans
hein? eh?

une **heure** hour; **Quelle heure est-il?** What time is it? **Il est une heure juste** It is exactly one o'clock; **deux heures et quart** a quarter past two, two fifteen; **trois heures et demie** three-thirty; **quatre heures moìns le quart** a quarter to four, three forty-five; **une demi-heure** half-hour; **de bonne heure** early; **à tout à l'heure** see you later; **As-tu l'heure?** Do you have the time? **60 kilomètres à l'heure** 60 kilometers an (per) hour; **à la même heure** at the same time; **Il n'est pas encore l'heure** It's not yet time; **à l'heure** on time

hier yesterday; **hier soir** last night
un **hiver** winter; **en hiver** in winter
un **homme** man
horrible horrible
un **hôtel** hotel; **l'hôtel de ville** city hall
huit eight
huitième eighth

I

ici here; **Ici Jean Dupuis** This is Jean Dupuis (calling); **près d'ici** near here; **par ici** (come, go) this way
une **idée** idea
il he, it; **il y a** there is, there are; **il y aura** there will be; **il y avait** there was//**il y a trois ans** three years ago
ils they (*masculine*)
immédiatement immediately
une **impatience** impatience
impatient, impatiente impatient
une **importance** importance
impossible impossible
indiquer to indicate, point out
inquiet, inquiète worried
s' **inquiéter** to worry; **ne vous inquiétez pas** don't worry
un **instant** instant, moment
intelligent, intelligente intelligent
une **intention** intention; **Qu'avez-vous l'intention de faire?** What do you intend to do?
interdit: SIGNAUX SONORES INTERDITS! DO NOT SOUND HORN! SENS INTERDIT! NO THOROUGHFARE! STA-TIONNEMENT INTERDIT! NO PARKING! VIRAGE À GAUCHE (À DROITE) INTERDIT! NO LEFT (RIGHT) TURN!
intéressant, intéressante interesting
un **intervieweur** interviewer (on radio)
inutile useless
une **invitation** invitation
inviter to invite
ira: il (elle) ira he (she) will go; **ça ira bientôt mieux** it will be better soon
irez: vous irez you will go
l' **Irlande** Ireland
irons: nous irons we will go
l' **Italie** Italy
italien, italienne Italian

J

j' = je
jamais never
la **jambe** leg
le **jambon** ham
janvier January
le **jardin** garden; **le Jardin des plantes** botanical garden
jaune yellow
je I
le **jeudi** Thursday
jeune young; **la jeune fille** girl; **plus jeune** younger; **le (la) plus jeune** the youngest
joli, jolie pretty, lovely
jouer to play; **jouer aux boules** to bowl
le **jour** day; **le jour de fête** holiday; **par jour** a (per) day
le **journal** newspaper
la **journée** day
juillet July
juin June
la **jupe** skirt
jusque as far as, up to
juste exact; right; **une heure juste** exactly one o'clock; **c'est juste** that's right

K

le **kilomètre** kilometer (*about $\frac{5}{8}$ of a mile*)
klaxonner to blow car horn

L

l' = la or le
la the//her, it
là there, over there; **là-bas** over there //**-là** (*emphatic*) **ce jour-là** that (particular) day
le **lac** lake
laisser to leave; to allow, permit
le **lait** milk
large wide
le the//him, to him, it
légèrement slightly
le **légume** vegetable
lentement slowly
les the//them
la **lettre** letter
leur their; **leurs** their//them
se **lever** to get up
libre free
le **lieu** place; **Où a-t-il eu lieu?** Where did it take place?
la **limite** limit; **limite de vitesse** speed limit
le **lit** bed
le **livre** book
loin far
long, longue long
longtemps a long time; **Il y a longtemps que j'attends cette soirée** I've been looking forward to this evening for a long time
lourd, lourde heavy; **il fait lourd** it's sultry, humid
lu read
lui he (*emphatic*), him, to him; her, to her; **chez lui** (to) at his house
le **lundi** Monday

M

m' = me
ma my
Madame Mrs.; madam (*used in greeting a married woman*); ma'am
Mademoiselle Miss; *used in greeting an unmarried woman*
le **magasin** store; **le grand magasin** department store
magnifique magnificent
mai May

le **maillot** swim suit
maintenant now
mais but; **mais non** oh no; **mais oui** of course, certainly, sure
la **maison** house; **à la maison** at home
mal badly; **pas mal** not bad; **elle n'est pas mal** she's not bad-looking; **je gagnerai pas mal d'argent** I'll earn a good bit of money//**As-tu mal à la tête?** Do you have a headache? **un mal de dents** a toothache
malade sick
le **malheur** calamity
malheureusement unfortunately
la **maman** mama, mom
manger to eat
manquer to miss; **il me manque deux dents** I lost two teeth (two of my teeth are missing); **tu nous as manqué** we missed you; **tu vas nous manquer** we'll miss you
le **manteau** coat
marché: bon marché inexpensive
marcher to work, run (watch, television set, etc.); to walk
le **mardi** Tuesday
le **mari** husband
le **mariage** marriage; **l'anniversaire de mariage** wedding anniversary
la **marine** Navy
mars March
le **match** match, game
le **matin** morning
mauvais, mauvaise bad; **il fait mauvais** the weather is bad
me me, to me
méchant, méchante naughty; CHIEN MÉCHANT! BEWARE OF THE DOG!
le **médecin** physician, doctor
meilleur, meilleure better; **mon meilleur ami** my best friend
même same; **elle-même** herself **moi-même** myself//even; **quand même** anyway, nevertheless
le **menu** menu
la **mer** sea; **au bord de la mer** to (at) the seashore
merci thank you, thanks
le **mercredi** Wednesday
la **mère** mother

mes my

mesdames ladies (*used in forms of address*)

mesdemoiselles young ladies (*used in forms of address*)

messieurs gentlemen

mettez: vous mettez you put

mettre to put

midi noon; **il est midi** it's twelve o'clock

le **mien, la mienne, les miens, les miennes** mine

mieux better; **beaucoup mieux** much better; **tant mieux** so much the better, good, fine; **aimer mieux** to prefer

militaire military

minuit midnight

la **minute** minute

le **miracle** miracle

le **modèle** model

moi I, I (*emphatic*); me; **moi-même** myself

moins less; **une heure moins le quart** a quarter to one, twelve forty-five; **huit heures moins cinq** five minutes to eight, seven fifty-five//**au moins** at least

le **mois** month; **au mois de juillet** in July

le **moment** moment

mon my

le **monde: tout le monde** everybody, everyone; **que de monde!** what a crowd! **beaucoup de monde** many people; **tant de monde** so many people; **trop de monde** too many people

le **monsieur** Mr.; sir; man; gentleman

la **montagne** mountain

monter to go up

la **montre** watch

montrer to show

municipal, municipale municipal

le **musée** museum

la **musique** music

N

n' = ne

nager to swim

la **natation** swimming

naturel, naturelle natural

naturellement naturally

ne not; **Je ne la connais pas** I don't know her; **Je n'ai qu'un frère** I have only one brother; **On n'a jamais assez de disques** You never have enough records; **Il n'y en a plus** There is no more

la **neige** snow

le **nerf** nerve

n'est-ce pas? isn't it? isn't he? isn't she? aren't they? aren't you? don't you?

net, nette clear

neuf nine

neuvième ninth

le **neveu** nephew; **les neveux** nephews

le **nez** nose

la **nièce** niece

noir, noire black

le **nom** name

le **nombre** number; **nombres cardinaux** cardinal numbers, **nombres ordinaux** ordinal numbers

non no

le **nord** north

nos our

le **notaire** notary

notre our

les **nôtres** ours; **Alors tu ne seras pas des nôtres?** Then you're not going to be with us?

nous we; us, to us; **chez nous** (to) at our house

nouveau, (plural nouveaux), nouvelle new; **Qu'est-ce qu'il y a de nouveau?** What's new?

novembre November

la **nuit** night

le **numéro** number

O

obtenir to obtain

obtenu obtained

octobre October

offrir to offer

oh oh

on one; you; we; they; it

un **oncle** uncle
ont: ils (elles) ont they have
onze eleven
onzième eleventh
un **opéra** opera
un **orchestre** orchestra
ordinal, ordinale ordinal; **nombres ordinaux** ordinal numbers
une **oreille** ear; **Avez-vous mal aux oreilles?** Do you have an earache?
les **oreillons** mumps
ou or; **ou bien** or else
où where
oublier to forget
l' **ouest** west
oui yes
une **ouverture** opening

P

le **pain** bread
la **paire** pair
pan! bang!
le **pantalon** trousers
papa dad, papa
le **papier** paper
par by; **par ici** (come, go) this way; **par jour** per day
le **parc** park
parce que because
le **pardessus** (man's) coat, topcoat, overcoat
pardon pardon; pardon me
pareil, pareille like, similar; **Je n'ai jamais rien vu de pareil** I never saw anything like it; **Je n'ai jamais vu une journée pareille** I never saw such a day
la **parenté** family relationships
les **parents** parents; **Ses parents sont très gentils** His (her) parents are very nice
parfait, parfaite perfect
parler to speak, talk, tell
pars: je (tu) pars I (you) leave
part: il (elle) part he (she) leaves
parte: il faut que je parte I have to leave
une **partie** game, match
partir to leave

pas not; **Je ne peux pas le croire** I can't believe it; **pas mal** not bad; **certainement pas** certainly not; **pas possible!** impossible! **pas du tout** not at all; **pas encore** not yet; **pas de . . .** no . . .; **pas trop** not too much//step **j'y vais de ce pas** I'm on my way there right now
passer to pass; to spend (time); to take (test); **Où est-il passé?** Where did he go?
la **patience** patience
patient, patiente patient
le **patin** skate
patiner to skate
la **pâtisserie** pastry; pastry shop
pauvre poor
le **pays** country (nation)
la **pêche** fishing; **aller à la pêche** to go fishing
penser to think
perdons: nous perdons we lose; **Ne perdons pas de temps** Let's not lose any time
le **père** father
permettez: vous permettez you permit, allow
permettre to permit, allow
le **permis** permit; **le permis de conduire** driver's license
la **permission** permission
la **personne** person; **personnes** people; **ne . . . personne** no one
petit, petite little, small
la **petite-fille** granddaughter
le **petit-fils** grandson
les **petits-enfants** grandchildren
peu little; **un peu** a little; **très peu** very little, very few
la **peur** fear; **j'ai peur** I'm afraid
peut: il (elle) peut he (she) can; **ça se peut** maybe
peut-être perhaps
peuvent: ils (elles) peuvent they can
peux: je (tu) peux I (you) can
une **photo** photograph
la **pièce** play
le **pied** foot; **Avez-vous mal aux pieds?** Do your feet hurt? **aller à pied** to walk

le **pique-nique** picnic
la **piscine** swimming pool
la **place** (public) square//place (position)
plairait would please
le **plaisir** pleasure
plaît: s'il vous (te) plaît please
la **plante** plant; **le jardin des plantes** botanical garden
plus more; **plus jeune** younger; **la plus jeune de mes filles** my youngest daughter; **plus tard** later; **il n'y en a plus** there isn't any more; **moi non plus** neither do I; **qui plus est** what's more
plusieurs several
une **pneumonie** pneumonia
pois: les petits pois peas
le **poisson** fish
le **poivre** pepper
la **police** police; **un agent de police** policeman; **le commissaire de police** police captain
la **pomme: pommes frites** French fried potatoes
la **pompe** pump
la **porte** door
possible possible; **pas possible!** impossible! **faire tout son possible** to do one's best
la **poste: le bureau de poste** post office
le **poulet** chicken
pour for//in order to
pourquoi why
pourra: il (elle) pourra he (she) will be able to; **On pourra y rester tout l'après-midi** We can spend all afternoon there
pourrai: je pourrai I will be able
pourrais: je (tu) pourrais I (you) could
pourrait: il (elle) pourrait he could
pourras: tu pourras you will be able
pourrez: vous pourrez you will be able
pourriez: vous pourriez you could
pourrions: nous pourrions we could
pourrons: nous pourrons we will be able
pouvais: je (tu) pouvais I (you) was able

pouvait: il (elle) pouvait he (she) was able
pouvez: vous pouvez you can
pouvoir to be able
pouvons: nous pouvons we can
préféré, préférée favorite
préférer to prefer
premier, première first; **la première** opening night
prendre to take; **prendre quelque chose** to have something (to eat)
prennent: ils (elles) prennent they take
le **prénom** first name
près near
la **présentation** presentation
présenter to introduce; **Je te présente mon amie, Anne** I'd like you to meet my friend Anne
le **président** president
prêter to lend
prie: je vous prie please
le **printemps** spring; **au printemps** in spring; **le printemps dernier** last spring
pris: j'ai pris I took
prochain, prochaine next
le **professeur** teacher
le **programme** program
le **progrès** progress; **faire des progrès** to make progress
la **promenade: une promenade en auto, en voiture** a drive; **faire une promenade à bicyclette** to go bicycle riding
propos: à propos by the way
puis then

Q

qu' = que
quand when
quant: quant à as for
quarante forty; **quarante-quatre** forty-four; **quarante-troisième** forty-third; **quarantième** fortieth
le **quart** quarter; **une heure moins le quart** a quarter to one, twelve forty-five; **sept heures et quart** seven fifteen, a quarter past seven
le **quartier** neighborhood

quatorze fourteen
quatorzième fourteenth
quatre four
quatre-vingt-dix ninety; **quatre-vingt-onze** ninety-one; **quatre-vingt-treize** ninety-three; **quatre-vingt-quinze** ninety-five; **quatre-vingt-dix-sept** ninety-seven; **quatre-vingt-dix-neuf** ninety-nine
quatre-vingt-douzième ninety-second
quatre-vingtième eightieth
quatre-vingts eighty; **au quatre-vingt** at number eighty; **quatre-vingt-un** eighty-one; **quatre-vingt-trois** eighty-three; **quatre-vingt-sept** eighty-seven; **quatre-vingt-neuf** eighty-nine
quatrième fourth
que that; **Sais-tu que je vais faire un voyage avec mon oncle?** Do you know that I'm taking a trip with my uncle?//as, than **Un de mes frères est plus âgé que moi** One of my brothers is older than I am; **Ça tombe le même jour que la répétition** It comes the same day as the rehearsal//**Qu'il fait froid ce matin!** Is it cold this morning! **Que de monde!** What a mob!//what **Qu'avez-vous l'intention de faire?** What do you intend to do? **ce que** what; **Dis-moi ce que tu comptes faire aujourd'hui** Tell me what you plan to do today
quel, quelle what, what a
quelque some, any; **quelques** some, a few; **quelques-uns** some; **quelque chose** something; **quelque chose de plus grand** something bigger
quelqu'un anyone, someone
qu'est-ce que? what? **qu'est-ce qu'il y a?** what's the matter? **qu'est-ce qu'il a?** what's the matter with him?
la **question** question
qui who, whom
qui est-ce qui? who?
quinze fifteen; **quinze jours** two weeks

quinzième fifteenth
quoi what

R

la **radio** radio
les **rafraîchissements** refreshments
la **raison: tu as raison** you are right
se **rappeler** to remember; **je me rappelle** I remember
ravi, ravie delighted, overjoyed
ravissant, ravissante lovely
le **receveur** conductor (on a bus)
recevoir to receive
reconnais: je (tu) reconnais I (you) recognize
reconnaissez: vous reconnaissez you recognize
reconnaître to recognize
reçu received
le **réfectoire** school cafeteria, school lunchroom
regarder to look at; **se regarder** to look at one another
la **région** region, area
regretter to be sorry
rejoindre to join; to meet
remercier to thank
le **rendez-vous** appointment, date; **prendre rendez-vous** to make an appointment
rendre to return; **rendre service** to do a favor
rentrer to go back home
le **repas** meal
la **répétition** rehearsal
répondez: vous répondez you answer
répondre to answer
le **reporteur** newspaper reporter
la **république** republic
le **restaurant** restaurant
rester to remain, stay
le **retard** delay; **en retard** late
retarder to be slow
le **retour** return; **nous serons de retour** we will be back
retrouver to meet
la **réunion** meeting
réussi, réussie successful
réussir to succeed, be successful

revenir to come back, return
reviendrons: nous reviendrons we will return, come back
revoir to see again; **au revoir** good-bye
la **revue** magazine
le **rhume** cold
rien nothing; **ne ... rien** nothing; **ça ne fait rien** that's all right, it doesn't matter; **je n'ai jamais rien vu de pareil** I never saw anything like it; **de rien** you're welcome; **je n'en sais rien** I have no idea
la **robe** dress; **une robe de bal** evening gown
le **rôti** roast
rouge red
la **rougeole** measles
la **route** road; roadway; **en route!** let's get going!
royal, royale royal
la **rue** street

S

s' = se or **si** (*before* **il** or **ils**)
sa his, her
le **sac** handbag
le **saint** saint
sais: je (tu) sais I (you) know
la **saison** season
sait: il (elle) sait he (she) knows
la **salade** salad
la **salle** room; classroom; **salle de fête** school auditorium or room used for plays, social events, etc.
le **salon** living room
la **salutation** greeting
le **samedi** Saturday
le **sandwich** sandwich
sans without; **sans doute** probably, no doubt
la **saucisse** frankfurter
le **saucisson** large sausage
le **saumon** salmon
savent: ils (elles) savent they know
savez: vous savez you know
savoir to know
se herself, himself, themselves, ourselves, yourselves, itself
seize sixteen
seizième sixteenth

le **sel** salt
la **semaine** week
le **sens**: SENS INTERDIT! NO THOROUGH-FARE! SENS UNIQUE! ONE-WAY STREET!
sept seven
septembre September
septième seventh
sera: il (elle) sera he (she) will be
serai: je serai I will be
serait: il (elle) serait he (she) would be
seras: tu seras you will be
serez: vous serez you will be
sérieux, sérieuse serious
serons: nous serons we will be
seront: ils (elles) seront they will be
sers: sers-toi help yourself
le **service** service; **il fait son service militaire** he's in the service
servir to serve; **se servir** to help one-self
ses his, her, its
seulement only; **pas seulement** not only
si if//so//yes
le **sien, la sienne** his, hers
le **signal** road sign
la **signalisation** traffic signs
les **signaux** road signs; SIGNAUX SONO-RES INTERDITS! DO NOT SOUND HORN!
simplement simply
sinon otherwise
six six
sixième sixth
le **ski** skiing; ski; **les skis** skis
la **sœur** sister
le **soir** evening; **ce soir** this evening, to-night; **le journal de ce soir** the evening paper; **hier soir** last night; **demain soir** tomorrow evening, to-morrow night
la **soirée** party (in the evening)
soit: j'ai peur que ce soit la grippe I'm afraid it's the flu
soixante sixty; **soixante-cinquième** sixty-fifth; **soixante-six** sixty-six; **soixante et onze** seventy-one; **soixante et onzième** seventy-first; **soixante-douze** seventy-two

soixante-dix seventy; **soixante-dix-sept** seventy-seven
soixante-dixième seventieth
soixantième sixtieth
la **sole** sole
le **soleil** sun; **il faisait du soleil** it was sunny
sombre dark; **il fait si sombre** it's such a dark day
sommes: nous sommes we are
son his, her
sonner to ring; **midi vient de sonner** it just struck twelve
sonores: SIGNAUX SONORES INTERDITS! DO NOT SOUND HORN!
sont: ils (elles) sont they are
la **sortie** departure
sortir to leave, go out of
le **soulier** shoe
souvent often
soyez: soyez gentils be nice
le **spécialiste** specialist
le **sport** sport
sportif, sportive good at sports
le **stade** stadium
a **station: une station de ski** ski resort; **une station d'hiver** winter resort; **une station d'été** summer resort
le **stationnement** parking; STATIONNEMENT INTERDIT! NO PARKING! STOP! STOP!
stupide stupid
le **stylo** fountain pen
le **sucre** sugar
le **sud** south
suis: je suis I am
la **suite: tout de suite** immediately, at once; **deux ans de suite** two years in a row
sur on
sûr, sûre sure; **bien sûr!** of course! sure!
la **surprise** surprise
surtout especially
sympathique likeable, nice

T

-t-: y a-t-il? is there? **a-t-il** has he? **combien coûte-t-il (elle)?** how much is it?

t' = te
ta your
tant so much; **tant mieux** so much the better; good! fine!; **tant de monde** so many people
la **tante** aunt
tard late; **plus tard** later
tarder to delay; **Mon père ne tardera pas** My father won't be long
le **tas** heap; **J'ai un tas de choses à faire** I have lots of things to do
la **tasse** cup
le **taxi** taxi
te you, to you, yourself
le **téléphone** telephone; **un coup de téléphone** a telephone call
téléphoner to telephone, call (on the phone)
la **télévision** television; television set
le **temps** weather; **il faisait mauvais temps** the weather was bad; **Quel temps fait-il?** What's the weather like?//time; **assez de temps** enough time; **en même temps** at the same time; **de temps en temps** from time to time
le **tennis** tennis
se **terminer** to end
tes your
la **tête** head; **Avez-vous mal à la tête?** Do you have a headache?
le **thé** tea
le **tien, la tienne** yours
tiens: Tiens! Well! Look! Say!
le **tintamarre** uproar, noise
toi you, you (*emphatic*); **chez toi** (to) at your house
la **tomate** tomato
tomber to fall; to fall down
ton your
tonton = oncle (*child's term for "uncle"*)
tôt early; **plus tôt** earlier
toujours always; still
tourner to turn
tous all; **tous les deux** both of them
tout, toute all; **tout le monde** everyone; **toute la famille** the whole family; **c'est tout un événement** it's a big event//**voilà tout** that's all//**tout à côté** right next door;

pas du tout not at all; **tout de suite** at once, immediately; **tout droit** straight ahead; **tout naturel** quite natural; **tout à coup** suddenly

le **train** train

le **travail** work

travailler to work

treize thirteen; **treizième** thirteenth

trente thirty; **trente et un** thirty-one; **trente-deuxième** thirty-second; **trente-trois** thirty-three

trentième thirtieth

très very; **très bien** fine

le **tricot** sweater

trois three; **tous les trois** all three

troisième third

trop too much, too many; too

trouver to find; **Comment trouves-tu Hélène Duclos?** What do you think of Hélène Duclos?//**se trouver** to be (located)

tu you

U

un, une one; a, an

unique only; **fils unique, fille unique** only child; SENS UNIQUE! ONE-WAY STREET!

une **université** university

V

va: il (elle) va he (she) goes, is going; **Ça va?** How are you? How are things going? **Paul va bien** Paul's fine; **Est-ce que cette robe me va bien?** Does this dress look well on me?

les **vacances** vacation; **aller en vacances** to go on vacation

vague dim, unclear

vais: je vais I go, am going; **je vais bien** I'm fine

la **varicelle** chicken pox

vas: tu vas you go, are going; **Comment vas-tu?** How are you?

le **veau** veal

le **vendeur** salesman

la **vendeuse** saleslady

le **vendredi** Friday

venir to come

le **vent** wind; **il faisait du vent** it was windy

venu came; **Avec qui est-il venu?** Whom did he come with?

le **verre** glass

verrez: vous verrez you will see

vers toward; about; **vers six heures** around, about six o'clock

le **vert** green//**vert, verte** green

le **veston** man's jacket

veulent: ils (elles) veulent they want

veut: il (elle) veut he (she) wants

veux: je (tu) veux I (you) want; **je veux bien** I'm willing to; **tu veux dire** you mean; **veux-tu?** won't you?

la **viande** meat

la **victoire** victory

viendra: il (elle) viendra he (she) will come

viendrai: je viendrai I will come

viendras: tu viendras you will come

viennent: ils (elles) viennent they come, are coming; **dix heures viennent de sonner** it just struck ten

viens: je (tu) viens I (you) come; **viens!** come!

vient: il (elle) vient he (she) comes, is coming; **il vient d'arriver** he just came in

le **village** village

la **ville** city; **en ville** in the city; downtown; **l'hôtel de ville** city hall

vingt twenty; **vingt et un** twenty-one; **vingt et unième** twenty-first; **vingt-deux** twenty-two

vingtième twentieth

le **virage** turn; VIRAGE À GAUCHE (À DROITE) INTERDIT! NO LEFT (RIGHT) TURN!

la **visite** visit

visiter to visit

vite swift//quickly

la **vitesse** speed

voici here is; **le voici** here it (he) is

voilà there is; **la voilà** there it (she) is; **te voilà enfin** you finally made it;

Voilà Thérèse qui arrive Here comes Thérèse

voir to see

vois: je (tu) vois I (you) see

voit: il (elle) voit he (she) sees

la **voiture** car, automobile; **en voiture!** get in the car!

vont: ils (elles) vont they go, are going; **Comment vont-ils?** How are they? **Ils vont très bien** They are fine

vos your

votre your

voudrais: je (tu) voudrais I (you) would like

voudrait: il (elle) voudrait he (she) would like

voulez: vous voulez you want

vouloir to wish, want; **vouloir bien** to be willing

voulons: nous voulons we want

voulu wanted

vous you; **chez vous** to (at) your house; **près de chez vous** near you

le **voyage** trip; **faire un voyage** to take a trip

voyager to travel

voyez: vous voyez you see

voyons: nous voyons we see; **voyons** let's see; come, come!

vrai, vraie true; right

vraiment really

vu seen

la **vue** (projection) slide

Y

y here, there; **il y a** there is, there are//it **je n'y ai pas pensé** I didn't think about it

les **yeux** eyes; **Avez-vous mal aux yeux?** Do your eyes hurt?

Z

zéro zero

le **zoo** zoo

Prénoms

GARÇONS

Adolphe	Daniel	Gilles	Joseph	Pierre
Alain	Denis	Grégoire	Julien	Raoul
Albert	Dominique	Guillaume	Laurent	Raymond
Alfred	Edmond	Gustave	Léo	René
Alphonse	Édouard	Guy	Léon	Richard
André	Émile	Henri	Louis	Robert
Antoine	Étienne	Hervé	Lucien	Roger
Armand	Eugène	Hubert	Marc	Roland
Arthur	Félix	Jacques	Marcel	Samuel
Auguste	Fernand	Jean	Martin	Serge
Benoît	François	Jean-Claude	Maurice	Simon
Bernard	Frédéric	Jean-Marc	Michel	Thomas
Bertrand	Gaston	Jean-Paul	Nicolas	Victor
Charles	Georges	Jean-Philippe	Olivier	Vincent
Christian	Gérard	Jean-Pierre	Paul	Xavier
Claude	Gilbert	Jérôme	Philippe	Yves

JEUNES FILLES

Adèle	Christine	Georgette	Lucille	Paule
Agnès	Claire	Germaine	Madeleine	Paulette
Alice	Claude	Gilberte	Marguerite	Pauline
Andrée	Claudette	Ginette	Marianne	Pierrette
Angèle	Claudine	Gisèle	Marie	Rachel
Anita	Colette	Hélène	Marie-Ange	Renée
Anne	Corrine	Henriette	Marie-Anne	Rita
Anne-Marie	Danièle	Irène	Marie-Claude	Simone
Annette	Denise	Isabelle	Marie-Hélène	Solange
Antoinette	Dorothée	Jacqueline	Marie-Louise	Suzanne
Arlette	Éliane	Janine	Marie-Thérèse	Sylvianne
Armelle	Élisabeth	Jeanne-Marie	Marthe	Sylvie
Bernadette	Élise	Lisette	Michèle	Thérèse
Berthe	Estelle	Louise	Monique	Véronique
Cécile	Françoise	Lucie	Nadine	Yvette
Christiane	Geneviève	Lucienne	Nicole	Yvonne

GARÇONS

Adolphe	Daniel	Gilles	Joseph	Pierre
Alain	Denis	Grégoire	Julien	Raoul
Albert	Dominique	Guillaume	Laurent	Raymond
Alfred	Edmond	Gustave	Léo	René
Alphonse	Édouard	Guy	Léon	Richard
André	Émile	Henri	Louis	Robert
Antoine	Étienne	Hervé	Lucien	Roger
Armand	Eugène	Hubert	Marc	Roland
Arthur	Félix	Jacques	Marcel	Samuel
Auguste	Fernand	Jean	Martin	Serge
Benoît	François	Jean-Claude	Maurice	Simon
Bernard	Frédéric	Jean-Marc	Michel	Thomas
Bertrand	Gaston	Jean-Paul	Nicolas	Victor
Charles	Georges	Jean-Philippe	Olivier	Vincent
Christian	Gérard	Jean-Pierre	Paul	Xavier
Claude	Gilbert	Jérôme	Philippe	Yves

JEUNES FILLES

Adèle	Christine	Georgette	Lucille	Paule
Agnès	Claire	Germaine	Madeleine	Paulette
Alice	Claude	Gilberte	Marguerite	Pauline
Andrée	Claudette	Ginette	Marianne	Pierrette
Angèle	Claudine	Gisèle	Marie	Rachel
Anita	Colette	Hélène	Marie-Ange	Renée
Anne	Corrine	Henriette	Marie-Anne	Rita
Anne-Marie	Danièle	Irène	Marie-Claude	Simone
Annette	Denise	Isabelle	Marie-Hélène	Solange
Antoinette	Dorothée	Jacqueline	Marie-Louise	Suzanne
Arlette	Éliane	Janine	Marie-Thérèse	Sylvianne
Armelle	Élisabeth	Jeanne-Marie	Marthe	Sylvie
Bernadette	Élise	Lisette	Michèle	Thérèse
Berthe	Estelle	Louise	Monique	Véronique
Cécile	Françoise	Lucie	Nadine	Yvette
Christiane	Geneviève	Lucienne	Nicole	Yvonne